Sammlung Luchterhand 844

Über das Buch: Was bleibt heute noch von der Moral der Naturwissenschaft? Allein auf technischen Fortschritt ausgerichtet, entgleitet sie zusehends der gesellschaftlichen Kontrolle und lädt der Menschheit ein kaum mehr tragbares Existenzrisiko auf.
Erwin Chargaff, Mitbegründer der biochemischen Forschung und Gentechnologie, zieht in seiner Autobiographie die Quintessenz seines natur- und geisteswissenschaftlichen Lebenswerkes.
Er weiß, wovon er redet. Und er redet nicht nur mit der Autorität eines Sachkenners, sondern mit einer kritischen Schärfe und einer polemischen Leidenschaft, die an Karl Kraus erinnern – eine der Gestalten, die für ihn bestimmend gewesen sind.

Über den Autor: Erwin Chargaff, 1905 geboren, war seit 1935 an der Columbia University, New York, tätig, seit 1952 Professor des Biochemischen Instituts. Er erhielt zahlreiche wissenschaftliche Auszeichnungen (u. a. 1974 National Medal of Science, 1984 Merck-Preis).
Veröffentlichungen u. a.: »Bemerkungen«, Klett-Cotta, Stuttgart 1981; »Kritik der Zukunft«, 2. Aufl. Klett-Cotta 1986; »Warnungstafeln. Die Vergangenheit spricht zur Gegenwart«, Klett-Cotta 1986; »Zeugenschaft«. Essays über Sprache und Wissenschaft, Klett-Cotta 1985; »Abscheu vor der Weltgeschichte. Fragmente vom Menschen«, Klett-Cotta 1988. In der Sammlung Luchterhand: »Unbegreifliches Geheimnis. Wissenschaft als Kampf für und gegen die Natur« (August 1989, SL 849).

Erwin Chargaff

Das Feuer des Heraklit

Skizzen aus einem Leben vor der Natur

Luchterhand
Literaturverlag

Sammlung Luchterhand, Juni 1989
Luchterhand Literaturverlag GmbH, Frankfurt am Main, 1989. Lizenzausgabe mit freundlicher Genehmigung der Verlagsgemeinschaft Ernst Klett Verlag- J. G. Cotta'sche Buchhandlung. Umschlagentwurf: Max Bartholl unter Verwendung eines Fotos von Roman Vishniac. Druck: Wagner GmbH, Nördlingen. Printed in Germany
ISBN 3-630-61844-8

2 3 4 5 6 95 94 93 92 91 90

This Jack, joke, poor potsherd, | patch, matchwood,
immortal diamond,
Is immortal diamond.

G. M. Hopkins, *That Nature is a Heraclitean Fire and of the comfort of the Resurrection*

Für V., T., B.

Inhalt

I. Ein Fieber des Verstandes

II. Närrischer und weiser

III. Die Sonne und der Tod

I. Ein Fieber des Verstandes

La jeunesse est une ivresse continuelle:
c'est la fièvre de la raison.
La Rochefoucauld

Weißes Blut, roter Schnee

Als die Atombomben auf Hiroshima und Nagasaki fielen, in jenem Jahre 1945, war ich gerade vierzig Jahre alt, hatte ein spärliches Einkommen und war noch immer Assistenzprofessor an der Columbia-Universität in New York. Ich hatte schon fast neunzig Arbeiten veröffentlicht; ich hatte ein gutes Laboratorium und einige begabte junge Mitarbeiter, und ich machte mich gerade daran, die Untersuchung der Nukleinsäuren zu beginnen. Eine jährliche Dotation von sechstausend Dollar seitens der Markle-Stiftung war das Siegel meines irdischen Erfolges.

Es fällt mir schwer, die Wirkung zu beschreiben, die der Triumph der Kernphysik auf mich ausübte. (Vor nicht allzu langem sah ich einen Film, den die Japaner zu jener Zeit gemacht hatten, und der ganze Schrecken lebte wieder auf, falls »aufleben« das richtige Wort ist angesichts des Mega-Todes.) Es war früh an einem Abend im August 1945 — war es der sechste? — meine Frau, unser kleiner Sohn und ich verbrachten den Sommer in Maine, in South Brooksville, und wir waren nach dem Nachtmahl auf einen Spaziergang gegangen, dorthin, wo die Penobscotbucht in ihrer ganzen Schönheit, in ihrer Sonnenuntergangslieblichkeit zu sehen war. Da kam uns ein Mann entgegen, und er erzählte uns, er habe etwas im Radio gehört über eine neue Art von Bombe, die irgendwo über Japan abgeworfen worden sei. Am nächsten Tag brachte die »New York Times« alle Einzelheiten, und seither haben diese nicht aufgehört uns heimzusuchen.

Das doppelte Grauen zweier japanischer Städtenamen verwandelte sich für mich in eine andere Art von Doppelgrauen: einem entfremdenden Bewußtsein davon, wozu die Vereinigten Staaten fähig waren, das Land, das fünf Jahre vorher mir die Bürgerschaft verliehen hatte; einem ekelerregenden Schrekken über die Richtung, welche die Naturwissenschaften eingeschlagen hatten. Niemals fern von einer apokalyptischen Vision der Welt, sah ich vor mir das Ende all dessen, was Menschlichkeit bedeutete; ein Ende, nähergebracht oder sogar möglich gemacht durch den Beruf, dem ich angehörte. Wie es mir erschien, waren alle Naturwissenschaften eins; und wenn eine Wissenschaft sich nicht mehr auf ihre Unschuld berufen konnte, so konnte es keine. Die Zeit war lange vorbei, da es möglich war zu sagen, daß man ein Naturwissenschafter geworden war, weil man mehr über die Natur erfahren wollte. Dies hätte sofort die Frage hervorgerufen: »Warum wollen Sie eigentlich mehr über die Natur wissen? Wissen wir nicht jetzt schon genug?« Und dann wäre man zu der erwarteten Antwort verlockt worden: »Nein, wir wissen nicht genug; aber wenn es so weit ist, so werden wir die Natur verbessern, wir werden sie ausbeuten. Wir werden die Meister des Weltalls sein.« Und sogar wenn man nicht diese dumme Antwort gegeben hätte, so wäre doch im Innern das Gefühl geblieben, daß die Verschlimmbesserer mit diesem Gerede davonkommen würden, gäbe es nicht den Tod, diesen größten Korrektor aller Idiotien. Denn hatte mir nicht schon Bacon versichert, daß Wissen Macht ist, und Nietzsche oder eigentlich diejenigen, die es auf sich genommen hatten, falsches Zeugnis über ihn abzulegen, alle diese Ausbeuter des zum Schweigen gebrachten großen Mannes, daß dies es war, was ich mein ganzes Leben gewünscht hatte? Sie waren selbstverständlich völlig im Unrecht, soweit ich in Betracht komme; und für mich ist mehr Weisheit in einer von Tolstois oder Leskows Erzählungen zu finden als in dem gesamten »Novum Organum« (mit »Zarathustra« als Zuwaage).

Demnach erwies ich mich im Jahre 1945 als ein sentimentaler Narr; und Herr Truman hätte mich mit Leichtigkeit als einen der wimmernden Idioten klassifizieren können, denen er den Zutritt zu seinem Präsidentenbüro verwehrte. Denn ich hatte das Gefühl, daß kein Mensch das Recht hatte, so viel Leid zu verordnen, und daß die Naturwissenschaften, indem sie das Messer geliefert und geschärft und den Arm gestützt hatten, der es hielt, eine Schuld auf sich genommen hatten, der sie niemals mehr zu entgehen fähig sein werden. Es war zu jener Zeit, da der Nexus zwischen Wissenschaft und Mord mir klar wurde. Wenige Jahre nach diesem finstern Ereignis, so zwischen 1947 und 1952, versuchte ich verzweifelt eine Stellung in der mir damals bukolisch erscheinenden Schweiz zu finden, aber ohne Erfolg.

Daß dies nicht das erste und nicht das größte Gemetzel von Unschuldigen in unserer Zeit war, wurde mir erst später und sehr allmählich bewußt. Die Regierungen der Welt, Freund und Feind, hatten mit dem größten Erfolg und aus völlig verschiedenen Gründen alle Nachrichten über die deutschen Ausrottungsfabriken verheimlicht. Solche Namen wie Auschwitz, Belsen, Chelmo und das übrige höllische ABC von Erstickung und Verbrennung, bis hinunter zu Westerbork und Yanov, fielen nur langsam in mein Bewußtsein, wie Bluttropfen aus der Hölle.

In den ersten Jahren dieses Jahrhunderts hatte der große Léon Bloy einen Blick auf die Naturwissenschaften geworfen — und was für ein winziger Riese sie damals waren! — und er schrieb [1]: »La science pour aller vite, la science pour jouir, la science pour tuer«! Unterdessen sind wir noch schneller gegangen, wir haben uns weniger amüsiert, und wir haben mehr getötet. Das Naziexperiment in Eugenik — »die Ausrottung rassisch minderwertiger Elemente« — war eine Folge derselben Art von mechanistischer Denkweise, welche in einer äußerlich völlig verschiedenen Form zu dem beigetragen hat, was die meisten Leute als den Triumph der modernen Naturwissenschaften betrachten würden. Die diabolische Dialektik des Fortschritts verwandelt Ursachen in Symptome, Symptome in Ursachen; die Unterscheidung zwischen Folterer und Opfer wird nur eine Funktion des Blickfeldes. Die Menschheit hat nicht gelernt — wäre ich ein wahrer Naturwissenschafter, also ein Optimist, so würde ich hier das Adverb »noch« einfügen —, Einhalt zu gebieten diesem schwindelerregenden Taumel: eine geometrische Progression von Katastrophen, die wir, bevor sie geschehen sind, unter dem Ausdruck »Fortschritt« zusammenfassen.

Dies war nicht die Art von Naturwissenschaft, die mir vorgeschwebt hatte, als ich meine Wahl traf; darauf will ich noch später zurückkommen. Damals hatte ich es sicherlich nicht begriffen, daß die Naturwissenschaften sich zu einer Maschine zur Lösung von Problemen auswachsen würden, von Problemen, welche, indem sie auf wissenschaftliche Art gelöst wurden, noch viel größere Probleme erzeugten, und so weiter. Das Jahr 1945 verwandelte völlig meine Haltung gegenüber den Naturwissenschaften oder wenigstens gegenüber der Art von Naturwissenschaft, von der ich umgeben war. Selbst als ich jung war, gingen alle meine Neigungen in die Richtung eines kritischen Skeptizismus: ich konnte nur glauben, was mir nicht gepredigt wurde. (Das zeigten schon meine ersten Übersichtsartikel: einer über die Chemie des Tuberkelbazillus [2], der andere über Lipoproteine [3].) Aber sogar ich war nicht vorbereitet auf jene Orgie der Übertreibungen und leeren Versprechungen, welche die biologischen Wissenschaften überschwemmt. Und nicht nur dies, denn unsere Zeit hat die komische Einrichtung der »think tanks« erfunden. Diese möchte ich mit »Denkaquarien« übersetzen: man kann den Fachleuten zusehen, wie sie hinter Glas nachdenken. Die aus ihren Mündern aufsteigenden Bläschen sind die Perlen der Weisheit.

Über die Vorteile der Unbequemlichkeit

Als ich jünger war und die Leute mir noch manchmal die Wahrheit sagten, nannte man mich oft einen Sonderling *; und ich konnte nur traurig und bejahend mit dem Kopf nicken. Denn es ist eine Tatsache, daß ich, mit wenigen herrlichen Ausnahmen, nicht gut in das Land gepaßt habe und in die Gesellschaft, darin ich leben mußte, in die Sprache, in der ich mich zu unterhalten hatte, ja sogar in das Jahrhundert, in dem ich geboren war. Gewiß, dies ist das Schicksal vieler Menschen im Laufe der Geschichte gewesen, und unser unmenschliches Jahrhundert, so voll von enormen Kriegen, nie da gewesenen Verwüstungen, herzzerreißenden Irrfahrten, hat viel zu der Summe des menschlichen Elends hinzugefügt. Aber nicht jedermann ist mit einem Stein im Schuh geboren.

Trotzdem genießt der Außenseiter auch große Vorteile; nicht ganz ohne Behagen fühlt man sich unbehaglich. Wenn man in Ruhe gelassen wird, so daß man einsam ist, so wird man auch in Ruhe gelassen, so daß man unbelästigt bleibt. Da ich nie im Leben einen Ruf an eine andere Universität erhalten habe — und das, viel mehr als meine seßhaften Gewohnheiten oder der mit Recht undefinierbare Reiz der Columbia-Universität, erklärt, warum ich vierzig Jahre dort verharrt habe —, so ist mir der Tumult häufiger Übersiedlungen erspart geblieben. Da ich nie eine Stelle in einer der wissenschaftlichen Gesellschaften bekleidet habe, denen ich angehöre, so bin ich vor der Notwendigkeit beschützt geblieben, jene leeren Ansprachen halten zu müssen, mit denen unsere Staatsleute, wissenschaftliche oder sonstige, den Pöbel zu hypnotisieren versuchen. Wenn ich auch niemals einem der Konventikel angehört

---

* Natürlich spielte sich das auf Englisch ab und man nannte mich einen »misfit«. Dieses Wort, ursprünglich auf schlecht sitzende Kleider angewandt, und erst im gegenwärtigen Jahrhundert auf Personen, beschreibt viel besser als »Sonderling« oder »Eigenbrötler« den in die Gesellschaft nicht hineinpassenden und daher von ihr verworfenen Einzelnen.

habe, die hierzulande die wissenschaftlichen Geldmittel verteilen, so kann ich mich doch nicht beschweren, denn sie sind immer anständig zu mir gewesen und ich habe keinen Mangel an wissenschaftlicher Unterstützung gelitten; zumindest so lange, bis Alter, Abstand, Entfremdung und vielleicht sogar Weisheit einen Panzer von Eis um mich errichteten.

Nichtsdestoweniger, sollte ich das eine oder andere Mal einige Kollegen gegen den Strich gekämmt haben, so muß ich um Entschuldigung bitten: es war mir nicht klar gewesen, daß sie mit Fell überzogen waren.

Der Außenseiter auf der Innenseite

Der ursprüngliche Anlaß für dieses Buch kam von einer Einladung, das einleitende Kapitel in einem Bande der »Annual Review of Biochemistry« zu schreiben, einer Serie, in der alljährlich über wissenschaftliche Fortschritte auf dem Gebiete der Biochemie berichtet wird. Es fiel mir schwer zu verstehen, warum man mich gebeten hatte. Dieses Staunen sollte nicht als ein Beispiel für arrogante Bescheidenheit betrachtet werden; ich bin wirklich nicht als Vorbild für jüngere Wissenschafter geeignet. Was ich lehren kann, kann man nicht lernen. Ich bin nie ein »hundertprozentiger Naturwissenschafter« gewesen. Meine Lektüre war immer schamlos unprofessionell. Ich besitze kein Diplomatenköfferchen und bin infolgedessen außerstande, es abends voller Zeitschriften nach Hause zu tragen. Ich habe lange Ferien gerne, und die Liste meiner Tätigkeiten wäre im allgemeinen ein Ärgernis in den Ohren der Rationalisierungsapostel. Ich spiele nicht die Blockflöte, noch bin ich geneigt, »NATO workshops« auf einer griechischen Insel oder auf einem sizilianischen Berggipfel zu besuchen; dies zeigt, daß ich nicht einmal ein Molekularbiologe bin. In der Tat, der Katalog all dessen, was ich nicht besitze, macht den sogenannten amerikanischen Traum aus. Der Leser wird mit Recht schließen, daß der »gradus ad Parnassum« zu jemandes andern Füßen gelernt werden muß.

Alles in allem habe ich immer versucht, meinen Amateurstand zu bewahren [4]. Ich bin nicht einmal sicher, daß ich meiner eigenen Definition eines guten Lehrers entspreche: er hat viel gelernt, er hat mehr gelehrt. Nur einer Sache bin ich sicher: ein guter Lehrer kann nur abtrünnige Schüler haben, und in dieser Hinsicht habe ich vielleicht doch etwas Gutes getan.

Ich habe mich oft als einen Außenseiter auf der Innenseite der Naturwissenschaften bezeichnet. Die Gralshüter werden mit Recht sagen, daß sie keine Verwendung für solche Außenseiter haben. Das mag sein, aber die Wissenschaft braucht sie. Jede Tätigkeit des menschlichen Geistes hat im Laufe der Geschichte die Kritik aus ihren eigenen Reihen erzeugt; und einige Wissenschaften, z. B. die Philosophie, bestehen zum großen Teil aus Kritik an früheren Bestrebungen, aus der Beurteilung der Begriffe, aus denen jene hervorgewachsen waren. Nur die Naturwissenschaften sind in unserer Zeit selbstgefällig geworden; selig schlummern sie in euphorischer Orthodoxie, voller Verachtung die wenigen schüchternen Stimmen der Warnung überhörend. Aber diese Stimmen sind vielleicht die Herolde künftiger Ungewitter. Furchtsam flattern manchmal Vögel vor den Stürmen her, getrieben von Winden, welche die Menschen noch nicht spüren.

Unsere wissenschaftliche Massengesellschaft betrachtet den Außenseiter mit wenig Zuneigung. Nirgendwo jedoch ist die Strafe selbst für die geringste Abweichung von einer von geheimen Kräften statuierten Norm höher als in den Vereinigten Staaten. Ich habe den größten Teil meines Lebens in Amerika verbracht, und der Hauptteil meiner wissenschaftlichen Forschung und fast meine gesamte Lehrtätigkeit haben sich hier abgespielt. Ob die eine oder andere meiner wissenschaftlichen oder allgemeineren Beobachtungen irgendeinen Wert hat, wird sich vielleicht später zeigen. Gehör habe ich jedenfalls nicht viel gefunden; und das vielleicht im umgekehrten Verhältnis zur Entfernung von meinem Wohnsitz. Das hat mich immer an die seltsame, von mir auf meinen vielen Reisen häufig bestätigte Tatsache erinnert, daß meine Universität immer berühmter wurde, je weiter ich mich von New York entfernte. Dort, wo es kein fließendes Wasser mehr gab, war Columbia die einzige Universität, von der die Eingeborenen gehört hatten. So traf ich zum Beispiel im Innern von Japan, von schönen Wäldern und Wasserfällen umgeben, auf den Abt eines Klosters, der mir mitteilte, es sei der Wunsch seines Lebens, einen Columbia-Professor kennenzulernen. Da ihm dieser endlich erfüllt war, bestand er auf einer gemeinsamen Photographie. Dabei sieht er auf dem Bild viel gescheiter aus als ich.

Übrigens habe ich die Beschwerden der Propheten über ihre Wirkungslosigkeit immer als unpassend empfunden, obwohl ich selbst von diesem Fehler nicht frei gewesen bin. Das wahre Kennzeichen des Propheten ist seine Unhörbarkeit.

Eine böse Nacht für ein kleines Kind

Ich habe diesen Bericht mitten in meinem Leben angefangen, und es ist jetzt Zeit zurückzugehen. Ich bin am 11. August 1905 in Czernowitz geboren, das zu jener Zeit eine Provinzhauptstadt der österreichischen Monarchie war. Daß ich im Jahre 1905 geboren bin, bedeutet, daß ich zu jung für den ersten und zu alt für den zweiten Weltkrieg war: eine Tatsache, die nicht ohne Einfluß auf mein ferneres Leben gewesen ist.

Friedlich und sanft war meine Kindheit, denn ich wuchs im letzten Schimmer einer stillen, sonnenbeschienenen Periode auf, die bald zu Ende gehen sollte. Ich war das erste Kind; eine Schwester kam fünf Jahre später, und als man mir das neue Bündel zeigte, betrachtete ich es mit stumpfem Staunen. Wenn ich in anderer Leute Lebensbeschreibungen über Druck und Haß in der Familie, über Komplexe, über die vielfachen Störungen in ihren jungen Leben lese, so kann ich nur ein Gefühl der Beschämung empfinden über das völlige Fehlen ähnlicher Beschwerden in meinem eigenen versonnenen Falle. Ich liebte meine Eltern und sie liebten mich; sie waren gut zu mir und halfen mir, wenn ich sie brauchte; hätte ich eine Gelegenheit gehabt, so wäre ich gut zu ihnen gewesen. Aber sie waren tot, bevor ich von viel Nutzen sein konnte.

Ich habe immer mit großem Mitleid auf meine wunderbaren Eltern gesehen; sie hatten ein schwereres Leben als meines war. Wie oft es vorkommt, daß einem kleinen Kind seine Eltern leid tun, weiß ich nicht. Bei mir war es der Fall. Jedenfalls nahm ich einen ungewöhnlichen Platz in der Familie ein: seit meinem sechsten Jahr haben meine Eltern nach unten zu mir emporgeblickt.

Mein Vater, Hermann Chargaff (1870—1934), hatte ein kleines Vermögen und eine noch kleinere Privatbank von seinem Vater geerbt. Er hatte angefangen, Medizin an der Wiener Universität zu studieren, aber wegen des frühen Todes meines Großvaters mußte er das Studium aufgeben. Der Name meiner Mutter war Rosa Silberstein. Sie war im Jahre 1878 geboren und starb, nur Gott weiß wo und wann, denn 1943 wurde sie aus Wien in das Nichts deportiert *. Sie lebt als eine sanfte und barmherzige Gestalt in den Erinnerungen meiner Kindheit, mehr als irgend jemand, den ich je traf, das verkörpernd, was die lateinische Sprache, tief aus ihrem Herzen heraus, »misericordia« genannt hat.

Ich kann sie noch sehen, noch steht sie vor mir, in den schönen Kleidern aus dem Anfang dieses Jahrhunderts: langröckig, weithütig, im Beben der Pleureusen — war es das Weinen ihres Gewandes, war es das Weinen meiner träumenden Kinderaugen? — eine junge, graziöse und traurige Gestalt. Fest umrissen ist die Erscheinung und doch, wie sie ihren langen Rock mit der linken Hand leicht lüpft, auf Wellen gemalt. Als ich vor einiger Zeit Viscontis Film »Der Tod in Venedig« sah, da machte mein Gedächtnis einen melancholischen Sprung; es war das traumhafte Erkennen des Unerkennbaren: ich sah meine junge Mutter in mehreren dunstig zitternden Ebenbildern, schreitend über den nebligen Strand, gleitend hinter einem Schirm von Tränen.

Mein Vater, wie ich mich seiner als eines verhältnismäßig jungen Mannes entsinne, hatte in doppeltem Gegensatz zu mir ein joviales Temperament und einen großen Schnurrbart. Er behielt beide Merkmale durch sein ganzes Leben, aber seine Gesundheit war recht gebrechlich. Die rohen und rauhen Zeiten, die mit dem Ausbruch des ersten Weltkriegs anhuben, waren mehr, als er ertragen konnte. Er war in vielfacher Hinsicht ein typischer altmodischer Österreicher, in sanfteren Zeiten aufgewachsen, und er besaß nicht die Kraft, mit Krieg, Inflation, Verarmung fertigzuwerden. Er war ein guter Geiger, aber eine Verletzung an einer Hand verhinderte ihn in der zweiten Hälfte seines Lebens am Musizieren. Ich habe noch eine lebhafte Erinnerung an seine Bibliothek. Sie war in einem

* Ein Schurke von einem Wiener Arzt und ein herzloser amerikanischer Konsul hinderten sie mit vereinten Kräften daran, vor Kriegsausbruch zu mir nach New York zu kommen.

riesigen, geschmacklos verzierten Bücherschrank mit Glastüren untergebracht. Den Mittelpunkt bildete ein umfangreiches Nachschlagewerk, »Meyers Großes Konversationslexikon«, in 24 Bänden. Ein lächerlich wißbegieriges Kind, bezog ich den Hauptteil meiner voreiligen Gelehrsamkeit aus dieser soliden Sammlung. Dazu kamen noch die sogenannten Klassiker — Goethe, Schiller, Lessing, und auch Shakespeare, soweit ich mich erinnere, in der schlechten Dingelstedt-Übersetzung —, Folianten in dick vergoldeten, mit Figuren und Porträts inkrustierten Einbänden, und der Text reichlich im schlechtesten Geschmack der Gründerzeit illustriert. Dafür gab es aber auch die guten und zurückhaltenden Cotta-Ausgaben deutscher Dichter, von welchen einige — Kleist, E.T.A. Hoffmann, Platen, Chamisso — mir noch jetzt verblieben sind. Diese und meines Vaters goldene Uhr machten meine Erbschaft aus.

Schon als Kind habe ich mich darüber geärgert, wie oft mein Familienname falsch buchstabiert wurde; aber dies zeigte mir auch, daß dieser Name selten oder geradezu einzigartig ist. In früheren Jahren, als ich oft in vielen Ländern reiste, muß ich Hunderte von Telephonbüchern studiert haben, aber niemals habe ich diesen Namen finden können. Der Vater meines Vaters war Isaak Don Chargaf (1848—1903) — so war der Name in einem Dokument geschrieben, das ich einmal sah —, und eine unserer vielen höchst zweifelhaften Familienlegenden wußte auch zu erzählen, daß meine männlichen Vorfahren immer »Don« als zweiten Vornamen trugen. Ob dies bedeutet, daß sie aus Spanien kamen, weiß ich nicht, noch auch ob der Doppelkonsonant am Ende meines Namens das Produkt einer Art von Verdeutschung war, eine vordarwinische Anspielung auf meinen ursprünglichen Ahnherrn. Ich muß hinzufügen, daß ich nie ein besonderes Interesse für Genealogie gehabt habe, da ich zu dem Schluß gekommen bin, daß, wenn man sich genug anstrengt, es immer möglich ist, seinen Ursprung auf Aeneas zurückzuführen, auf Wilhelm den Eroberer, Lucas Cranach den Älteren oder, im entgegengesetzten Falle, auf Rabbi Katzenellenbogen.

Als ich zur Welt kam, ging es meinen Eltern sehr gut und die Familie, in der ich aufwuchs, würde im gegenwärtigen unangenehmen Jargon als höherer Mittelstand bezeichnet. In späteren Jahren verdunstete das Kapital der kleinen Bank meines Vaters, hauptsächlich weil er irrigerweise seinen Angestellten und Kunden vertraute; er liquidierte die Firma im Jahre 1910 und mußte sich nach einer Stellung umsehen. Einer weiteren fragwürdigen Familienfabel zufolge verflüchtigte sich ein Teil des unterschlagenen oder sonstwie abhandengekommenen Geldes in die Vereinigten Staaten und trug auf diese Weise zur frühen Glorie von Hollywood bei. Ich hätte mir eine bessere Verwendung für den ehemaligen Familienbesitz denken können.

Dies waren die letzten friedlichen Jahre eines Jahrhunderts, welches in der Geschichte, falls es noch eine Geschichte geben wird, wahrscheinlich als das Jahrhundert der Massenmorde fortleben wird. Allerdings verpaßte ich den Burenkrieg und den Russisch-Japanischen Krieg, aber seit der Zeit, da ich sieben Jahre alt war, ist mein Leben wie von einem nie aufhörenden tiefen Orgelpunkt von Berichten von Schlachtfeldern, von täglichen Leichenbilanzen, von Geschichten von Morden begleitet gewesen. Der erste Film, den ich sah, eine Wochenschau im Jahre 1912, zeigte einen Militärzug im Balkankrieg, und die Lokomotive kam mit erschreckender Schnelligkeit auf mich zugefahren, noch beschleunigt durch das Gehämmer des Klavierspielers. Später, als ich älter war, erschien mir die Naturwissenschaft als eine Zuflucht vor den Greueln, aber diese haben mich wieder eingeholt.

An meine Geburtsstadt erinnere ich mich nur dunkel. Farben kommen immer wieder an mich heran: Schwarz und Rosa. Es schimmern die freudig hellen Trachten der ruthenischen Bauern, der Huzulen, wenn sie zum Markt kamen; der Park des bischöflichen Palastes — nie wieder war irgend etwas so grün in meinem Leben. Czernowitz, von dem der sowjetrussische Heeresbericht anläßlich seiner Eroberung im März 1944 als »ukrainischer Provinzstadt und bedeutendem Industriezentrum«

sprach, war das allerdings damals nicht, aber es war eine richtige altösterreichische Provinzstadt, in der von dem durch Schlamperei gemilderten Absolutismus des Kaiserreiches nur diese — die Schlamperei — bemerkbar war.

Das zweistöckige Haus — zwei Flügel und ein gepflasterter Hof — war alt, hatte hohe Zimmer, große Fenster, und durch den gewölbten Torbogen sah man die stille Franzensgasse. Nur wenige Familien wohnten im Hause, drei oder vier, über uns ein wohlhabender Mann — unser josefinischer Dialekt sprach von einem »Großgrundbesitzer« — im gegenüberliegenden Flügel des Hauses der Eigentümer, eine Art von griechisch-orthodoxem Unterbischof mit zahlreicher Familie. Alles wehte an diesem Herrn Bežan, sein weiter speckiger Kirchenmantel, sein weißer Bart. Noch viele Jahre später erschien mir Gott nur in seinem Ebenbilde und schimpfte auf dem Balkon mit lauter Stimme auf Rumänisch.

Und dann der Garten hinter unserem Haus: wie groß erschien er mir damals, wie geheimnisvoll, wie furchterregend! Es war aber auch alles vorhanden in diesem Garten: ein Hügel, auf dem ein Holzpavillon stand, die sogenannte »Laube«, und darunter die wundervollste, finsterste, wasserberieseltste Grotte. Ihre schwarze, feuchte Tiefe zu ermessen, hätte ich mich nie getraut. Die nassen Steine reflektierten reine Nacht. Wenn das Pochen des Komturs in Don Giovannis Bankettsaal dringt, spüren wir in der Musik das Schaudern vor einer ins Alltägliche versetzten Unterwelt. So erinnere ich mich noch heute an diese Grotte mit ihren angenehmen Fürchterlichkeiten.

Dort spielte ich, fast immer allein, und alle Gefahren eines mit Pappendeckel gepanzerten Rittertums wurden zitternd wiedererlebt in der todernsten Welt eines verträumten Kindes. Eher stumpf gegenüber der Wirklichkeit, lebte ich in einer Welt, die ich selbst erzeugt hatte; und wenn sie auch nicht so gut ausgestattet war wie Mörikes Orplid oder die Traumwelt der Brontëkinder, hatte ich sie ganz allein bauen müssen, denn ich hatte wenige Freunde.

Noch höre ich die Stimme meiner Mutter, zärtlich aus dem verschollenen Nirgendsgrab, wie sie vom Kücheneingang das Spiel des kleinen Buben überwacht. Sie sieht gutmütig und verwirrt und immer etwas müde aus, mit ihren schönen braunen Augen im breiten Gesicht. Die dichten Haare sind zu einer hohen Frisur aufgeschichtet. Das ist tagsüber die einzige Konzession an die von der Zeit geforderte Damenhaftigkeit. »Erwinchen«, ruft sie dem Dreijährigen zu, als er den winzigen Hügel im Garten zu erklimmen wagt, »Erwinchen, du bist kein Hochtourist!« Und so bin ich niemals ein Bergsteiger geworden. Berichten zufolge habe ich sehr spät angefangen zu reden: ein Mangel, den ich sicherlich seither wieder gut gemacht habe.

Die größeren Städte der Habsburger Monarchie besaßen alle eine starke Familienähnlichkeit, und trotz den Wechselfällen der neuern Geschichte haben sie sie noch immer beibehalten. Als ich vor einigen Jahren Zagreb in Kroatien besuchte, da sah ich wieder meine Geburtsstadt. Der gleiche eklektische Stil — eine Art von ärarischer Renaissance — des in der Mitte eines großen Platzes befindlichen soliden Stadttheaters, die Universität, das Gerichtsgebäude, gewöhnlich »Justizpalast« genannt, das Gymnasium, der Volksgarten. Leider blasen die Tramwayschaffner nicht mehr auf einer kleinen Trompete. Aber die Wagen sehen aus wie in meiner Kindheit. Auch befindet sich auf dem Theaterplatz das Hauptcafé des Ortes. Ich nehme an, daß ähnliche Tränen eines wehmütigen Wiedererkennens die Augen von Amerikanern erfüllen, wenn sie mitten in Yokohama einem »Hotdog Emporium« oder einem »Hamburger Haven« begegnen. Aber die österreichischen Kaffeehäuser verbreiteten eine bessere Art von Zivilisation.

Und dann kam 1914. Wir verbrachten den Sommer in Zoppot an der Ostsee. An einem Nachmittag, Ende Juni, saßen wir auf einem Tennisplatz und schauten zu, wie die jüngeren Söhne Kaiser Wilhelms des Zweiten Tennis spielten; da kam ein Adjutant und flüsterte etwas in die erlauchten Ohren. Die jungen Männer (auf weißen Sweatern schwarze Adler) warfen ihre Rackets weg und gingen: der österreichische Erzherzog Franz

Ferdinand war ermordet worden. Das war das wirkliche Ende des 19. Jahrhunderts; nie sind die Lampen, die damals ausgingen, wieder angezündet worden. Der erste Weltkrieg war die Wasserscheide, oder besser die Blutscheide, zwischen zwei Zeiten.

Als der Sommer vorbei war und wir zurückkehren sollten, gab es kein Heim für uns: die russische Armee war gerade daran, Czernowitz zu besetzen. Wir fuhren nach Wien, in die Stadt, die ich in vielfacher Hinsicht immer als meine Heimatstadt betrachtet habe. Jedenfalls ist es Wien, wo mein Vater begraben liegt, und aus Wien haben sie meine Mutter weggeschleppt.

Versuchsstation des Weltuntergangs

Die österreichisch-ungarische Monarchie, deren Abendleuchten ich gerade noch erspähen konnte, war eine einzigartige Einrichtung. Die Heiratsgeschicklichkeit der Habsburger, unsterblich gemacht in einem berühmten Hexameter *, hatte wirklich sehr wenig damit zu tun, und ebensowenig die wohlbekannte »Wiener Gemütlichkeit«, welche oft nicht mehr ist als eine dünne Kruste über einer wahrhaft bestialischen Wildheit. Fürst Metternich — der Kissinger des 19. Jahrhunderts, nur besser aussehend — war nicht mehr dafür verantwortlich als Haydn oder Mozart oder Schubert, Stifter oder Nestroy oder Trakl. Das Reich, viel eher durch seine unterjochten slawischen Bestandteile als durch seine deutschen oder ungarischen Meister humanisiert, wurde tatsächlich durch die Patina zusammengehalten, die es mehr oder weniger zufällig in vielen Jahrhunderten erlangt hatte. Als ich zuerst meine Augen öffnete und sie betrachtete, war die Monarchie in einem überaus unstabilen Gleichgewicht. Das erinnert mich an eine schöne Stelle in einem Briefe Heinrich von Kleists vom 16. November 1800. Er war gerade durch einen Torbogen geschritten: »Warum, dachte ich, sinkt wohl das Gewölbe nicht ein, da es doch *keine* Stütze hat? Es steht, antwortete ich, *weil alle Steine auf einmal einstürzen wollen* —.« Die antoninische Ruhe der späten Monarchie war natürlich fiktiv; aber wie jede echte Fiktion lebte sie ihr eigenes Leben. Ich nehme an, das Reich mußte zusammenbrechen; aber sein Verschwinden hat nichts zu einer bessern Welt beigetragen.

Eine Schilderung dessen, was es bedeutete, die Sterbejahre der österreichischen Monarchie zu erleben, und noch dazu in Wien, ist oft versucht worden, aber selten mit Erfolg. Der Geruch, den die Amtsgebäude ausströmten, eine Mischung von

---

* »Bella gerant alii, tu, felix Austria, nube!« (Kriege mögen andere führen, du, glückliches Österreich, heirate!) Die Ehe war in der Tat die Fortsetzung des Krieges mit anderen Mitteln.

verwelkten Rosen und gegorenem Urin, kann nicht zurückgerufen werden außer in Träumen; die Verbindung von leichtlebiger Schlamperei, sykophantischer Gutmütigkeit und wilder Brutalität war wahrscheinlich so einzigartig wie die instinktive Suche nach einem Mittelweg und die Bereitwilligkeit, einen Kompromiß vorzuschlagen und anzunehmen, solange er der ihn vorschlagenden Partei Vorteile brachte. Ich vermute jedoch, daß jedes »Bas-Empire« ähnliche Kanäle glückseliger Verkommenheit entwickeln wird. Obwohl ich ein Kind war, wurde ich bald zu einem nicht unaufmerksamen Zuschauer, denn meine Augen waren früh geöffnet worden.

Als ich eines Tages im Jahre 1915 oder 1916 in den Büchern meines Onkels stöberte, fiel mir das letzte Heft der »Fackel« in die Hände, der von Karl Kraus herausgegebenen und zu jener Zeit bereits von ihm allein geschriebenen Zeitschrift. Ich war immer ein eifriger Leser von Sachen, die mich nichts angingen, und so versuchte ich auch in diesem Fall zu verstehen, was da gedruckt war, aber es war nicht leicht. Außerdem war der Text mit weißen Flecken durchsetzt: der Zensor hatte gewütet. Denn Karl Kraus, der größte satirische und polemische Schriftsteller unserer Zeit, war ein furchtloser Kritiker des Krieges und der Gesellschaft, die zu ihm geführt hatte. Niemand hat einen größeren Einfluß auf die Jahre meines Wachsens gehabt; seine ethischen Lehren, seine Vision der Menschheit, der Sprache, der Dichtung, haben mein Herz niemals verlassen. Er war es, der mich gegen Plattheiten so empfindlich machte; er hat mich gelehrt, mich um Wörter zu sorgen, als wären es hilflose Kinder, die Folgen dessen, was ich sagte, zu wägen, als hinge unser aller Leben davon ab. In meinen Jugendjahren fungierte er als eine Art von Miniaturausgabe des Jüngsten Gerichtes. Dieser apokalyptische Schriftsteller — der Titel dieses Kapitels stammt aus seinem Nachruf auf Erzherzog Franz Ferdinand (Die Fackel, Nrn. 400 bis 403, S. 2) — war wirklich mein einziger Lehrer; und als ich viele Jahre später eine Sammlung von Aufsätzen [5] seinem Gedenken widmete, trug ich nur einen kleinen Teil einer dankbaren Schuld ab. Ahnungslose Leute, die diese Widmung bemerkten, fragten mich, ob es einer meiner früheren Schullehrer gewesen sei. Ich sagte ja.

Was ich als Lehre empfing, hatte hauptsächlich mit der Haltung zu tun, die Karl Kraus gegenüber dem gesprochenen und dem geschriebenen Wort einnahm. Jedenfalls waren das die Lehren, die mich in meiner Jugend am meisten beeinflußten, denn wir nehmen von den anderen das, was in uns selbst ist. Kraus betrachtete die Sprache als den Spiegel der Menschenseele, und ihren Mißbrauch als den Vorläufer schwarzer und böser Taten. Ein grammatischer Haruspex, las er die barbarischen und blutigen Zeiten, die kommen sollten, aus den Eingeweiden der Tagespresse. Die Presse ihrerseits belohnte ihren größten Kritiker mit einer Verschwörung des Schweigens, die sein ganzes Leben lang andauerte. Hunderte meisterhafte Aufsätze, Wunder von Stil und Gedanken, in denen das Herz der Sprache klopft, Bücher und Theaterstücke, sieben Bände Gedichte, die »Worte in Versen«, drei Sammlungen von Aphorismen: all dies versuchte die Presse in einem stummen Armengrab zu begraben. Paradoxerweise endet diese Art von Totschweigen mit dem Leben des Opfers; geheimnisvolle Kräfte sind da am Werk, die durch den alten Ausspruch »Veritas praevalebit« nur ungenügend ausgedrückt werden. Die Verschwörung, von der ich gesprochen habe, dieses instinktmäßige automatische Einverständnis, war natürlich keineswegs eine Wiener Spezialität. Ähnlichen, erfolgreichen Kamarilla-Aktionen bin ich auch anderswo begegnet, z. B. im Falle eines der größten englischen Literaturkritiker unserer Zeit, des jüngst verstorbenen Francis R. Leavis; und viel später in meinem Leben, in kurzen Anfällen vorübergehenden Größenwahns, schien es mir, als fühlte ich selbst den Hauch des gleichen bösen Atems.

Einmal, in meinen frühen Jahren, erlebte ich Österreich in seiner vergangenen Glorie, und das war im Jahre 1916, als der uralte Kaiser Franz Joseph gestorben war und mit allem Pomp des spanischen Barocks zur Ruhe gelegt wurde. Das Schauspiel machte einen tiefen Eindruck auf mich, obwohl es vielleicht nur eine Makartkopie eines Greco-Originals war. Noch viele Wochen später trippelten die reiterlosen Rappen durch meine Träume.

Ein viel bedeutenderes Ereignis, an das ich mich noch lebhaft erinnere, trug sich ein Jahr später zu. Ich spreche natürlich von der russischen Revolution. Zu jener Zeit war ich zwölf und anscheinend schon ein regelmäßiger Leser der führenden Wiener Tageszeitung, der »Neuen Freien Presse«, deren öde Leitartikel den blutigen Krieg und den verhängnisvollen Zusammenbruch Österreich-Ungarns begleiteten. Ich erinnere mich, wie ich von Kerenski las, und später von Lenin und auch von Trotzki, mit dessen Söhnen meine Frau als kleines Kind im Vorkriegs-Wien zu spielen pflegte. Wörter wie Winterpalast und Brest Litovsk und Kronstadt treten irgendwie aus dem Nebel hervor. Mit viel stupidem Interesse verfolgte ich die täglichen Beschreibungen der Konferenz, welche Rußland als Kriegsteilnehmer ausschalten sollte. Ahnte ich denn, daß ich Zeuge des größten Ereignisses unseres Jahrhunderts war, oder war ich mehr interessiert an meiner Pfadfinderuniform und an dem mir durch sie verliehenen Recht, den Generälen zu salutieren, wenn sie, auf Urlaub von einem der häufigen Debakel, sich in Wien aufhielten? Wirklich, ich weiß es selbst nicht.

Ich erhielt meine Erziehung in einem der ausgezeichneten Gymnasien, die Wien zu jener Zeit besaß, dem Maximiliansgymnasium im neunten Bezirk. Der Unterricht war inhaltlich beschränkt, aber von sehr hoher Qualität. Besonders liebte ich die klassischen Sprachen und war sehr gut in ihnen. Ich hatte ausgezeichnete Lehrer, und ich habe ihre Namen nicht vergessen: Latein, Lackenbacher; Griechisch, Nathansky; Deutsch, Zellweker; Geschichte, Valentin Pollak; Mathematik, Manlik. Das waren die Hauptgegenstände, mit Ausnahme von ein bißchen Philosophie, ganz wenig Physik und einer lächerlichen Quantität von sogenannter »Naturgeschichte«. Chemie und die andern Naturwissenschaften kamen überhaupt nicht vor. Ich gehörte zu der unangenehmen Sorte, die sich in der Schule wohl fühlt: ich hatte ein gutes Gedächtnis und lernte leicht.

Das Wiener Theater, und besonders das Burgtheater, waren im 19. Jahrhundert hervorragend gewesen. Aber ich sah nur die letzte Röte einer großen Zeit. Trotzdem erinnere ich mich an meine erste »Iphigenie« mit Hedwig Bleibtreu. Die Musik hingegen war noch immer wunderbar. Unvergeßliche Abende in der Hofoper, später Staatsoper genannt, mit Jeritza als Tosca, Mayr als Leporello, mit Richard Strauss als Dirigent der Mozartopern oder seiner eigenen Werke, mit Franz Schalk in »Fidelio«, und später die schrecklichen Kämpfe mit der »Stieglitzbande«, einer halboffiziellen Claque, welche die ehrlich um Stehplätze Schlange Stehenden tyrannisierte. Unvergeßliche Nachmittage mit dem Rosé-Quartett oder mit den Philharmonikern unter der Leitung von Nikisch, Weingartner oder Bruno Walter. Namen wie Schönberg, Webern, Berg hatte ich zu der Zeit kaum vernommen. Das Publikum ging widerstrebend bis zu Gustav Mahler mit, aber dort blieb es stehen.

Überhaupt war es bemerkenswert, wie sehr das Kulturleben in Schichten zerfiel; vielleicht mit Ausnahme der Literatur lebten wir viel mehr in der Vergangenheit als in der Gegenwart. Auf meinem Weg ins Gymnasium ging ich fast jeden Tag an einem Haus in der Berggasse vorbei, wo ein Schild am Eingang die Ordination des »Dr. S. Freud« ankündigte. Damals bedeutete mir dieser Name nichts: ich hatte noch nicht von dem Manne gehört, der neue Kontinente der Seele entdeckt hatte, Kontinente, die möglicherweise besser unentdeckt geblieben wären. Daß rings um mich in vielen Fächern bedeutende Arbeit geleistet wurde, in Philosophie und Linguistik, in Kunstgeschichte und Ökonomie, in Mathematik usw., all dies entzog sich völlig meiner Kenntnis. Obwohl ich später einige Berührung mit dem Wiener Philosophenkreis hatte — z. B. nahm ich an einer von Schlicks Vorlesungen teil — wurde ich erst nach meiner Übersiedlung nach New York mit dem Namen Wittgenstein vertraut.

Das Aroma des Lebens in Wien zu jener Zeit kann am besten aus einigen Romanen abgeleitet werden, so z. B. aus Musils »Der Mann ohne Eigenschaften« oder Joseph Roths »Radetzkymarsch«, wie auch aus Peter Altenbergs Skizzen. Die Geistesgeschichte Österreichs ist in einem ausgezeichneten Buch zusammengefaßt worden, das mein Freund Albert Fuchs kurz vor seinem frühen Tod beendet hat [6].

Der Wald und seine Bäume

Die literarische Kinderkrankheit meiner Generation, eine lächerliche Bewunderung für die kindischen Abenteuergeschichten Karl Mays, habe ich früh überstanden. Schon als Kind war ich ein unermüdlicher Leser; zur Zeit als ich ins Obergymnasium eintrat, muß ich den Hauptteil der klassischen Literatur des Westens bereits verschlungen haben. Obwohl Deutsch neben Russisch die beste Sprache für Übersetzungen ist, sind viele der Übersetzungen, die ich las, wahrscheinlich entsetzlich gewesen. Zumindest schließe ich dies aus einer vor kurzem vorgenommenen Durchsicht dreier Werke, durch die ich mich in dummer Begeisterung durchwürgte, als ich zwölf war. Noch besitze ich sie, noch stehen sie vor mir, diese großen Verfälscher all dessen, was der Dichter gefühlt und ausgedrückt hat, und ihre Namen sind »Die göttliche Komödie«, »Der rasende Roland« und »Das befreite Jerusalem«. Aber das gleiche galt wahrscheinlich auch für »Krieg und Frieden« oder »Gullivers Reisen« und für unzählige andere Übersetzungen aus vielen Sprachen, die zu meiner vorschnellen Einführung in die literarische Vergangenheit und Gegenwart beitrugen. Nur Französisch habe ich niemals in Übersetzung gelesen. Viel später, als ich mehrere andere Sprachen erlernt hatte, wurde mir bewußt, in welchem Ausmaß fast alle Übersetzungen den Geist des Autors verraten. Wenn man Ronsard oder Goethe oder Blake in Übersetzung liest, so ist das, als wenn man einer Transkription der h-Moll-Messe für die Okarina lauschte. Soweit das Deutsche in Betracht kommt, gibt es jedoch zwei große Ausnahmen: die Luther-Bibel (in ihren frühen Auflagen) und die A. W. von Schlegel zu verdankende Übersetzung mehrerer Shakespearestücke. Diese Bücher sind mit dem Herzen und dem Geist eines jeden verwachsen, dessen Muttersprache das Deutsche ist. Aber mein wahres Lesen begann, glaube ich, im Jahre 1920, als mir meine Mutter ein Geschenk machte, nämlich Goethes Sämtliche Werke in den 16 Bänden der schönen Insel-Ausgabe. Sie stehen jetzt noch, viel gelesen, auf meinem

Bücherbrett, obwohl die Leinwand und der Leim der Nachkriegsjahre ihren Dienst längst aufgegeben haben.

Neben Karl Kraus, den ich schon erwähnt habe, waren es zwei andere Schriftsteller, beide Skandinavier, die mich in meinen frühen Jahren tief beeinflußt haben: Knut Hamsun und Søren Kierkegaard. Der erste Roman Hamsuns, den ich las, war »Mysterien«, und die verschlossene Offenheit, die überschwengliche Zurückhaltung, der radikale Konservatismus, die dialektische Poesie dieses bemerkenswerten und vielfach mißverstandenen Schriftstellers begleiteten mich, während ich aufwuchs. Aus verschiedenen Gründen hat Hamsun unter englischen Lesern nie den gleichen hohen Rang eingenommen, wie er es in meiner Generation in Österreich und Deutschland tat. Was Amerika anbetrifft, kann ich den Mangel an Sympathie wohl verstehen, denn der seinerzeitige Straßenbahnkondukteur in Chicago war einer der frühen Abtrünnigen vom amerikanischen Traum.

Zu einem noch größeren Dialektiker der Seele, zu Kierkegaard, kam ich auf einem seltsamen Umweg. Als ich fünfzehn oder sechzehn Jahre alt war, hatte ich etwas in der Fackel gelesen, das meine Aufmerksamkeit auf eine nicht sehr bekannte literarisch-philosophische Zeitschrift lenkte, die ungewöhnlicherweise in Innsbruck erschien. »Der Brenner« wurde in unregelmäßigen Intervallen publiziert, herausgegeben von einem der großen, selbstlosen Geburtshelfer großer Literatur, Ludwig von Ficker. Es war eine höchst ungewöhnliche Zeitschrift, und vielleicht die beste ihrer Art. Der bedeutende österreichische Dichter Georg Trakl war dort zuerst veröffentlicht worden, ebenso der tiefsinnige und nicht leicht verständliche Philosoph Ferdinand Ebner. Einer der regelmäßigen Mitarbeiter der Zeitschrift war Theodor Haecker, neben Bernanos vielleicht der eindrucksvollste polemische Schriftsteller des modernen Katholizismus. Es war ein Aufsatz von Haecker, der mich zu Kierkegaard brachte, und ich las mit mehr Enthusiasmus als Verständnis zuerst »Entweder-Oder« und nachher »Furcht und Zittern«, beide in einer pedantisch denaturierenden Übersetzung. Wenn ich, wie ich es noch manchmal tue, wenngleich jetzt mit der magern Hilfe eines dänischen Wörterbuchs, Kierkegaards leidenschaftlich engagierte Prosa lese — in seinen Tagebüchern, seinen Predigten oder, in rötester Glut, im »Augenblick« — wie muß ich es da bedauern, daß eine langweilige, nasse Decke teilnahmsloser Rationalität jetzt die ganze Welt bedeckt. Wo finden verträumte junge Leute das kleine Loch, durch das sie, wenn auch nur für eine kurze Nacht, dieser fremden Welt entgehen können: in Haschisch, in Hesse? Vor hundert Jahren hätten sie mit Offenbach lachen können, mit Nestroy, sogar mit Labiche; jetzt ist es bestenfalls Woody Allen.

Es ist vielleicht schon klar geworden, daß ich seit meiner Kindheit eine magische Beziehung zur Sprache, ein Verhältnis mit der Sprache unterhalten habe. Ich bin zeit meines Lebens ein feuriger Liebhaber von Wörtern und von Worten gewesen; und aus diesem Grunde und aus manchen anderen bedauere ich die Entwicklung, die aus der Linguistik eine Pseudonaturwissenschaft gemacht hat, eine Art von Molekularphilologie, in der die Präzision des Nebensächlichen das Fehlen des Wesentlichen verhüllt — genauso wie in der Molekularbiologie. Da schwätzen sie über »l'écriture« und den »Nullgrad des Schreibens«; aber in Wirklichkeit schreibt keiner mehr, und die, welche behaupten es zu tun, beginnen eher, Pawlows Hunden zu ähneln, außer daß ihre Speichelproduktion, d. h. Schaffensfreude, nicht erst auf den Klang eines Glöckchens angewiesen ist, sondern sich schon mit einem kleinen Fernsehkontrakt zufriedengibt.

Sprache, dieses geheimnisvollste Geschenk der Menschheit, wird gewöhnlich als die hauptsächliche den Menschen vom Tier unterscheidende Fähigkeit hervorgehoben. Ich könnte an andere, weniger schmeichelhafte Unterschiede denken, aber jedenfalls trifft es zu, daß die Sprache den Menschen vom Menschen unterscheidet, daß sie der getreueste Spiegel von Auf- und Untergang ist. So habe ich mir oft gedacht, daß ein so unauffälliger Vorgang wie das Verschwinden des Personalpronomens der zweiten Person Singular aus dem englischen Sprachgebrauch, nämlich des Wortes »thou«, einen größeren Umsturz für die davon Betroffenen bedeutet haben mag als viele berühmte Revolutionen. Gott, Geliebte und Briefträger werden auf dieselbe Art angesprochen; die Majestät des Innigvertrauten ist einer höflichen Kühle gewichen; der unerläßliche Ritus des Wechselns von »vous« zu »tu«, von »Sie« zu »Du« ist einer grammatischen Gleichmacherei zum Opfer gefallen, die den dichterischen Kern der Sprache angefressen hat. Ihre lyrischen Labyrinthe sind aufgeschüttet und für alle möglichen Zwecke nutzbar gemacht worden. Nachdem dies geschehen war, gelang es nur den größten Dichtern, die durch einen falsch verstandenen Utilitarismus errichteten Schranken eines müde gewordenen Wortschatzes zu durchbrechen.

Natürlich muß es Gründe dafür gegeben haben, aber mir ist wenig daran gelegen, Erklärungen zu geben oder zu erwarten. Ein langes Leben mitten in den Erklärungswissenschaften (meine Bezeichnung für die Naturwissenschaften) hat mir die Lust auf Erklärungen genommen. Außer unter den trivialsten Umständen sind sie eine Beruhigungspille für unsere Vernunft, uns einlullend gegenüber den Geheimnissen rings um uns, ohne die wir nicht leben können. Selbst wenn ich den modernen Begriff der »biologischen Information« — eine der bedenklichsten mechanomorphen Hypostasen unserer Zeit — zu bewundern willens wäre, glaube ich trotzdem nicht, daß das Verschwinden des unschätzbaren Pronomens auf eine genetische Veränderung zurückzuführen ist, z. B. auf den Verlust einiger Purine aus der DNS der Engländer.

Aus diesem Grunde und aus vielen anderen Gründen blicke ich mit der größten Zurückhaltung auf die Debatten zwischen den verschiedenen Schulen der modernen Linguistik: zwischen dem, was ich Molekularlinguistik nenne und was häufig als kartesianische Linguistik bezeichnet wird, auf der einen Seite, und der behavioristischen Linguistik auf der anderen. Diejenigen, die annehmen, daß die Fähigkeit, syntaktische Strukturen zu erzeugen, mit uns geboren ist, haben wahrscheinlich recht.

Bedeutet das nun, daß es gewisse Regionen in unserer DNS gibt, die uns für diese Fähigkeit oder besser für diesen Zwang »programmieren«? Das möchte ich bezweifeln, denn ich glaube nicht, daß unser Gemüt mit Transistoren arbeitet. Leben ist der unaufhörliche Eingriff des Unerklärlichen. Wahrscheinlich können wir mehr über den Anfang der Sprache lernen, indem wir die Abfassung eines lyrischen Gedichtes verfolgen, als aus dem Studium von Satzstrukturen.* Wenn der plötzliche Brückenschlag über den dunklen Abgrund der Lebensanfänge, wenn die explosive Erzeugung von Assoziationen, in denen zwischen Sinn und Klang nicht unterschieden werden kann, den großen Dichter ausmachen oder den großen Komiker, so ist das junge Kind wahrscheinlich beides.

Obwohl ich oft gesagt habe, daß, wäre mir ein zweites Leben des Lernens gewährt worden, ich mich dem Studium der Sprache gewidmet hätte, so ist es doch wahr, dass ich immer aus grossen Schriftstellern mehr über Sprache gelernt habe als aus Lehrbüchern. Leider haben wenige Dichter über Wörter geredet. Vielleicht betrachteten sie sie nicht als ihr Werkzeug, oder es fiel ihnen nichts dazu ein.** Immerhin finden sich einige Stellen von großem Interesse. Der dritte Akt von »Faust II«, Helenas magische Wiederauferstehung — »Bewundert viel und vielgescholten, Helena« — ist vielleicht die größte Transsubstantiation des mythischen Altertums. Am 25. August 1827 sandte ein junger Privatgelehr-

---

* Man könnte z. B. einige sehr lohnende Stunden damit verbringen, die vielfachen Schichten von Sinn, Rhythmus und Ausdruck zu verfolgen, durch die sich eines der großen Gedichte Hölderlins entwickelte. Die »Frankfurter Ausgabe« der Werke ist dazu besonders geeignet.

** Jedenfalls gab es einen großen Dichter, der nicht im Zweifel war. Paul Valéry gibt in seinem »Degas Danse Dessin« ein wunderbares Gespräch zwischen Mallarmé und Degas wieder. Degas beschwerte sich bitterlich darüber, daß ihm das Dichten so schwer fiel. *Degas:* »Was für ein Gewerbe! Ich habe den ganzen Tag mit einem verfluchten Sonett verloren, ohne einen Schritt weiterzukommen ... Und dabei fehlen mir keineswegs die Ideen ...« *Mallarmé:* »Aber, Degas, Verse macht man doch nicht mit Ideen ... Man macht sie mit Wörtern.«

ter, Carl Iken, Goethe einen langen Brief über diese Dichtung, und Goethe antwortete ihm einen Monat später. Aus diesen zwei bemerkenswerten und nicht hinreichend bekannten Briefen habe ich viel über geschaffene Sprache lernen können. Auch die gedankenreichen Aufsätze, die Karl Kraus in sein Buch »Die Sprache« aufnahm, vermitteln tiefe Einblicke in die Schöpfungsprozesse, in welche die Sprache verflochten ist.

Es ist kein Zufall, daß die zahlreichen im Laufe der letzten zweihundert Jahre über den Ursprung der Sprache aufgestellten Hypothesen sehr ähnlich klingen wie die neueren und gleichfalls fruchtlosen Diskussionen über den Ursprung des Lebens. Es ist ein alter Trick pseudowissenschaftlicher Taschenspielerei, das experimentell beweisbare »Könnte-gewesen-sein« für das experimentell unzugängliche »Ist-gewesen« zu unterschieben. Dies endet gewöhnlich damit, daß man »Leben« nennt, was nicht Leben ist, und »Sprache«, was nicht Sprache ist. Der Versuch, das Undefinierbare zu definieren, zu dem Ursprung der Ursprünge zurückzugehen, wird immer in der banalen Erkenntnis enden, daß die experimentellen Wissenschaften nicht historische Wissenschaften sind, und sogar weniger philosophisch als die Philosophie der Gegenwart. Goethe, so oft von Idioten geschmäht in seiner Eigenschaft als Denker über die Natur, hat das Nötige ein für alle Mal gesagt: »Das schönste Glück des denkenden Menschen ist, das Erforschliche erforscht zu haben und das Unerforschliche ruhig zu verehren.«

Oft spazierte ich abends und in der Nacht mit meinem Freund Albert Fuchs in den schönen Straßen Wiens, und wir redeten endlos über das Schreiben: woher es kam, daß ein Text echt, ein Gedicht gut war. Wir unterschieden zwischen »Aussage« und »Ausdruck«, und wir beschlossen, daß nur das Genie »ausdrücken« kann, während jedes Talent der »Aussage« fähig ist. Etwas von dieser Unterscheidung habe ich noch immer zurückbehalten, und ich würde sagen, daß nur das »Ausgesagte« übersetzt werden kann, aber nicht das »Ausgedrückte«. Aus diesem Grunde ist Thomas Mann leicht übersetzbar, und z. B. Stifter oder Rimbaud sind es nicht.

Da ich von Karl Kraus gelernt hatte, wie schwer Worte sein können, habe ich meine notgedrungene Trennung von der Sprache, in der meine Mutter zu mir sprach, als ich ein Kind war, immer beklagt. Ich habe mich niemals von der deutschen Sprache losreißen lassen, noch habe ich ihr jemals den Krieg erklärt; dennoch ist eine gewisse Entfremdung unvermeidlich. Diese wird dadurch nicht aufgewogen, daß ich in der Zwischenzeit einige Sprachen erlernt habe, deren eine, Französisch, ich mit vier Jahren besser sprach, als ich es jetzt tue. (»Fräuleins« aus Fribourg oder Neuchâtel waren dafür verantwortlich.) Es gibt geheimnisvolle Verbindungen zwischen Sprache und Gehirn; und die herzlose und brutale Art, in welcher Sprache in unserer Zeit verwendet wird, als wäre sie nichts als ein bequemes Werkzeug für den Umgang mit Kunden, der kürzeste Weg vom schlauen Erzeuger zum naiven Verbraucher, ist mir immer als das bedrohlichste Vorzeichen beginnender Bestialisierung erschienen. Es erschreckt mich zu beobachten, wie eine progressive Aphasie, die nicht auf organischen Veränderungen beruht, eine immer größere Anzahl von Menschen zu überkommen scheint, so daß sie unfähig sind, sich anders auszudrücken als durch heiseres Bellen und eintöniges rohes Schimpfen.* Das Geschenk der Sprache, durch die natürliche Auswahl kaum erklärlich, ist das wahre Attribut der Menschwerdung; und es ist nur angemessen, daß diese Gabe zurückgenommen wird, kurz bevor die Schwänze wieder zu wachsen beginnen.

---

* Es gibt jetzt viele, die im Englischen mit drei mal vier Buchstaben auskommen: drei Vokalen, neun Konsonanten. Daraus lassen sich die drei Grundwörter ihres Vokabulars bilden.

Die Welt in einer Stimme

Als die Folgen des Weltkrieges — Zerstückelung, Hungersnot, Entwertung — etwas weniger fühlbar wurden, gingen Wien und sein Anhängsel, die Republik Österreich, daran, den Fremdenverkehr zu heben. Mit »Valuta« versehene Fremde (»kaufkräftige Ausländer«, wie die komische Bezeichnung es wollte) bekamen eine dicke Schnitte der wohlbekannten Wiener »Gemütlichkeit« vorgesetzt; ein in früheren Zeiten eher seltener Rohstoff, als es sich um andere Arten von Ausländern handelte, z. B. um arme böhmische Schneider oder polnische Köchinnen. Jetzt aber wurden überall im Lande Festspiele veranstaltet. Die gesamte kulturelle Vergangenheit Österreichs — und es war eine große Vergangenheit — wurde zum Gimpelfang aufgeboten. Als Singvögel verkleidete Reklamegeier wurden auf die ganze Welt losgelassen; Max Reinhardt und anderen begabten Entrepreneuren gelang es, aus den Salzburger Festspielen eine dauernde Einrichtung zu machen, so daß sogar jetzt, nach mehr als fünfzig Jahren, die Glocke noch immer für Jedermann in von Hofmannsthals blasser Bearbeitung erschallt.

Vergötterung beginnt gewöhnlich kurz nachdem der Leichnam in das Armengrab geschmissen wurde. Im Falle Mozarts brauchte Österreich etwas länger; aber als ich jung war, war er der Angelpunkt, um den sich die österreichische Begeisterung für die unaufhörliche Hebung des Fremdenverkehrs drehte. Das hatte die angenehme Folge, daß seine wahrhaft unersetzlichen Werke oft und sehr gut aufgeführt wurden.

Auf anderen Gebieten führte der frenetische Drang, Spielmann für die ganze Welt zu sein, zur Erzeugung einer Masse von Mist. Besonders das Theater war im Niedergang, mit Ausnahme gelegentlicher Gastspiele von Schauspielern oder Truppen aus anderen Städten. In Berlin und vielleicht auch in München gab es viel mehr zu sehen.

Meine Freunde und ich nahmen jedoch an all dem wenig teil, denn wir hatten anderswo das Theater unserer Seelen gefunden: zu jener Zeit veranstaltete Karl Kraus häufig Vorlesungen, und zwischen 1920 und 1928 habe ich wahrscheinlich fast allen beigewohnt. Da sie in der »Fackel« aufgezählt sind, kann ich sehen, daß z. B. 1921 siebzehn Vorlesungen in Wien stattfanden und achtzehn 1927. Sogar die Programmzettel dieser Abende oder Nachmittage waren ungewöhnlich und von großem Interesse; sie bestanden meistens aus einem großen Blatt, etwa 28 x 22 cm oder größer, und brachten auf beiden Seiten alle Art von Texten: Programm und Anmerkungen, Gedichte, Aufrufe, tadelnde oder zustimmende Briefe, Ankündigungen künftiger Veranstaltungen, Sammlungen für wohltätige Zwekke.* Viele Jahre hindurch spendete Kraus das Einkommen aus allen seinen Vorlesungen für Kriegsopfer, für Kinder während der Hungersnot in Rußland und ähnliche Zwecke.

Die Vorlesungen umfaßten einen heutzutage unvorstellbar weiten Spielraum. Oft las er aus seinen eigenen Schriften: Gedichte, kurze satirische oder polemische Texte — die berühmten »Glossen«, eine Kunstform, die völlig ihm gehörte — manchmal längere Essays oder einige Szenen aus den »Letzten Tagen der Menschheit«, diesem gigantischen und völlig unklassifizierbaren Werk, das nur äußerlich wie ein Theaterstück aussieht. Manchmal schaltete er auch eine Abteilung ein, die Gedichten des 17. und 18. Jahrhunderts gewidmet war, viele davon von ihm wiederentdeckt. Das ist der Zeitraum, als mit Namen wie Gryphius, Hofmannswaldau, Günther, Claudius, Goecking, Klopstock, Bürger, Hölty und Goethe die deutsche lyrische Dichtung vielleicht ihren Höhepunkt erreicht hat. Manchmal las er ein ganzes Theaterstück vor, von Büchner oder Wedekind, von Raimund, Niebergall oder Gerhart Hauptmann. Besonders gerne las er jedoch aus Shakespeare, Nestroy oder Offenbach. Von einigen Shakespearestücken

---

* Als nach der Deportation meiner Mutter aus Wien ihre Wohnung von den Eingeborenen geplündert wurde, sind nicht nur fast alle meine Bücher und Papiere aus der Jugendzeit verloren gegangen, sondern auch eine völlig unersetzliche Sammlung von mehr als hundert dieser Programmblätter.

hatte er eine Bühnenausgabe hergestellt, von der zwei Bände zu seinen Lebzeiten veröffentlicht worden sind.

Außerhalb des Kreises, in dem ich aufwuchs, wird es vielleicht schwer verständlich sein, daß ich den Namen Nestroys in der Gesellschaft Shakespeares anführe. Und doch war Johann Nestroy (1801—1862), Theaterschriftsteller und Schauspieler, eines jener Wunder von Witz, Satire und Sprachphantasie, welche den Literaturkritiker in Verlegenheit bringen, da er es schwer findet, sie richtig zu klassifizieren. Nestroy war in mancher Hinsicht ein zweiter Molière, allerdings weniger leicht übersetzbar und für meinen Geschmack viel komischer. Daß sein Ruhm nie weit über die Grenzen seiner Heimatstadt hinausreichte, hat mehrere Gründe: Franz Josephs Wien war nicht das Paris Ludwig des Vierzehnten; Nestroys Sprache, schillernd in der Widerspiegelung einer kraftstrotzenden Mundart, war nicht die klassische Sprache einer neubegründeten »Académie«; in einer Zeit schläfrigen Wohllebens, wie sie Europa vor 1914 überkam, ist der Geist des Komischen als erster betroffen. Jedenfalls hatte Karl Kraus viel mit dem Wiederaufleben von Nestroys Ruhm zu tun. Es begann mit einem Aufsatz »Nestroy und die Nachwelt«, den er im Jahre 1912 anläßlich des fünfzigsten Jahrestags von Nestroys Tod öffentlich vorlas.

Manchmal folgten die Vorlesungen einander in einem fieberhaften Tempo, und dabei spielten sie nur eine nebensächliche Rolle angesichts einer wahrhaft monumentalen literarischen Produktivität von höchstem Rang. Zum Beispiel gab es während dreier Wochen im Jahre 1925 vier Vorlesungen, drei davon eigenen Arbeiten gewidmet, eine »König Lear«, und wieder 1927 innerhalb dreier Wochen: Nestroys »Der konfuse Zauberer« und drei von Offenbachs Werken, »Blaubart«, »Die Großherzogin von Gerolstein« und »Pariser Leben«.

Mir sind wenige Fälle einer solchen Verbindung von sehr großen literarischen und darstellerischen Fähigkeiten bekannt; Dickens ist vielleicht das einzige andere Beispiel. In seiner Jugend hatte Karl Kraus gehofft, Schauspieler zu werden. Mit neunzehn Jahren debütierte er recht erfolglos in einer halbprofessionellen Aufführung der »Räuber«, in der er den Franz Moor spielte. In derselben Vorstellung trat übrigens auch Max Reinhardt in einer kleinen Rolle auf.

Die Vorlesungen fanden gewöhnlich in mittelgroßen Konzert- oder Vorlesungssälen statt; es war Platz für einige hundert Leute, und zu meiner Zeit waren die Säle immer voll, meistens ausverkauft. (Später, nachdem ich Wien verlassen hatte, scheint sich dies allerdings geändert zu haben.) Das Publikum war in der Hauptsache jung und von hysterischem Enthusiasmus. Die häufig ausbrechenden lärmenden Ovationen schienen Kraus viel Vergnügen zu machen, denn Presse und Ämter seiner Heimatstadt hatten sich vereint, seine Existenz und Tätigkeit totzuschweigen. In dieser Hinsicht gesellt sich Kraus zu den anderen großen Wiener Gestalten seiner Zeit: Freud, Schönberg, Musil. Übrigens registrierte Musil nicht ohne Bosheit den während der Vorlesungen oft in lärmenden Applaus ausbrechenden Enthusiasmus. So notiert er in seinem Tagebuch: »Lange vor den Diktatoren hat unsere Zeit die geistige Diktatorenverehrung hervorgebracht. Siehe George. Dann auch Kraus und Freud, Adler und Jung. Nimm noch Klages und Heidegger hinzu. . . .« Ob Musil erkannte, wieviel verzweifelten Protest diese manchmal unangenehme Begeisterung enthielt, weiß ich allerdings nicht.

Das Stammpublikum bestand keineswegs nur aus Halbwüchsigen; unter den regelmäßigen Besuchern fanden sich viele ältere, oft bedeutende Leute. So erinnere ich mich an ein sehr gut aussehendes Paar, dem ich in den meisten Vorlesungen begegnete; sie saßen in einer der ersten Reihen und applaudierten aufs kräftigste. Viel später erst erfuhr ich, daß das der Komponist Alban Berg und seine Frau gewesen waren. Und solcher Zuhörer gab es eine ganze Reihe, denn für viele war es fast die einzige Gelegenheit, ihren kulturellen und deshalb auch politischen Protest zu bekunden gegen die Prostitution von allem, was Österreich groß gemacht hatte; gegen den Ausverkauf, an dem fast das ganze offizielle Österreich teilhatte: politische Parteien, die Presse, Kunst, Theater, die Universitäten. Indem ich jetzt versuche, mir die Züge des hippokratischen Gesichts Europas zu jener Zeit zurückzurufen, eines Europa, das sich anschickte zu sterben, indem ich die Gegenstände unseres damaligen Protestes Revue passieren lasse, wird ihre Ähnlichkeit mit dem, was ich jetzt in den Vereinigten Staaten sehe, schreckenerregend.

Der Rahmen dieser Vorlesungen: ein kleiner, leerer Tisch und ein Sessel, beide nicht ganz in der Mitte der Estrade. Kraus tritt schnell von der Seite ein, er trägt einige Bücher mit heraussteckenden Lesezeichen oder ein Papierbündel. Er ist etwas unter Mittelgröße, eine Schulter ein bißchen höher als die andere. Der erste Eindruck ist der einer überaus schüchternen Zurückhaltung. Der ihn begrüßende laute Applaus wird meistens nicht zur Kenntnis genommen. Die Vorlesung beginnt, jedoch nicht ohne ein zeremonielles, sorgfältiges Reinigen und Austauschen von Brillen und häufiges Naseputzen. Das letztere, das sich manchmal auch in Augenblicken größter Erregung wiederholt, ist eines der Werkzeuge der Verfremdung, in der Kraus ein früher Meister war.* Die Illusion, einmal erzeugt, muß durch die Erkenntnis zerbrochen werden, daß es sich um eine erzeugte Illusion handelt. Es hat keinen Sinn, einen Traum zu haben, wenn man nicht zur selben Zeit weiß, daß man träumt.

Er setzt sich an den Tisch und beginnt zu lesen, mit starkem Nachdruck auf die grammatische und logische Struktur der nahtlos ineinandergefügten Perioden, so daß sogar die komplizierten Sätze dem Hörer klar erscheinen, als betrachtete er ein Labyrinth aus der Flugzeugperspektive. Manchmal fliegt eine Hand hoch in die Luft, oder eine Invektive** wird durch schar-

---

** In dieser Prosa ist viel kleines Ungeziefer der Vergangenheit wie 1939 in seinem Stockholmer Vortrag »Über experimentelles Theater« gab: »Einen Vorgang oder einen Charakter verfremden heißt zunächst einfach dem Vorgang oder dem Charakter das Selbstverständliche, Bekannte, Einleuchtende zu nehmen und über ihn Staunen und Neugierde zu erzeugen.«

** In dieser Prosa ist nicht kleines Ungeziefer der Vergangenheit wie

fes Klopfen auf den Tisch speziell unterstrichen. In gewissen, besonders emphatischen Augenblicken springt er auf, das Manuskript zwischen die Fäuste geklemmt, und die Stimme wird staccato und schneidend, ein tiefes Falsett nahen Verhängnisses. (Es gab immer einige, die lachten; aber ist nicht mehr als genug Verhängnis in der Zwischenzeit eingetroffen? Dabei sind die Zinseszinsen noch nicht einmal ausgezahlt worden.)

Zu anderen Zeiten werden wir von rapiden Wortspielkaskaden überfallen, von Wunder und Schrecken erregenden Wortspielen. Die englische Sprache, in der diese Aufzeichnungen zuerst das unwillige Licht der Welt erblickten, besitzt nur das verächtliche Wort »pun« für Wortspiel. Daß dieses als eine läppische Verirrung, als eine komische Abnormalität betrachtet wird, zeigt nur, wie alt die englische Sprache geworden ist. Zur Zeit der Königin Elisabeth I. ging es lustiger zu. Denn Wortspiel ist Gedankenspiel; und Spiel — das hat nicht erst Huizinga uns gezeigt — kann eine ernste Sache sein: das rhythmische Gewahrwerden der sonst unvorstellbaren Möglichkeiten einer sich immer erneuernden, sterbenden und wiederauferstehenden Natur. Zurückzufinden zu der reinen, klaren Quelle, aus der die Sprache fließt, ist nur wenigen vergönnt. Rabelais gehört vielleicht dazu, so auch Lichtenberg und Kraus. War es nicht Goethe, der einmal von Lichtenberg sagte: »Wo er einen Spaß macht, liegt ein Problem verborgen«? Dies trifft auch auf Karl Kraus zu, der wahrscheinlich der witzigste deutsche Schriftsteller gewesen ist. Der syntaktische Katarakt seiner Sätze, mit einer besonders zugespitzten Stimme vorgebracht, war ein Hinterhalt, in dem sich Assoziationen von einer unerwarteten, atemberaubenden Unmittelbarkeit verbargen.

Und was für eine Stimme er hatte! Um sie zu beschreiben, müßte ich zu den klangreichen Eigenschaftswörtern zurückgehen, mit denen die Dichter des deutschen Barocks, berauscht

---

in einem Bernstein aufbewahrt. Die ganze Paläopathologie einer versunkenen Gesellschaft kann in den neuerdings erschienenen, verdienstlichen Nachdrucken der gesamten »Fackel« studiert werden.

vom ausdrucksvollen Überreichtum einer jungen Sprache, ihre Preislieder verschönten. Georg Philipp Harsdörffer gibt eine kurze Liste der Möglichkeiten: »freveltrotzig«, »grimmbewehrt«, »zornblind«, aber auch »holdselig«, »liebreich«, »lustreizend«. (In dem ausgetrockneten Englisch meines ursprünglichen Textes konnte ich diese Adjektive gar nicht wiedergeben, aber auch das heutige Deutsch eignet sich nur wenig dazu. Eine dick aufgetragene Teilnahmslosigkeit hat jede Art von Leidenschaft ihrer Ursprünglichkeit beraubt. Gibt es noch Wörter, können wir sie uns noch vorstellen, in denen die Sprache donnert und weint, in denen sie winselt und stöhnt, mit denen sie niederwirft und aufrichtet, Wunden schlägt und heilt?)

Bei andern Gelegenheiten, wenn Operetten gebracht wurden oder die häufigen musikalischen Zwischenspiele in den Nestroystücken Gesang erforderten, gab es eine Art von Unterhaltung für das Publikum. Kraus hatte eine angenehme, wenn auch ungeschulte Tenorstimme. Er gab die Musik in einem sehr originellen Parlandostil wieder, der aus einem Mangel eine neue Schönheit machte. Aber Fragen nach der technischen Qualität des Gesangs kamen ihm gegenüber gar nicht auf. (Die ausgezeichneten Klavierspieler, die ihn begleiteten, waren gewöhnlich hinter einem Paravent verborgen.) Für viele dieser Lieder, Arien oder Chansons schrieb er Zusatzstrophen, welche, meistens von Problemen des Tages handelnd, oft sehr komisch waren. Diese Technik, die er auch in seinen eigenen Stücken anwandte, ist übrigens nicht das einzige Beispiel für den Einfluß, den Kraus auf Brecht hatte. Kraus schätzte Brecht sehr hoch, seine Vorlesung des Brechtgedichts »Die Liebenden« ist eine unvergeßliche Erinnerung. Es ist sicherlich kein Zufall, daß Kraus und Brecht viel voneinander hielten, obwohl sie in den Sterbejahren der ersten österreichischen Republik sehr verschiedene Standpunkte einnahmen.

Warum habe ich all das geschrieben? Hauptsächlich um Zeugnis abzulegen von meinem Glück, einen solchen Lehrer gehabt zu haben.

Kein Herkules, kein Scheideweg

Meine Jahrgangsgenossen in Mitteleuropa werden immer als die Kinder der großen Inflation gezeichnet bleiben. Die es nicht erlebt haben, werden es schwer finden, sich das Ausmaß der Geldentwertung zu vergegenwärtigen, die damals, in den frühen Zwanzigerjahren, jede Art von Ersparnissen sowohl in Österreich wie in Deutschland vernichtete. Allerdings beginnt gerade jetzt, wie ich dies schreibe, ein ähnlicher Vorgang sich abzuzeichnen, besonders im kapitalistischen Westen. Kleine Vermögen, Ersparnisse, Pensionen, Polizzen verschwanden; immer schwärzer wurden die ökonomischen Wolken, aus denen schließlich das Gewitter hervorbrechen sollte, welches das Hitlerregime für Mittel- und Westeuropa bedeutete. Als eine Versicherungspolizze, die mein Vater 1902 erstanden hatte, zwanzig Jahre später ausgelöst wurde, entsprach sie gerade dem Preis einer Straßenbahnkarte. Im Sommer 1923, als ich, bevor ich die Universität bezog, meine »Maturareise« durch Deutschland machte, erwies es sich als nötig, im Restaurant mit größter Schnelligkeit das Mahl zu verzehren, denn die Preise verdoppelten sich oft während des Essens. In ihrer völligen Verarmung bildeten meine Eltern keine Ausnahme.

Im Sommer 1923 beendigte ich das Gymnasium und machte die Matura. Hätte es noch einen Kaiser gegeben, so wäre ich dank meiner Schulweisheit »sub auspiciis imperatoris« abgegangen, was einen Brillantring und vielleicht noch andere Annehmlichkeiten bedeutet hätte. Ich war achtzehn und die Welt lag offen vor mir, wie der dumme Ausspruch lautet. Tatsächlich liegt die Welt nie offen; sie war damals verschlossener als je; und niemals sieht sie finsterer aus als mit achtzehn. Viele Geschichten aus seiner frühen Vergangenheit sollte der zukünftige Naturforscher erzählen können: wie er immer gewußt habe, daß er ein Chemiker oder ein Entomologe werden wolle; wie er nichts anderes hätte werden können, da er sich schon mit sechs in seinem Kellerlaboratorium in die Luft gesprengt oder in zarten Jahren einen unerhörten Schmetterling gefangen hatte, ein Insekt von solcher Pracht und Seltenheit, daß sogar Herr Nabokov bleich vor Neid geworden wäre. Ich kann mit nichts dergleichen aufwarten. Für vieles begabt, war ich es für nichts. Träge, scheu und empfindlich, hatte ich meine Fallen dort aufgestellt, wo niemals ein Wild sich zeigen konnte.

Es war allen klar, daß ich die Universität beziehen und dort einen Doktortitel erwerben mußte. Dies hatte den Vorteil, die unangenehme Entscheidung über meine Zukunft für vier Jahre oder mehr zu verschieben; außerdem würde auf diese Weise mein Name mit der unerläßlichen Präambel ausgestattet werden, ohne die ein Österreicher des Mittelstandes in meiner Generation sich völlig nackt empfunden hätte. Ganz im Gegensatz zu weiter vorgeschrittenen Zivilisationen, die diesen Titel dem medizinischen Geschäft vorbehalten, bildete der Doktortitel in Wien einen wesentlichen Bestandteil der »persona«, und so hat er mich mein ganzes Leben begleitet, sogar bis zum gegenwärtigen New Yorker Telephonbuch, denn den Schmerz einer solchen Amputation hätte ich nicht ertragen können.

Jetzt kam also die Entscheidung, an welcher Fakultät ich inskribieren sollte. Entscheidungen werden gewöhnlich nicht als Folge tiefsinniger Überlegungen getroffen, sondern auf eine viel lässigere Weise, die erst hinterher rational erklärt wird. Das war sicherlich mein Fall. An der Universität gab es fünf Fakultäten: Philosophie, Jus, Medizin, Theologie, Staatswissenschaften. Außerdem konnte man an der Technischen Hochschule den Ingenieurstitel erwerben, aber dieser machte weniger Eindruck auf Hotelportiers, Friseure, Schneider. Die Medizin kam für mich nicht in Betracht, denn ich fühlte mich ihr schon wegen meines Temperaments nicht gewachsen; aus gleichen Gründen schied auch Jus aus; außerdem wollte ich ja kein Geschäftsmann oder Politiker werden. Auch der Gedanke, ein Lehrer zu werden, stieß mich ab. In der Tat war ich von nichts unwiderstehlich angezogen, und so wählte ich die Chemie aus im wesentlichen frivolen Gründen: 1) Chemie war einer der Gegenstände, von denen ich besonders wenig wußte, denn ich hatte sie nie vorher studiert, und da sie mit der Wirklichkeit zusammenzuhängen schien, war sie mir nicht unsympathisch; 2) im Wien des Jahres 1923 war die Chemie die einzige Naturwissenschaft, bei der man sich einige Hoffnung auf Anstellung machen konnte; 3) wie fast alle Wiener hatte ich einen reichen Onkel, aber im Gegensatz zu den meisten andern Onkeln war er der Besitzer von Alkoholraffinerien und ähnlichen Dingen in Polen, und vage Versprechungen zukünftigen Glanzes flimmerten vor meinen Augen. Aber noch bevor ich meine Doktorarbeit begonnen hatte, war der Onkel tot und die alkoholischen Hoffnungen verdunsteten im heißen Sommer 1926.

Ich hatte einen wahnwitzigen Plan ausgeheckt: Ich beabsichtigte, gleichzeitig an zwei Hochschulen zu inskribieren — meine guten Noten enthoben mich jeglicher Gebühren — und Chemie an der Technischen Hochschule zu studieren, während ich gleichzeitig an der Universität Vorlesungen über Literaturgeschichte und englische Philologie hören wollte. Auf diese Weise hoffte ich, gleichzeitig und parallel die Titel eines Chemieingenieurs und eines Dr. phil. zu erwerben. Dieses Arrangement funktionierte ein Jahr, aber dann schien es zu versagen, hauptsächlich aus logistischen Gründen: es wurde immer schwieriger, sich gleichzeitig an zwei voneinander entfernten Orten zu befinden. Daher verlegte ich das Studium der Chemie an die Universität, von der ich den Dr. phil. in Chemie im Jahre 1928 erhielt. Mein Doktordiplom, kürzlich von der Wiener Universität nach fünfzig Jahren erneuert, erstrahlt jetzt wieder in neu vergoldetem lateinischen Glanze.

Ich glaube nicht, daß in meiner Zeit, 1923 bis 1928, die Universität Wien noch als hervorragend hätte bezeichnet werden können. Der Zusammenbruch der österreichisch-ungarischen Monarchie, die Revolution des Jahres 1918, wenn es auch keine wirkliche Revolution war, die furchterregende ökonomische Zerrüttung der Nachkriegsjahre, die plötzliche Beschränkung des Talentvorrats auf einige kleine Alpenprovinzen — all das förderte die Entstehung untalentiertester »Freunderlwirtschaft«. Die medizinische Fakultät bildete eine Ausnahme, und hie und da blitzten auch in andern Instituten helle Lichter auf. Aber im ganzen war der Anblick trostlos. Zugegebenermaßen hat die moderne Universität sogar unter den besten Umständen etwas Bizarres: eine Karawanserei unzusammenhängender Spezialitäten, wo das kulturelle Erbe des Westens in unzähligen verschiedenfarbigen Phiolen an Horden von widerstrebenden Konsumenten verteilt wird. In den Vereinigten Staaten ist dieser groteske Aspekt verstärkt, denn der »Campus« in seiner Konzentration betont noch klarer den Charakter eines geistigen Hotels. Die europäischen Universitäten fungierten — wenigstens zu meiner Zeit — hauptsächlich als Ämter für die Ausgabe verschiedener Lizenzen.

Da ich das Studium der Chemie ohne eine wirkliche Ahnung davon, was mich erwartete, angefangen hatte, konnte ich nicht umhin, den Zauber zu spüren, der von der Neuheit und Harmonie einer reifen und voll entwickelten exakten Naturwissenschaft ausging. In Wirklichkeit war es vielleicht nur die Art von Anziehung, die ein Fußballspiel ausübt; aber wie immer es auch gewesen sein mag, ich empfand das Ganze viel weniger unangenehm, als ich erwartet hatte. Die von diesem Eindringen in ein völlig fremdes Gebiet ausgehende Schockwirkung wurde wahrscheinlich durch die altmodische Art des Unterrichts, den wir empfingen, gedämpft, besonders was die Einführungsvorlesungen anbetraf. Der Umsturz in der theoretischen Chemie, der die Zwanzigerjahre auszeichnete, ging an mir völlig spurlos vorbei, und so bin ich niemals ein guter »Elektronenschieber« geworden. Nur in den nicht allzu häufigen Kolloquien machte sich der moderne Geist bemerkbar, und dort hörte ich viele der Großen in Physik und Chemie. Aber die Chemiebibliothek enthielt keine einzige amerikanische Zeitschrift; als ich mich einmal nach dem »Journal of the American Chemical Society« erkundigte, wurde mir mitgeteilt, daß dort nichts Wissenswertes veröffentlicht werde.

Wenn ich zurückblicke — und was sonst kann man tun, wenn man alt wird? — muß ich sagen, daß ich von meinen Lehrern nicht viel gelernt habe. Genau genommen habe ich keine gehabt. Fast während meines ganzen Lebens bin ich viel mehr ein Lehrer als ein Schüler gewesen; und selbst das bedeutet in unserer bemerkenswerten Zeit wahrscheinlich nicht viel. Die Wissenschaften legen viel Wert auf Stammbäume — wer wessen »Doktorvater« gewesen ist und mit welchem Star die künftige Größe die ersten postdoktoralen Arbeiten ausgeführt hat —, und der Weg zum Gipfel des Olymp ist mit Empfehlungsbriefen gepflastert, mit freundschaftlichem Geflüster im Dunkel der Tagungen, mit telephonischen Anrufen in der Nacht. Von all dem habe ich niemals profitieren können. Ich bin in einem ungewöhnlichen Maße mein eigenes Produkt. Hingegen erinnere ich mich sehr gut an eine wissenschaftliche Tagung, wo ich mit vier prominenten Kollegen zusammen war, von denen ein jeder mit Recht sich als Otto Meyerhofs Lieblingsschüler hätte bezeichnen können.

So bin ich also niemals ein Schüler, gar nicht zu reden von Lieblingsschüler, einer der großen Establishmentfiguren der Vergangenheit gewesen, und ich war nie in der Lage, diesen Ruhm von meiner eigenen Wiege bis zum Grab des Meisters und darüber hinaus auszubeuten. Das hat mir niemals leid getan. Wenn es so etwas gibt wie einen großen Naturforscher — ich habe in meinem ganzen Leben vielleicht einen oder zwei getroffen, denen ich dieses Attribut hätte verleihen wollen —, so kann diese Größe sicherlich nicht durch das, was man gewöhnlich »Lehren« nennt, übertragen werden. Was die Schüler lernen können, sind Manierismen, kleine professionelle Tricks, Wege zu einer Karriere, oder unter den seltensten Umständen ein kritisches Verständnis dafür, was wissenschaftliche Evidenz bedeutet und wie sie interpretiert werden kann. Ein wahrer Lehrer kann durch sein Beispiel lehren — genau das, was die Entlein von ihrer Mutter mitbekommen — oder in sehr seltenen Fällen durch die Intensität und die Originalität seiner Anschauung, seines rationalen oder visionären Bildes von der Natur.

Wer waren also meine Professoren? Das Institut für physikalische Chemie stand unter der Leitung des alten Wegscheider (er war sicherlich damals viel jünger als ich es jetzt bin, wie ich dies niederschreibe), ein überaus typischer österreichischer Hofrat, höflich und mürrisch-gütig, ohne Emphase, jedoch nicht ohne Hinterlist. Ich kann nicht behaupten, daß es ihm gelang, die physikalische Chemie so interessant und wichtig erscheinen zu lassen, wie sie es verdiente. Erst einige Jahre später, als ich in Berlin lebte, wurde mir klar, wieviel mehr er daraus hätte machen können. E. Späth war der Professor der organischen Chemie. Er war ein guter Organiker und ein berühmter Fachmann für Alkaloide, aber nicht geradezu mitreißend als ein hohes Beispiel. Der enge Schlitz, durch den der Naturwissenschafter, will er erfolgreich sein, die Natur betrachten muß, verengt, wenn dies lange vor sich geht, seinen ganzen Charakter; und in den meisten Fällen endet er als »Fachidiot«. Es war nicht leicht, von Späth als Doktorkandidat angenommen zu werden; es kostete auch eine Menge Geld (die Doktoranden mußten alle Chemikalien und Apparate, die ihre Arbeit erforderte, selbst bezahlen), und so versuchte ich es nicht einmal. Ich muß jedoch zugeben, daß Späth mich im Laufe meiner Studien immer sehr anständig behandelte; und in der dem Abschluß der Dissertation folgenden großen Prüfung, dem »Rigorosum«, als er mich zwei Stunden lang in organischer Chemie examinierte, gab er mir ein »summa cum laude«.

Es lag mir überaus viel daran, mich bald selbst erhalten zu können, und ich war mir darüber im klaren, daß ich einen »Doktorvater« wählen mußte, von dessen Problemen bekannt war, daß sie weder viel Zeit noch viel Geld erforderten. Daher fiel meine Wahl auf Fritz Feigl, zu jener Zeit ein Privatdozent in Späths Institut. Er sah viel eher wie ein italienischer Tenor aus als wie ein Naturwissenschafter und war ein sehr anständiger Mensch. Seine Interessen teilten sich zwischen der Politik — er war aktiver Sozialdemokrat — und der Chemie metallorganischer Komplexe. Jenes trug indirekt zu seinem Wohlstand bei, denn in Wien herrschten die Sozialdemokraten, dieses zur Entwicklung der Methodik der Tüpfelreaktionen, über die er ein bekanntes Handbuch verfaßte. Unser grausames zentrifugales Jahrhundert trieb diesen typischen Wiener nach Rio de Janeiro, wo er seit 1939 lebte und wo er nach einem langen, tätigen und hoffentlich recht glücklichen Leben gestorben ist.

Meine Dissertation, Ende 1927 abgeschlossen, handelte von organischen Silberkomplexen und der Wirkung von Jod auf Azide. Meine ersten zwei wissenschaftlichen Veröffentlichungen beschrieben einen Teil dieser Arbeit[7,8]. Der interessanteste Teil, nämlich die Entdeckung, daß die Oxydation von Natriumazid durch Jod durch organische Sulfhydrylderivate katalysiert wird, wurde damals nicht publiziert. Viele Jahre später ging ich auf diese Reaktion zurück, als ich ein Reagens für den Nachweis schwefelhaltiger Aminosäuren mittels Papierchromatographie suchte[9].

Im Frühsommer 1928 hatte ich also meinen Doktortitel. Die Zeit für die große Entscheidung war gekommen; wie immer in meinem Leben wurde sie ohne richtige Überlegung und auf sehr ungewisse Weise vorgenommen. Eigentlich wurde die Entscheidung nie getroffen; ich ließ mich treiben, von einem Ding zum nächsten.

Il Gran Rifiuto

Was zu entscheiden war, war natürlich die Frage, was ich zunächst tun sollte. In Österreich gab es nahezu keine Stellungen. Der in vieler Hinsicht verdiente Verlust des Kriegs hatte dem großköpfigen Zwerg fast das ganze deutschsprachige System höherer Erziehung hinterlassen, das die große Monarchie im Laufe von Jahrhunderten errichtet hatte. Die Erzeugung von Akademikern hielt noch in raschem Tempo an, aber nirgendswo war ein Platz für sie; nur ihr Export kam in Betracht. Die meisten gingen, hauptsächlich aus sprachlichen Gründen, nach Deutschland, wo die Aussicht auf Anstellung in der Industrie, gar nicht zu reden von den Universitäten, damals recht schlecht war. Einige gingen in die Nachfolgeländer der Monarchie: Tschechoslowakei, Ungarn und Polen.

Das Jahr, in dem ich über meine Zukunft entscheiden sollte, 1928, war ein schlimmes Jahr: schwarze Wolken überall. Amerika ging gerade daran, den »großen Ingenieur« (Herbert Hoover) als seinen nächsten Präsidenten zu wählen. Die Nachkriegskonjunktur, an der sogar Mitteleuropa nach der Stabilisierung der Währungen teilnehmen konnte, war verflogen. Die Bestien des Abgrunds, von der Industrie an der Leine und auf Vorrat gehalten, begannen den edlen Traum von der Nacht der langen Messer zu träumen. Bald sollten sie losgelassen werden, um den fürchterlichen Aderlaß zu beginnen. Die Arbeiterschaft war verwirrt und schlecht geführt. Ein Jahr vorher, 1927, war ich Zeuge des Justizpalastbrandes und der ersten großen Straßenunruhen in Wien gewesen; ihre grausame und blutige Unterdrückung war das Werk des eisigen Prälaten gewesen, der dem österreichischen Kabinett vorstand, ein wahrer Vertreter der »ecclesia militans«. So bin ich früh gegen solche Schlagwörter wie »Gesetz und Ordnung« empfindlich gemacht worden. Das einzige, was sie schließlich hervorbringen, ist ein »Chile con sangre«. Aber um völlig gerecht zu sein, sollte ich auch erwähnen, daß ich, als ich das parlamentarische Geschwätz und die Wortmätzchen betrachtete, mit deren Hilfe die Sozialdemokratie vorgab, das Anwachsen des Faschismus zu bekämpfen, zu jener Zeit einen meiner ersten Aphorismen aufschrieb: »Österreichische Sozialdemokratie: im Fall von Regen findet die Revolution im Saale statt.«

Irgendwie sehnte ich mich danach, all dem zu entgehen, wenigstens für einige Zeit: in ein anderes Land, in eine andere Sprache. Aber über dem Ganzen waltete eine Art von Märchenlogik: ich nahm mir vor zu ergreifen, was sich mir zuerst anbot, ob es nun Industrie war, Forschung oder Unterricht. Ganz wie in einem Märchen, wenn dem Knaben aufgetragen wurde, auf die Straße zu gehen und dem ersten Tier, dem er begegnete, zu folgen. Das erste Tier, das mir in meiner Brüder-Grimm-Welt entgegenkam, hieß »Forschung«, und so bin ich mein ganzes Leben dabei geblieben. Es war immer meine Gewohnheit, mich ohne Widerstand treiben zu lassen, wohin die Strömung mich führte. Wenn die Strömung aufhörte, blieb ich stecken. Daß es die Forschung war, die ich als erste aus dem Kartenpack herauszog, entsprach wahrscheinlich meiner uneingestandenen Neigung; ich habe mich immer nach einem entlegenen Elfenbeinturm gesehnt (natürlich klimatisiert und mit fließendem Kalt- und Heißwasser). Aber Spaß beiseite, wenigstens in einer Beziehung war der Eintritt in die Forschung im Jahre 1928 ganz verschieden von dem, was er, sagen wir, in den letzten zwanzig Jahren gewesen ist. Ich habe vor kurzem versucht, diesen Klimawechsel zu beschreiben[10], und ich will mich hier nicht wiederholen. Der wichtigste Unterschied bestand vielleicht darin, daß zur Zeit meiner Anfänge die Auswahl der Zauberlehrlinge noch irgendwie mit Hilfe eines Gelübdes ewiger Armut vor sich ging. (Daß die den Eid abnehmenden Zauberer eigentlich schon recht wohlhabend waren, entging unseren jungen und unerfahrenen Augen.)

Der enorme Sog des Wirbels, in den ich mich treiben ließ, war mir lange Zeit nicht klar gewesen. Als ich 23 war, hatte ich die Gewohnheit, genau zu unterscheiden zwischen dem, was man mit dem Kopf tat, und dem, wovon man lebte. Die Chemie war mein Beruf, und ich hoffte, daß sie mich ernähren und erhalten werde — und nicht nur mich, denn ich war daran, Fräulein Vera Broido zu heiraten, deren Bekanntschaft ich auf der Universität gemacht hatte. Gleichzeitig betrachtete ich mich jedoch als einen Schriftsteller. Ich hatte schon eine Menge geschrieben; etwas davon war veröffentlicht worden; es hätte auch mehr sein können, nur meine Schüchternheit und mein Mangel an Verbindungen wirkten hindernd. Wenn ich Wien nicht verlassen hätte, mich losreißend von der deutschen Sprache, und noch mehr (was für ein riesiges »mehr« das ist!), wenn unsere ganze Welt nicht versunken wäre, ertränkt in einer unglaublich blutigen Barbarei, die sich derselben deutschen Sprache bediente, so hätte es vielleicht noch einen mittelmäßigen deutschen Schriftsteller gegeben. Da der geistige Haushalt der Welt für mich dunkel ist, kann ich den Verlust oder Gewinn nicht abschätzen. Jedenfalls erwies sich die Anziehung, die die Naturwissenschaften sogar auf einen kritischen und skeptischen Geist ausüben, als unendlich mächtiger, als ich erwartet hatte; und das ist es, was der Titel dieses Kapitels, in den Worten eines Größeren, ausdrücken will.

Blauer Vogel des Glücks

Die als Ernst des Lebens verkleidete Unbekümmertheit ging weiter; zu meiner Überraschung erfolgte die Umwandlung der Zukunft in die Vergangenheit auf die einfachste Weise. Ich hatte mir eine »Dänische Konversationsgrammatik« angeschafft und war gerade mitten darin, mir die Sprache beizubringen: es gab Gerüchte, daß Sörensen in seinem Carlsberg-Laboratorium in Kopenhagen eine offene Stelle hatte. Gerade war ich so weit, die unangenehmste phonetische Spezialität des Dänischen zu meistern, den Stimmhalt, dieses schüchterne Röcheln des den Atem aufgebenden Introvertierten, als ein zuverlässigeres Gerücht zu mir drang. S. Fränkel, einer der Professoren der physiologischen Chemie an der medizinischen Fakultät, war gerade von einer Vortragsreise in Amerika zurückgekommen und brachte die Nachricht, daß Treat B. Johnson von der Yale-Universität ein Forschungsstipendium zur Verfügung hatte für einen jungen Mann, der bereit war, Rudolph J. Anderson in seinen Arbeiten über die Lipoide der Tuberkelbazillen zu assistieren. Zu jener Zeit konnte ich schon ganz gut Englisch, denn ich hatte eine fein gezierte Art der Sprache mit Hilfe zweier älterer Damen aus Cambridge gelernt, die eine kleine Schule in Wien unterhielten. Aber von den Vereinigten Staaten wußte ich fast nichts, und was ich wußte, trug kaum zu dem Wunsch bei, mehr zu erfahren. Als Kind hatte ich Cooper, Poe und Mark Twain, meistens in sehr schlechten Übersetzungen, gelesen, und auch, mit wenig Enthusiasmus, Walt Whitmans Gedichte. Einige der Romane Dreisers und Sinclair Lewis' hatte ich im Original gelesen, ohne von ihrer literarischen Qualität überwältigt worden zu sein. Die kitschig-sentimentalen Filme, die aus Hollywood kamen, erregten Brechreiz, obwohl ich bei Greta Garbo eine Ausnahme machte. Dagegen hatte ich Charlie Chaplin, Buster Keaton und Harold Lloyd sehr gerne: aus jenem drohenden Kontinent, finster und entmenscht, schien ein Wind der Freiheit des Absurden zu blasen.

Jedenfalls bewarb ich mich um die Stellung, und ich bekam sie, zu meinem großen Entsetzen. Die »Milton Campbell Research Fellowship in Organic Chemistry« brachte zweitausend Dollar im Jahr ein, in zehn Monatsraten.* Ich sollte im Herbst anfangen. Da ich nichts von Lipoiden wußte, wurde ein kurzer Aufenthalt in Fränkels Laboratorium eingeschoben, um sie mir lieb und vertraut zu machen, aber das erwies sich als unmöglich. Als der Zeitpunkt meiner Abreise näher rückte, wuchsen meine Ängste. Ich fürchtete mich davor, in ein Land zu reisen, das jünger war als die meisten Toiletten Wiens. Manche versuchten mich zu trösten und versicherten mir, daß ich eine angenehme Überraschung erleben und Amerika viel weniger arg finden werde, als ich erwartete. Aber ich verharrte in meinen Zweifeln und zitierte häufig einen der unsterblichen Sätze Anton Kuhs, eines Vertreters der Wiener Witzmanufaktur, indem ich, was er von der Weltgeschichte gesagt hatte, auf das Gelobte Land anwandte: »Wie der kleine Moritz sich Amerika vorstellt, so ist es.«**

Von Wien nach Amerika zu reisen war zu jener Zeit für einen jungen Mann ein ungewöhnliches und kostspieliges Unternehmen. Wo hätten meine Eltern das Reisegeld von zweihundert Dollar auftreiben sollen? Mein Taschengeld hatte ich zwar durch Stundengeben verdient, aber das reichte höchstens für die Anschaffung einiger Bücher oder machte es mir möglich, meine Vera manchmal ins Kaffeehaus, Kino oder Theater auszuführen. Schließlich streckte mir meine Tante, die Witwe jenes verstorbenen reichen Onkels, die nötigen Mittel vor, und

---

* Dies war ungefähr ein Sechstel dessen, was ein Sterling-Professor, Inhaber eines der Prestigelehrstühle der Yale-Universität, einnahm. Obwohl mehr als fünfzig Jahre vergangen sind, ist der Unterschied zwischen dem Einkommen eines beginnenden »post-doc« und dem eines gut bezahlten ordentlichen Professors praktisch unverändert geblieben.

** In der englischen Ausgabe dieses Buches fand ich es notwendig, den »kleinen Moritz«, diese wichtige Gestalt aus dem österreichischen Spaßuniversum, als einen schrecklich beschränkten Knaben zu erklären, den typischen »simplificateur terrible«, der oft recht behält, wenn die Weisen sich in ihren komplizierten Konstruktionen verstricken.

so konnte ich Ende September 1928 meine kleinmütige Reise antreten. Sie führte über Paris nach Cherbourg. Auf diese Weise machte ich meine erste Bekanntschaft mit Paris. Sie bestand aber nur darin, daß ich die herrliche Riesenstadt einen ganzen Tag lang von Süden nach Norden, von Osten nach Westen durchwanderte. Mein Französisch war damals recht gut, so daß einige Pariser, die ich um Auskunft befragte, mich für einen Belgier oder Welschschweizer hielten, in ihrer hochmütigen Herablassung damit bezeigend, wie wenig sie von solchen sprachlichen Mitessern hielten.

Der Riesendampfer »Leviathan« — wenn ich nicht irre, die ehemalige »Vaterland« — brachte mich nach New York. Sobald ich das Land der Freiheit erreichte, fand ich mich im Gefängnis. Ein auffallend barscher Einwanderungsbeamter schaute sich meinen Paß an, worin mein Name das ersehnte und nutzbringende Doktorprädikat führte, dann warf er einen Blick auf mein »Studentenvisum«. (Dieses hatte mir ein höchst uncharmanter amerikanischer Konsul in Wien überreicht, als wäre es der Heilige Gral.) Im Büttelgesicht spiegelte sich schmerzhafte, trübe Gehirntätigkeit, und aus der Seite seines schmalen Mundes spritzten die Worte »Ellis Island«.

So war ich nun in jenem denkwürdigen amerikanischen Konzentrationslager eingesperrt, das die Anhänger der sogenannten freien Demokratien gerne vergessen möchten. Aber ich erinnere mich sehr gut daran. Aus meinem Verlies genoß ich eine ausgezeichnete Aussicht auf die Freiheitsstatue. Und da dachte ich mir, daß dieses Nebeneinander von Gefängnis und Monument doch kaum zufällig sein könne. Es mußte doch eine Absicht darin stecken. Vielleicht die, den eingesperrten Immigranten die Vorzüge dialektischer Denkweise beizubringen. Aber die Aussicht selbst, früh am Morgen, auf die in Nebel gehüllte Seelandschaft war entzückend, und die klagenden Töne der Nebelhörner und die Schreie der Möwen bildeten eine melancholische Begleitung zu einem Amerika, das nie sein würde.

Nach ein oder zwei Tagen kam ich vor ein Tribunal. Eine wuchtige schwarze Dame war die Vorsitzende, und sie war flankiert von zwei dösenden älteren Herren in verblichenen Uniformen, die so aussahen, wie ich mir die Pyjamas der Heilsarmee vorstelle. Rasch kam das Urteil, sofortige Deportation, denn der Fall war klar: ich war als doppelter Schwindler entlarvt. War ich ein Doktor, so konnte ich kein Student sein; wenn ein Student, wie war ich da ein Doktor? Ich stammelte etwas über Faust, der trotz mehrfachen Doktoraten ein ewiger Student gewesen sei. Ich hätte genau so gut versuchen können, Binokel mit einem Marsbewohner zu spielen. Der ganze groteske Vorgang hätte eine Szene aus Jarrys »Ubu Roi« sein können. Der schwer Verurteilte, in seine Mikrozelle zurückgebracht, sandte ein Telegramm an die Yale-Universität. Deren Anwalt intervenierte in Washington, und nach einigen Tagen war ich in Freiheit. Ob Strenge durch vernünftiges Argument bekehrt wurde oder durch etwas Glitzernderes, habe ich nie herausbekommen. Vielleicht war ich sogar eine Art von Präzedenzfall, denn ich gehörte dem frühen Kontingent von »postdocs« an, die zu jener Zeit in immer größerer Zahl in die Vereinigten Staaten zu pilgern begannen.

Als ich in New Haven ankam, erwartete mich T. B. Johnson, Sterling-Professor der Chemie und infolgedessen sechsmal mächtiger als meine unbedeutende Persönlichkeit, auf dem Bahnhof. Er war ein anständiger, freundlicher Mann, in jeder Beziehung ein Überbleibsel eines älteren und besseren Amerika, dessen letzte Spuren damals noch erkennbar waren, und er versuchte, mir die ersten peinlichen Tage auf dem übertrieben neuen Kontinent leichter zu machen. Erst viel später, als ich anfing mich mit den Nukleinsäuren zu befassen, wurde es mir klar, wie wichtig seine Arbeiten über die Chemie der Purine und Pyrimidine gewesen sind. Johnson nahm mich in sein eigenes Haus mit, als Gast für einige Tage. In meinem Zimmer hing eine Art von Wandstickerei. Sie stellte einen blauen Vogel dar und darunter war eine Aufschrift eingewirkt: »Möge der blaue Vogel des Glücks einen ewigen Ruheplatz in deinem Heim finden.« Ich fand das Vertrauen Amerikas zu »Bluebirds« überaus rührend. Wo ich herkam, waren die Vögel besonders grau.

Kreis ohne Mittelpunkt

Ich habe oft darüber nachgedacht, was so ein Wort wie »Wurzellosigkeit« eigentlich bedeutet. Anfangs, wenn ich von jemandem hörte oder las, er habe keine Wurzeln, konnte ich das gar nicht verstehen, und ich sagte zu mir: »Aber ein Mensch ist doch keine Pflanze.« In Wahrheit jedoch ist der Mensch eine Pflanze. Der Mythos vom Riesen Antäus, der seine Kräfte verlor, sobald er nicht mehr auf dem Boden der Erde stand, ist ein tiefer Mythos. Wir welken, wenn wir des Bodens beraubt sind, in dem wir Wurzeln treiben können, mögen diese auch noch so metaphorisch sein. Das Schlagwort von »Blut und Boden« ist durch die jüngste Geschichte diskreditiert worden; die davon plapperten, waren wurzellose Hysteriker, in vieler Beziehung typisches Fin de siècle. Wenn ich jedoch das Blut beiseite lasse, für dessen imaginäre Reinheit ich wenig Verehrung aufbringe — schließlich gibt es nicht viel DNS im Blut, außer in den Leukozyten — so muß ich mir doch über die metaphysischen Wurzeln im allegorischen Boden Gedanken machen.

Ich bin zu dem Schluß gekommen, daß meine Generation den Inbegriff der Wurzellosigkeit vertritt. Was sie kennzeichnet ist das Schwinden, das Absterben der Verbundenheit. Die Stimmen der Eltern im Nebenzimmer sprechen nicht mehr. Ein jeder ist einzeln und allein. Einsam zu sein in der Menge ist der Fluch meiner Zeitgenossen gewesen. Ein wirklich frommer Mensch wurzelt in seiner Religion. Es muß noch viele solche Leute geben, aber ich bin mir nicht bewußt, ihnen je begegnet zu sein, obwohl ich zahlreiche treue und feste Anhänger ererbter religiöser Formen kenne. Zweifellos kann die Stärke der Gewohnheit als teilweiser Ersatz auftreten. Als ebenso wirksames oder noch wirksameres Surrogat dient oft der Nationalismus oder sein weniger aggressiver Zwillingsbruder, der Patriotismus. Und für viele meiner Zeitgenossen waren die Naturwissenschaften — oder, wenn man will, die Psychotherapie oder die Buchhaltung — Notbehelfe zum Leben. Aber in Tolstois Schriften oder in denen von Knut Hamsun hatte ich, so schien es mir, Menschen gefunden, die anders waren. Waren das lediglich ausgedachte Figuren?

Es klingt wahrscheinlich lächerlich, wenn ich es sage, aber es ist doch wahr, daß meine Eltern ihre Wurzeln in Österreich hatten. Religion spielte fast keine Rolle, Gesellschaft nur eine kleine; die Familienbande waren locker geworden mit Ausnahme der unmittelbaren Mikrofamilie: Vater, Mutter, Schwester und ich. Literatur und Musik waren blasse Ornamente später Abende — aber immer gab es die uralte Doppelmonarchie, und meine Eltern entsprachen in vielem der Verkörperung eines Österreichers aus dem vergangenen Jahrhundert. All das wurde durch den ersten Weltkrieg erschüttert, und wir wurden alle zu Berufsflüchtlingen, mit Ersatzwohnungen, Ersatzbürgerschaften und später sogar mit einer Ersatzsprache. In mancher Beziehung habe ich mehr Glück gehabt als diejenigen, denen das in einem höheren Alter begegnete, denn als ich zur Welt erwachte, war es eine Welt ohne Illusionen; aber es war auch eine Welt, in der nur wenige sich zu Hause fühlen konnten. Hätte ich mich als Kind gefragt, worin ich verwurzelt, womit ich verflochten sei — aber Kinder haben andere und größere Sorgen — so hätte ich wahrscheinlich geantwortet: in und mit meinen Eltern. Doch die Eltern sollten bald dahin gehen. Etwas älter, hätte ich vielleicht noch eine zweite Antwort gegeben, und diese hätte trügerischerweise einen längeren Bestand versprochen. Denn über allem anderen hätte ich die Sprache genannt, die Sprache, in der meine Mutter zum Kind gesprochen hat. Doch meine Muttersprache ist zugleich mit meiner Mutter verbrannt. Als dies gegangen war, blieb nichts übrig.

In eine wilde, gefährliche, haltlose, wahnsinnige Welt bin ich geboren worden. Die Intensität, mit der ein junges Wesen sich und die Welt betrachtet, kann ein alter Mann kaum wieder zurückrufen. Aber ich weiß noch, daß ich mir wie ein am Tor der Stadt Sodom ausgesetztes Findelkind vorkam. Als ich mich mit 23 auf die Reise nach Amerika machte, sollte alles hinter mir bleiben: ich fuhr in eine neue Welt. Wie wird sie mich aufnehmen, und, noch wichtiger, wie werde ich sie aufnehmen? Die Ankunft in New York bedeutete eine große Erschütterung für mich. Indem ich hier versuche, mich meiner ersten und daher entscheidenden Eindrücke zu entsinnen, weiß ich wohl, daß ich mich auf ein verräterisches, ein gefährliches Unternehmen einlasse.

Ein Mann, der aus Sodom nach Gomorra kommt, wird viele Dinge sehen, die ähnlich, und manche, die verschieden sind; und wenn er zu apokalyptischen Exzessen neigt, wird er zu dem Schlusse kommen, daß es vielleicht nur ein Paradies, aber sicherlich viele Höllen gibt. Wenn er noch dazu eine besondere Begabung für die symbolische Behandlung alltäglicher Ereignisse besitzt, wird ihn viel von dem, was ihm begegnet, sozusagen an die Zukunft erinnern; an eine Zukunft, der ins Gesicht zu sehen er Angst hat. Wenn außerdem die Gomorrer ihn sofort nach seiner Ankunft fragen, wie ihm Gomorra gefällt und ob er glücklich ist, Sodom verlassen zu haben, so verfällt er in Schweigen. Was kann er sagen? Er will nicht, daß man ihn einen unverbesserlichen Sodomiten nennt.

Leute, die noch über die Fähigkeit des positiven Denkens verfügen, haben mir oft vorgeworfen, daß ich übertreibe. Das ist schon möglich; aber wessen ist die Maßschnur, wessen das Maß? Vielleicht ist ein winziges Restchen der Gene, die Ezechiel angetrieben haben, auf mich gekommen; oder ist es einfach Dyspepsie? Wäre mein Glauben an die Doktoren stärker, so befragte ich sie. Aber wie die Dinge sind, wären sie sicherlich bereit gewesen, dem Heiligen Johannes auf Patmos Beruhigungstabletten einzugeben, und er war besser daran ohne fachärztlichen Beistand.

Niemals wird der Mann von Sodom festen Fuß in Gomorra fassen, niemals wird er wieder zu Hause sein in Sodom. Die Zukunft, diese erbarmungsloseste aller Zeiten, kann er natürlich nicht lesen; aber er hat das Buch Genesis gelesen, und er erinnert sich, daß es ein und derselbe Schwefel- und Feuersturm war, der Sodom und Gomorra zerstörte.

Ich war nicht als Einwanderer nach Amerika gekommen.

Aber selbst für einen neugierigen Besucher war es unbeschreiblich erschütternd, New York zu sehen und seine seltsamen Stimmen und Schreie, sein Stöhnen und Tönen zu vernehmen. Der neurasthenische Pulsschlag einer Stadt, die nie schlafen ging, weil sie nie wach war; das groteske Zeremoniell der »Prohibition«, als jedermann stolz sein mußte auf die Gesetzesbrüche, die er beging; der primitive Hochmut einer un- und eingebildeten Intelligenz; der unglaubliche Schmutz all dessen, was nicht unglaublich blitzsauber und talmiluxuriös war; die schamlose Heuchelei aller Institutionen und das läppische Grinsen, mit dem eine Gaunerei, einmal entdeckt, zugleich zugegeben und ausgelöscht wurde; die gekauften Dithyramben, welche politische oder kommerzielle Karrieren begleiteten, die bald nachher in Vergessenheit oder Kerker endeten; die Verwirrung der Sprache und die Entwertung aller grammatischen Formen, besonders des Superlativs; eine gigantische Attrappe, ein trügerischer Schein als das Evangelium der Nation, jeden künftigen Glauben, jeden Glauben an die Zukunft unmöglich machend: all das mußte einen jungen Mann überwältigen, der im Glauben, Europa hinter sich gelassen zu haben, einem Supereuropa gegenüberstand. Wie weit von James Fenimore Cooper oder Chateaubriand erschien mir all das! Aber auch, wie naiv ich war! Hatte ich erwartet, Krokodile im Hudson zu finden oder Siouxindianer auf dem Kriegspfad in den Avenuen von Manhattan? Erst viel später sollte ich entdecken, daß alles, was ich zu finden erwartet hatte, wirklich existierte, aber immer in unerwarteten Verkleidungen.

Als ich 1928 zuerst nach Amerika kam, pflegte ich viele Stunden durch die trostlosen Straßen zu wandern, die damals noch keine besonderen Gefahren boten, und hielt Ausschau nach einem menschlichen Gesicht. Was ich sah, erschreckte mich: die Neue Welt hatte anscheinend eine neue Art von Physiognomie erzeugt, manchmal leer, meistens traurig und teilnahmslos oder zu einem fahlen Lächeln verzerrt. »Sonniger Knabe« — oder war es »Liebes Söhnchen«? — hörte ich sie in meinem ersten Sprechfilm trällern. Aber wo immer ich mich umschaute — in den Straßen und der Untergrundbahn, in den Schenken und den Theatern, in Vortragssälen und Kirchen —, schienen die Leute unaussprechlich unglücklich zu sein, als versuchten sie etwas zu sagen, wofür sie keine Worte hatten. Überall gewahrte ich getriebene Treiber, verzweifelt durch ungefegte und in Brüche gehende Chirico-Landschaften hastend, hoffnungslos sich vor einem Verhängnis verbergend, für das sie keine bessere Bezeichnung als Entbehrung oder Armut wußten, obwohl metaphysischere Ängste zweifellos auch beteiligt waren. Wenn ich auf meinen freudlosen Wanderungen etwas hörte, was wie menschliches Lachen klang, sah ich mich um, und was ich sah, waren immer schwarze Gesichter. Dieser Segen ursprünglicher, fast urzeitlicher Heiterkeit, das letzte Überbleibsel davon, wie Menschen in früheren Jahrhunderten waren, ist in der Zwischenzeit auch vergangen. Mitten in der Masse von in Konserven abgefüllter und mechanisch verstärkter Fröhlichkeit, mitten in all diesem Gegrinse und Gefeixe, ist Amerika ein sehr grimmiges Land geworden.

Manchmal sah ich eine alte, müde, schwarze Frau, wie sie im Trauerschleier ihrer Haut mühsam einherschritt, und da wurde es mir klar, daß ich mich jetzt in einem Lande aufhielt, wo die Armen ihre Armut in ihren Gesichtern trugen. Fern waren Aljoscha Karamasow oder Prinz Myschkin. Hingegen sahen die Bilder politischer und sonstiger Persönlichkeiten in den Zeitungen in ihrer ungebändigten Heiterkeit so aus, als kämen sie direkt aus dem Lachkabinett im Wurstelprater. Das Tragische wurde als unmoralisch verworfen. Zu jener Zeit gewann ich zuerst die Überzeugung, daß die größte aller Revolutionen noch vor uns lag, und daß nur durch sie die Menschheit frei werden könnte von den Fesseln mechanistischen Denkens, zu dem sie sich hatte verlocken lassen durch Gesänge vom Fortschritt, durch Hymnen von der Wissenschaft. Meine Überzeugung, daß das geschehen müßte, ist nicht geschwunden, wohl aber meine Hoffnung, daß es geschehen wird. Viele Träume von Millennien sind verblaßt, und der alt gewordene Chiliast beginnt zu verstehen, daß im Haushalt der Ewigkeit

Tausendjährige Reiche manchmal kürzer währen als das Leben einer Eintagsfliege.

Die Entfremdung von der unersetzlichen Muttersprache, die mit meiner Übersiedlung in ein englisch sprechendes Land einherging, war ein schwerer Verlust. Aber die wunderbare englische Sprache spendete Trost. Ich will keineswegs eine Hierarchie aufstellen: alle Sprachen sind die besten, pflegte ich zu sagen. Wenige Sprachen haben sich jedoch so robust erwiesen wie das Englische, so klar und kurz in all ihrem Reichtum, so biegsam, so widerstandsfähig. Wenige Sprachen haben es vermocht, so viel brutalen Mißbrauch zu überleben ohne unterzugehen, während z. B. das Französische einem solchen Angriff zu erliegen droht. Mir ist keine andere Sprache bekannt, die in ihrem Vokabular derart in zwei Hälften zerfällt (romanisch — germanisch), daß fast jedes Wort für die eine oder andere Hälfte eine Art von Fremdwort ist. Aber eben darin liegt vielleicht die Stärke des Englischen, daß es eine Legierung darstellt, in deren Schmelzfluß fremde Einsprengsel sich leicht auflösen. Wir sind nicht die Herren, wir sind die Sklaven unserer Sprachen. In meinem Fall hat sich Englisch als ein nachsichtiger und verständiger Meister erwiesen, und ich preise den Tag, der mich der Sprache von Shakespeare und Donne, Pope und Swift, Gibbon und Blake nahe gebracht hat. Eines der letzten von Menschen gemachten, handgemachten Wunder, der »Oxford English Dictionary«, ist ein stiller Freund gewesen. Heutzutage werden Wörterbücher durch Computer erzeugt, und unparteiische, unermüdliche Lichtstrahlen tasten den Mist ab, um ihn der lexikographischen Verarbeitung zuzuführen.

Es gibt einen ziemlich nichtssagenden, aber ehrwürdigen Ausspruch, der vielen alten Weisen zugeschrieben wird, darunter auch Heraklit. Er lautet: »Der Charakter eines Menschen ist sein Schicksal.« (Tatsächlich verwendete Heraklit das Wort »ethos«, und nicht »Charakter«.) Dabei kommt es natürlich darauf an, wie Charakter und Schicksal definiert werden. War Schuberts Typhus ein Teil seines Charakters? Fraglos war die Entwurzlung ein Bestandteil der Schicksale meiner Generation, aber war Entwurzlung ein Teil unseres Charakters? Ich muß gestehen: metaphysische Gesellschaftsspiele haben nie zu meinem Zeitvertreib beigetragen. Die Tatsache, daß ich unfähig oder unwillig war, Wurzeln zu bilden — ob dies nun auferlegt oder vermeidbar gewesen ist, vorteilhaft oder bedauerlich —, sie hat vielleicht mein Leben gezeichnet. Aber Charakter, Schicksal? Wie ich in fröhlicheren Zeiten zu sagen pflegte: »Schicksal kommt nachher, aber zuerst muß er in die Grube fallen.«

Sonnenaufgang in New Haven

Das Forschungsstipendium, das mich im Oktober 1928 an die Yale-Universität brachte, verursachte meine erste längere Abwesenheit von der Heimat. In unseren Tagen, da die Völker soviel beweglicher geworden sind — die Menschheit verbringt einen großen Teil ihres Lebens in sinnloser Fortbewegung, vom Her zum Hin reisend und dann zurück —, ist es nicht leicht zu erklären, was dies damals für mich bedeutete. Ich kam aus einer sehr seßhaften Familie; mein Vater, glaube ich, hatte bis spät in seinem Leben keinen Paß besessen, und ich muß als mein Erbteil den Wunsch mitbekommen haben, an einem Ort zu bleiben. Daß dieser Wunsch weder mir noch zahllosen andern erfüllt worden ist, ist nicht verwunderlich, wenn man unser so übermäßig wanderfreudiges Jahrhundert betrachtet.

Die Freundlichkeit, mit der ich von jedermann an der Yale-Universität aufgenommen wurde, machte den Schmerz der Trennung weniger scharf, aber er hielt eine lange Zeit an. Irgendwie ist er niemals vergangen, obwohl es mir schwer fiele zu sagen, wovon ich mich losgerissen finde. Ich habe oft von mir gesagt, ich sei mit einem Stein im Schuh geboren — war Heimatlosigkeit der Name dieses Steins? Was ich damit meine, kann ich nicht erklären. Auch Dante konnte die Hölle so viel besser beschreiben als das Paradies, denn in jener hatte er gelebt und dieses vergessen.

Rudolph J. Anderson sah wir ein britischer Armeeoffizier in widerspenstiger Ziviltracht aus. In Schweden geboren, in New Orleans erzogen, stellte er eine seltsame Mischung nationaler und kultureller Merkmale dar. Er war ein ausgezeichneter Experimentalchemiker, und von ihm lernte ich den Respekt vor der Materie, die Sorge um Quantität selbst in im wesentlichen qualitativen Untersuchungen, die Ehrfurcht vor Genauigkeit in Beobachtung und Beschreibung. Wenn jeder Forscher einen Lehrer braucht, so war er es in meinem Fall; und doch zögere ich, ihn als solchen zu bezeichnen, denn ich glaube nicht, daß er viel Einfluß auf meine zukünftige Laufbahn gehabt hat. Lehrer ist, wer dem Schüler den Weg zu sich selbst weisen kann; und das hat niemand für mich getan.

Zwei Jahre, 1928 bis 1930, verblieb ich bei Anderson im Chemie-Institut der Yale-Universität. Er war nicht lange vor mir an die Universität gekommen, um ein Forschungsprogramm über die chemische Zusammensetzung der Tuberkelbazillen und anderer säurefester Mikroorganismen einzurichten. Mein Aufenthalt war recht ertragreich: ich veröffentlichte sieben Arbeiten mit Anderson, unter denen die interessantesten sich mit der Entdeckung einer Reihe seltsamer verzweigter Fettsäuren, der Tuberkulostearin- und der Phtionsäuren [11, 12], und mit komplexen Lipopolysacchariden des Tuberkelbazillus [13] befaßten. In diesem Zusammenhang lernte ich auch eine sehr bemerkenswerte Dame kennen, Florence Sabin vom Rockefeller-Institut, Verfasserin wichtiger zytologischer Studien über die Wirkung, welche die von uns aus Tuberkelbazillen isolierten Substanzen auf Gewebe ausübten. Außerdem fand ich noch Zeit dazu, völlig unabhängige Studien über Jodcyanid [14], organische Jodverbindungen [15] und auch über die karotinoiden Pigmente des Timotheegrasbazillus [16] abzuschließen. Während der Arbeit über die Bakterienfarbstoffe stieß ich auf die vergessenen Untersuchungen über Chromatographie, die M. S. Tswett 1906 ausgeführt hatte. So war ich in der Lage, diese Methode zu benützen, einige Zeit bevor Richard Kuhn und seine Mitarbeiter sie in Heidelberg in großem Maßstab anwendeten.

Als Juli 1929 herankam, kehrte ich für den Sommer nach Wien zurück. Ich hatte von meinen zweitausend Dollar genug gespart, um auch die Reise meiner Verlobten in die Vereinigten Staaten zu bezahlen, und ich war gekommen um sie abzuholen. Wir konnten nicht in Wien heiraten: die Art meines Visums hätte mir nicht gestattet, eine Frau mitzubringen. Sie mußte unter ihrem Mädchennamen als temporäre Besucherin reisen, und so bewohnten wir zwei voneinander entfernte, keusche Kabinen auf der »Berengaria«. Bevor wir Wien verließen, hatte ich noch zwei Karten für die Staatsoper gekauft, und wir feierten unsere Abreise, indem wir uns die »Zauberflöte« anhörten. Es war eine unvergeßliche Aufführung, mit Alexander Kipnis, dem herrlichsten Sarastro meiner Erinnerung. Der Ruf »Zurück!«, der dem Prinzen Tamino von allen Toren von Sarastros Sonnenschloß entgegenschallt, tönte mir wie ein gemischter Chor amerikanischer Immigrationsbeamten. Dieses Mal war es jedoch Vera, die zwei oder drei Tage auf Ellis Island verbringen mußte — wahrscheinlich aus Gründen der Symmetrie —, während ich zur Abwechslung die Küste der Freiheit gänzlich unverhaftet betreten durfte.

Jedenfalls begingen wir im September 1929 unsere Hochzeit, und zwar in der »City Hall« von New York, einem den Namen »Rathaus« kaum verdienenden Gebäude. Zwei ziemlich zerlumpte Herren, die uns am Amtseingang ihre Dienste anboten, fungierten als die Zeugen unserer Identität. Ich schulde diesen beiden Vagabunden ewige Dankbarkeit.

Als mein zweites Jahr mit Anderson zu Ende ging, wurde es notwendig, wieder einmal einen jener kleinmütigen Entschlüsse zu fassen, die hauptsächlich in dem Beschluß bestanden, sich nicht zu entschließen. Ich wollte nicht länger in den Vereinigten Staaten bleiben. Ich schrieb an Paul Karrer in Zürich; er war willig mich anzunehmen, falls ich mein eigenes Gehalt mitbrachte. Ich schrieb an das Bach-Institut in Moskau, von dem ich, wenn ich mich richtig erinnere, nie eine Antwort erhielt. (Aber nichts geht verloren auf dieser Welt: 27 Jahre später, als ich in Moskau an einem Symposium der Russischen Akademie der Wissenschaften teilnahm, erinnerte sich ein russischer Kollege, mit dem ich zufällig sprach, der Tatsache meiner uralten Anfrage.)

Wir hatten uns in Amerika sehr unglücklich gefühlt, und wir sehnten uns nach Europa. Wir hatten gerade genug Geld für zwei oder drei Monate und für die Retourbillette. Trotz der Verlockung eines Assistenzprofessorpostens für Chemie an der Duke-Universität in North Carolina, die zu jener Zeit in übertriebenem Ausmaße der Tabakforschung fröhnte, denn das Geld kam von der Zigarettenindustrie, verließ ich im Sommer

1930 die Vereinigten Staaten, um nach Europa zurückzukehren: der seltene Fall einer Ratte, die das sinkende Schiff betritt.

Das Land verlassend, glaubten wir, lehrreiche, allmählich verblassende Erinnerungen gesammelt zu haben. Wir hatten keine Ahnung davon, wie bald wir wieder zurück sein sollten.

Später Abend in Berlin

Nach Wien zurückgekehrt, entdeckte ich, daß die ökonomische Lage sich während der zwei Jahre meiner Abwesenheit erheblich verschlechtert hatte. Sogar ein so stumpfer Denker in Fragen der Wirtschaft wie ich hätte durch den New Yorker Börsenkrach, den ich aus der Nähe beobachtete, gewarnt werden müssen. Anstatt mich in Durham, North Carolina, zu vergraben, um mein Leben der Untersuchung aller Eigenschaften der Tabakpflanze zu widmen, beschloß ich dennoch, mein Glück in Berlin zu versuchen, der Stadt, in welche verzweifelte Wiener immer zu übersiedeln drohten, um endlich einmal die Vorzüge der Reinlichkeit, Ordnung und Pünktlichkeit (zusammen mit sehr schlechtem Essen) zu genießen.

Als ich im September 1930 nach Berlin kam, zu einem, wie ich hoffte, sehr langen Aufenthalt, hatten die Würmer schon viel Zeit gehabt, die Fundamente der Weimarer Republik anzufressen. Aber meinen unerfahrenen Augen erschien das morsche Gebäude in keiner größeren Gefahr zusammenzubrechen als die übrige fortschrittstrunkene, profitlüsterne, naiv zynische westliche Welt. Ich hatte unrecht. Schon zweieinhalb Jahre später, im April 1933, führte der Schnellzug uns, meine Frau und mich, nach Paris; und vierzig Jahre sollten vergehen, bevor ich Berlin wiedersehen würde. Es war wirklich eine sehr verschiedene Stadt.

Wenn ich manchmal über diese fernen Tage nachdachte, pflegte ich zu sagen, daß mein Aufenthalt an der Berliner Universität — Oktober 1930 bis April 1933 — vielleicht die glücklichste Zeit meines Lebens gewesen ist. Wie konnte ich das behaupten, fragten mich viele Leute. Was war so einzigartig an einer Stadt und an einem Land, die gerade daran waren, in einen der tiefsten Abgründe zu taumeln, die jemals ein zivilisiertes Volk verschlungen haben? Ich möchte gerne die Umstände zurückrufen, die mir das Leben in Berlin damals so angenehm gestaltet haben.

Ich war in eine Stadt mit wachsender Arbeitslosigkeit und

einer sich fortwährend verschärfenden ökonomischen Krise gekommen. Die wenigen Wiener Bekannten, die mir vorausgegangen waren, arbeiteten an verschiedenen Kaiser-Wilhelm-Instituten. Ihre einzige Hilfeleistung bestand darin, daß sie mir anrieten, Auszüge für das »Chemische Zentralblatt« zu verfertigen; aber was ich damit hätte verdienen können, hätte kaum für einen Tag ausgereicht. Ich hatte keine Empfehlungsbriefe, und hätte ich sie gehabt, hätte ich nicht einmal gewußt, wie ich sie verwenden sollte. Aber wunderbarerweise fand ich fast ohne Verzögerung eine gute Stellung. Dies war einer Kombination von reinem Glück und der Tatsache zuzuschreiben, daß ich gerade nach zwei Jahren als »post-doc« in Amerika zurückgekommen war. Am Hygienischen Institut der Universität, das gleichzeitig das Bakteriologische Institut war, hatte ich Professor Julius Hirsch kennengelernt, einen überaus freundlichen und hilfsbereiten Mann, der mit den Arbeiten, die ich mit Anderson in Yale ausgeführt hatte, vertraut war. War es der Reiz meiner jugendlichen, unentfalteten Persönlichkeit oder meine Kenntnis der Tuberkelbazillen? Jedenfalls nahm mich Hirsch sofort zum Chef mit, Geheimrat Martin Hahn (berühmt aus der Buchner-und-Hahn-Zeit), und in wenigen Minuten war ich bereits als »Voluntärassistent« angestellt. (Später wurde ich wirklicher Assistent für Chemie.)

Die Beschaffung eines Stipendiums ging mit ähnlicher Geschwindigkeit vor sich. Ich wurde zum Präsidenten der Deutschen Forschungsgemeinschaft entsandt, Exzellenz Schmidt-Ott, einem bedeutenden Arabisten, wenn ich mich richtig erinnere. Der große Mann stellte mir viele Fragen, von denen wenige mit Naturwissenschaft zu tun hatten, und ich ging weg, bestallt und besoldet. Die Informalität und Raschheit der Entscheidungen, die Aufgeschlossenheit für neue Ideen, die Abwesenheit jeglicher Schäbigkeit, die Weite des Gesichtsfeldes: all dies mußte einen schüchternen jungen Mann beeindrucken, der erst vor kurzem aus der nörgelnden, neidischen und unbeweglichen Welt Wiens entkommen war, wo sogar die Wanzen dem alten, spanischen Hofzeremoniell folgten, und der gerade die hierarchische und kastenbewußte Provinzwelt von Yale hinter sich gelassen hatte. Berlin schien alles zu besitzen, was man mir fälschlicherweise von Amerika vorgeschwärmt hatte. Während unserer ganzen Verbindung behandelte mich Martin Hahn mit unglaublichem Wohlwollen. Ich bekam eine Dienstwohnung im Institut — wenige Schritte vom Reichstag entfernt, dessen Flammen bald den Beginn des Dritten Reiches beleuchten sollten. Ich war völlig unabhängig in meiner Forschung und fing sogar an, Mitarbeiter aufzunehmen.

Deutschland befand sich in einer schweren ökonomischen Krise, was zu jener Zeit noch nicht mit soviel Fügsamkeit ertragen wurde, wie es jetzt in unserer gehirngewaschenen und tranquilisierten Epoche der Fall zu sein scheint. In Berlin herrschte große Unruhe, aber gleichzeitig das glänzendste Kulturleben, das ich je zu sehen bekommen habe. Die Berliner Philharmoniker unter Furtwängler; die Kroll-Oper unter Klemperer, mit so wundervollen Aufführungen wie der von Offenbachs »Pericholе« in der Bearbeitung von Karl Kraus; die erste und sehr eindrucksvolle Aufführung von »Mahagonny« von Brecht und Weill. Das Kronprinzenmuseum war der erste Ort, an dem ich moderne Malerei und Skulptur zu sehen bekam. (Wien huldigte damals noch einer müde gewordenen Sezession.) Aber über allem lag ein Schleier von Unwirklichkeit; eine grenzenlose Traurigkeit malte sich in den Augen der Leute, als wären sie unvermittelt aus dem 19. in das 21. Jahrhundert versetzt worden. Die armselige Prostitution der Friedrichstraße, die schamlos verschämte Armut des Alexanderplatzes, des Schauplatzes von Döblins ausgezeichnetem Roman, stießen mit dem aufschneiderischen Prunk der Westseite zusammen. Es war um diese Zeit, daß ich zuerst zu verstehen begann, daß unsere Welt zu kompliziert für menschliche Wesen geworden ist, daß das Hauptmotiv unserer Zeit die Flucht sein wird, das blinde Wegrennen von einem unerträglichen Alltag, in Wahnsinn hinein, in Gewalttätigkeit, Zerstörung.

Meine Arbeit ging jedoch vielfältig weiter. Zwei der umfangreichsten Arbeiten — eine Untersuchung über die Lipoide des Bazillus Calmette-Guérin (BCG)[17] und eine ausführliche Studie der Fett- und Phosphatidfraktionen der Diphtheriebakterien[18] — sollten meine »Habilitationsschrift« ausmachen. Da an der medizinischen Fakultät, zu der unser Institut gehörte, der Titel eines Privatdozenten auf Inhaber des Dr. med. beschränkt war, hatte Martin Hahn es zuwegegebracht, daß ich Privatdozent an der Berliner Technischen Hochschule werden sollte, und zwar, wenn ich mich recht erinnere, für Gärungschemie. Ende Januar 1933 hatte die Schwarze Pest die Regierung in Deutschland angetreten, und eine Woche später hätte man mich auf einer absurden Reise nach Charlottenburg beobachten können, mit einem sorgfältigen Päckchen in der Hand, um mein magnum opus im Sekretariat der Technischen Hochschule einzureichen. Als die Zeit gekommen war, meine Anstellung als Privatdozent zu beschließen, war ich jedoch schon weit weg von Berlin, nämlich in Paris. Ich hätte noch etwas länger in Berlin bleiben können, da mein österreichischer Paß mich schützte, aber ein Blick auf den Stil und die Physiognomien der neuen Mächte waren genug für mich. Ich wollte, ich wäre in späterem Ungemach ebenso leichtfüßig geblieben.

Da wir in der Neuen Wilhelmstraße wohnten, hatten wir es nicht weit zum Reichskanzlerpalais und den anderen Regierungsgebäuden. So konnte ich mit dick verbundenem Kopf und Armen den verschiedenen Fackelzügen und Jubelprozessionen beiwohnen, mit denen die enthusiastische Masse in den letzten Januartagen 1933 das kommende Ende Deutschlands feierte. Daß ich zu jener Zeit wie Wells' »Invisible Man« aussah, war auf den einzigen schweren Laboratoriumsunfall meines Lebens zurückzuführen. Im Dezember 1932 waren bei der Bereitung der Karottenfarbstoffe etwa 30 Liter Petroläther auf mich explodiert, und ich brannte lichterloh. Feuerwehr, Ambulanz und die Klinik der Charité taten das ihre, und so kam ich mit dem Schrecken und einigen Narben davon, aber für einige Monate mußte ich dick bandagiert umhergehen. Mit dem Schmerzensgeld, das ich von der Versicherung erhielt, bestritt ich die Kosten unserer Übersiedlung nach Paris.

Die Lage unserer Wohnung machte uns auch zu Ohrenzeugen des Reichstagsbrandes. Am 27. Februar saßen wir lesend in unserem Zimmer und lauschten dem unendlichen Krawall, der die ganze Nacht anhielt. Um die Ecke verbrannte das häßliche Gebäude; aber man war damals an Exzesse gewöhnt, und wir gingen nicht auf die Straße, um zu schauen, was los war. Wir hatten wenig Zutrauen zu dem Überschwang der erwachten Volksseele, die sich mit Totschlägern und anderen unangenehmen Dingen ausgerüstet hatte. Später, als sich die Vorgeschichte im Gerichtsverfahren und den Zeitungsberichten abrollte, schienen die Ursachen der Katastrophe völlig klar zu sein, und so haben sie sich mir eingeprägt. Aber jetzt, da fast alle Zeugen tot und die historischen Fachleute einer späteren Generation auf die Vorgänge losgelassen worden sind, sind diese wieder undurchsichtig geworden, wie es fast immer in der Geschichte zu gehen pflegt. Jedenfalls hatte ich das Erlebnis nicht vergessen, und als dreißig Jahre später Präsident Kennedy ermordet wurde, versuchte ich nachzuforschen, ob Lee Harvey Oswald der Sohn van der Lubbes sein könnte, kam aber zu keinem Resultat.

Jetzt möchte ich noch einen Blick auf die Stadt zurückwerfen, in der ich zuerst die Luft unabhängiger Forschung einatmete. Der Ort, in dem ich mich befand, mußte einem jungen und unerfahrenen Chemiker gleichsam als das Paradies der Naturwissenschaften erscheinen. Das Hygienische Institut, wo ich mein Laboratorium hatte, gehörte zu einem recht häßlichen Baukomplex: rote Ziegelgebäude, die an der Dorotheenstraße und Neuen Wilhelmstraße lagen. (Ein kurzes, seltsam gefühlvolles Wiedersehen im Jahre 1973 zeigte mir die Gebäude noch unverändert, wenngleich viel schmutziger; aber die Straßennamen erinnerten jetzt an Klara Zetkin und Karl Liebknecht.) Mehrere Universitätsinstitute waren hier vereinigt, und viele der mit ihnen verbundenen Namen klangen vertraut. Zum Beispiel herrschte Nernst in der Physik. Seine

Dienstwohnung befand sich in einem der Flügel der Häusergruppe, und aus einem Fenster unserer winzigen Wohnung konnte ich ihn beobachten, wie er mit sorgsamem und lehrhaftem Eifer die tägliche Waschung seines großen Automobils im Hofe überwachte. Die Tage des dritten Lehrsatzes der Thermodynamik waren längst vorbei, und ich kann mich an einen lächerlichen Vortrag erinnern, den der 68jährige Nernst über irgendeine Art von elektrischem Klavier hielt, das er konstruiert hatte. Häßliche laute Kakophonien begleiteten die Darbietung.

Außerdem gab es Trendelenburg und Krayer in Pharmakologie, Bodenstein und Marckwald in der Physikalischen Chemie. Nicht weit von uns lagen die chemischen Laboratorien mit Schlenk, Leuchs und Ernst Bergmann. Steudel war in der Physiologischen Chemie. Aber die Aufzählung der Namen hat kaum begonnen; und für jemanden, der erst zwei Jahre vorher das abschließende »Rigorosum« bestanden hatte, tönten viele dieser Namen wie aus einem Angsttraum. Zu jener Zeit erlebten die Kaiser Wilhelm-Institute im grünen, angenehmen Dahlem eine ihrer größten Epochen: Physik mit von Laue und Einstein; Biologie mit Correns und Hartmann; Chemie mit Otto Hahn; Physikalische Chemie mit Haber, Polanyi, Freundlich; Zellphysiologie mit Warburg; und dazu gab es auch noch einige Satrapien, mit Neuberg, Herzog, Hess und andern. Mit vielen von diesen Männern und ihren Mitarbeitern wurde ich recht gut bekannt, denn nie war die Freimaurerei der Naturwissenschaften so weit offen, so wenig reserviert, wie zu jener Zeit, und nie wieder sollte ich das Gefühl haben, zu einer würdigen und vernünftigen Gelehrtengemeinschaft zu gehören. Es klingt absurd — aber doch muß ich es sagen: indem ich auf diese längst vergangenen Tage zurücksehe, bekomme ich den Eindruck, daß die letzten Strahlen der untergehenden Sonne des zivilisierten 19. Jahrhunderts auf meinen Kopf fielen. Und das geschah im Jahre 1931 oder 1932, als die »langen Messer« schon begonnen hatten, sich mit schrecklicher Schnelligkeit zu verlängern.

Die Kolloquien bei Haber und Warburg waren von ganz besonderem Rang. Fritz Haber besaß eine wunderbare sokratische Geschicklichkeit, aus Sprechern und Zuhörern das Beste herauszuholen. Viele der Vorträge waren über meinem Kopf. Aber wie groß war meine Erleichterung, als Haber am Schluß des Vortrages aufstand und erklärte: »Ich hab kein Wort verstanden.« Und dann, sich zu einem seiner Paladine wendend: »Herr Polanyi«, oder »Herr Weiss, könnten Sie mir vielleicht erklären, um was es sich da gehandelt hat?« Dann folgte ein blendender Dialog, oder eher ein Polylog, der alles völlig klar zu machen schien, sogar für mich. Sobald ich aber zu Hause war, hatten sich die dunkeln Wolken der Stumpfheit wieder zusammengezogen.

Otto Warburgs Seminare trugen einen andern Charakter. Einmal war es mein Los, selbst eines abzuhalten, und wie es gewöhnlich geschieht, war mein Stegreifvortrag sorgfältig vorbereitet. Meine Frau und ich gingen viele Stunden durch den Tiergarten und übten meine Improvisation. Trotz der sehr formellen Atmosphäre ging alles gut. Der große Mann saß in der ersten Reihe und schien in arroganten Schlaf versunken. Aber als ich geendet hatte, stellte er überaus intelligente Fragen. So wurde mir klar, daß Genies durch eine Art von Osmose lernen; eine Gabe, die mir völlig versagt ist.

Ungefähr um dieselbe Zeit hörte ich einen Vortrag von Max Planck, der keineswegs aus dem Stegreif war. Mühsam und genau las der alte Herr aus einem abstrusen Manuskript. Dies sollte mir als Warnung dienen, daß für den Naturforscher die Philosophie eine der Gefahren des Altwerdens darstellt. Bald nachher kamen die schwarzen Tage des Januar 1933. Die letzten Lampen erloschen, und in den finstern Straßen konnte ich das Trampeln marschierender Stiefel hören. Der Abend war zu Ende gegangen, und es folgte eine lange Nacht, eine blutschuldige Nacht.

Daß ich meine Tätigkeit so leicht nach Paris verlegen konnte, hatte mit einer andern meiner damaligen Arbeiten zu tun. Geheimrat Hahn war einer der Gerichtssachverständigen in dem bekannten »Lübeck-Prozeß« gewesen, in dem mehrere Ärzte angeklagt waren, die Schuld an dem Tod einer großen Anzahl von Neugeborenen zu tragen, denen anstelle des BCG-Vakzins Kulturen virulenter Tuberkelbazillen eingegeben worden waren. Hahn hatte mich gebeten, den chemischen Teil seines Gutachtens zu übernehmen, und ich glaube, daß meine Untersuchung wesentlich zu einem Verständnis dessen beitrug, was damals geschehen war. Die Arbeit wurde veröffentlicht [19], und Albert Calmette, Vizedirektor des Pasteur-Instituts, der sich natürlich über den Nachweis freute, daß seine BCG-Präparate für die Katastrophe nicht verantwortlich gewesen waren, hatte die Arbeit gelesen. Im März 1933 erhielt ich völlig unerwartet einen Brief von ihm, in dem er mich an das Institut Pasteur einlud. Mitte April waren wir schon in Paris.

Calmette, ein freundlicher, gutherziger und sehr gescheiter Mann, war etwa 70 Jahre alt. Da er sehr schwerhörig war und es übel nahm, wenn man auf ihn einschrie, war es nicht leicht, mit ihm eine Konversation zu führen. Die Tuberkuloseabteilung, der er vorstand, war in einem eigenen, für die damalige Zeit modernen Gebäude untergebracht und bildete tatsächlich den einzigen Teil des Pasteur-Instituts, wo richtige chemische Forschung möglich war. Das Hauptgebäude des Instituts, auf der gegenüberliegenden Seite der rue Dutot, spottete jeder Beschreibung.* Direktor des Institutes war Émile Roux, ein überaus frugaler, mumifizierter Achtziger, der, wie ich hörte, vor vierzig Jahren wichtige Arbeiten ausgeführt hatte. Die Gehälter waren sehr niedrig; und ohne die Hilfe der Rockefeller-

* Ich brauche gar nicht zu versuchen, dieses Labyrinth von Folterkammern für Kaninchen, Meerschweinchen und Mäuse zu beschreiben. Das ist schon geschehen, und zwar mit meisterhafter Bosheit, in einem der größten französischen Romane dieses Jahrhunderts, in Célines »Voyage au bout de la nuit« (Ss. 275—279 der Pléiade-Ausgabe).

Stiftung hätte ich selbst bald so ausgesehen wie der Direktor. Kollegen sagten mir, es sei sinnlos um Gehaltserhöhung zu bitten; sie fügten jedoch hinzu, daß Dr. Roux sich nach etwa dem dritten Angriff auf ihn gewöhnlich bereit fände, dem abgewiesenen Bittsteller die Auszeichnung der »Légion d'honneur« als Trostpreis zu verschaffen. Ende 1933, nach meinem zweiten erfolglosen Besuch bei ihm, starb er leider, kurze Zeit nach Calmette; und so bin ich verblieben, völlig undekoriert mit dem »petit ruban«. Obwohl das Hauptgebäude des Instituts zu meiner Zeit keine Toiletten besaß — der schönheitstrunkene Architekt hatte sie anscheinend vergessen —, besaß es eine recht geschmacklose Krypta — in einem seltsamen Stil, halb Second Empire, halb byzantinisch —, die dem Andenken an Louis Pasteur gewidmet war. Dort nahm ich an den Totenwachen teil, zuerst für Calmette, dann für Roux; als einem jüngeren Mitglied hatte man mir den Zeitraum von drei bis vier in der Nacht zugewiesen. So saß ich in dem seltsamen Raum, in dem sich Justinian oder Napoleon III wahrscheinlich wohler gefühlt hätten als ich, und las in meiner winzigen, geziemend schwarzgebundenen Ausgabe der »Imitatio Christi« von Thomas a Kempis.

Ich machte etwas Laboratoriumsarbeit am Institut Pasteur, nicht sehr viel, über Bakterienpigmente und Polysaccharide. Die Arbeitsbedingungen waren im Vergleich mit Yale und Berlin keineswegs einladend, obwohl die französischen Kollegen alles in allem sehr freundlich und hilfsbereit waren. Besonders die herz- und magenwärmenden Akzente der »langue d'oc« die am Institut viel zu hören waren, umgaben den verlegenen Ankömmling mit einem linguistischen Strahlenkranz von Willkommen und südlicher Fröhlichkeit. Mit unvermindertem Kummer erinnere ich mich jedoch noch an das, was mir geschah, als ich ein Thermometer zur Schmelzpunktsbestimmung brauchte. Keines war aufzutreiben, und ich ging zu Calmette. »Un thermomètre?«, rief er erstaunt aus, »alors il faut aller chez Monsieur Thurneyssen.« Monsieur Thurneyssen war, wie sich herausstellte, ein alter Kunsthandwerker, er sah wie Nostradamus aus und hatte eine Werkstatt, in der er mit eigener Hand die allerschönsten Instrumente erzeugte. Ich trug ihm mein Anliegen vor, und es wurde mir bedeutet, in einigen Wochen wiederzukommen. Als der vorgesehene Zeitraum, und noch etwas mehr, verstrichen war, bekam ich ein unglaublich elegantes Meisterwerk der Instrumentenmacherkunst eingehändigt. Aus sehr dünnem Glas geblasen, schien das Thermometer, mit seiner mit der Hand eingravierten Skala und den kunstvoll geschwungenen Ziffern eher eine Vitrine zu erfordern als einen Laboratoriumstisch. Beim ersten Versuch, das zarte Meisterstück in einen Stopfen zu stecken, löste es sich völlig auf, und ich glaube, daß ich meinen nächsten Schmelzpunkt erst viele Monate später in New York bestimmt habe.

Wir bewohnten eine hübsche kleine Wohnung in einem ganz neuen Gebäude am Südrande des 15. Arrondissements, in der Nähe der riesigen Pferdeschlachthäuser, und wir spazierten endlos durch die alten Straßen von Paris. Die nicht weit von uns gelegene Gegend von Montparnasse war der soziale und kulturelle Mittelpunkt der Emigration; in den Kaffeehäusern, wie »La Coupole« und »Le Dôme«, hörte man mehr Deutsch und Russisch als Französisch. Die wundervolle Stadt Paris durchlebte vielleicht zu jener Zeit ihre letzte authentische Periode, bevor die französischen Tränen und das französische Lachen verloren gingen und die ganze Stadt teutonisiert, amerikanisiert, pompidolisiert wurde. Aber die Schatten begannen zu fallen, und das Institut Pasteur bekam einen unbedeutenden Direktor mit einem kleinen Käppchen. Man fing an, die Ausländer als »métèques« zu bezeichnen, ein Name, der trotz seiner edlen griechischen Abstammung keineswegs freundlich gemeint war. Ich wußte, daß ich gehen mußte, und mit der Hilfe Harry Sobotkas vom Mount Sinai Hospital in New York konnten wir Paris Ende 1934 verlassen und fuhren wieder, zu unserem eigenen Erstaunen, nach Amerika.

Aber das ist eine andere Geschichte, und die folgenden Kapitel werden sie erzählen. Jedenfalls stellte es sich 1935 nach vielem Suchen heraus, daß Hans Clarke eine kleine Stellung für mich bereit hatte an der Columbia-Universität.

Das Schweigen der Himmel

Ich kam zur Biochemie über die Chemie; ich kam zur Chemie teils auf den labyrinthischen Wegen, die ich beschrieben habe, und teils wegen einer jugendlich-romantischen Vorstellung, daß die Naturwissenschaften etwas mit der Natur zu tun haben. Was mir an der Chemie gefiel, war ihre Klarheit, umgeben von Dunkelheit; was mich, langsam und zögernd, zur Biologie zog, war ihre Dunkelheit, umgeben von der Helligkeit des Naturgegebenen, der Heiligkeit des Lebens. Und so habe ich immer geschwankt zwischen der Helle der Wirklichkeit und dem Dunkel des Unwißbaren. Wenn Pascal vom verborgenen Gotte spricht, »Deus absconditus«, hören wir nicht nur den tiefen, existentiellen Denker, sondern auch den großen Sucher nach der Wirklichkeit der Welt. Ich betrachte diese unstillbare Resonanz als das größte Geschenk, das einem Naturforscher zuteil werden kann.

Wenn ich auf meinen frühen Weg in der Naturwissenschaft zurückblicke, auf die Probleme, die ich untersuchte, auf die Arbeiten, die ich veröffentlichte — und noch mehr vielleicht auf jene Dinge, die nie zum Druck gelangten —, werde ich mir einer Bewegungsfreiheit bewußt, einer Abwesenheit zünftlerischer Enge, deren Vorhandensein in meiner Jugend ich selbst, wie ich dies schreibe, fast vergessen habe. Die Welt der Wissenschaft lag so offen vor uns, in einem jetzt unvorstellbar gewordenen Grad, da in Gesuchen um finanzielle Hilfe Seiten und Seiten beschmiert werden müssen, um einen detaillierten Forschungsplan zu rechtfertigen, der sich mit der Untersuchung des 349sten Fußes des Tausendfüßlers befaßt; und das Kollegium von Kollegen, das darüber befinden soll, besteht völlig aus einschlägigen Molekularspezialisten, wahren Tausendfuß-Sassas. Nie vorher wurde so frei, so teuer, über so wenig geforscht. Mir scheint, daß die meisten großen Naturforscher der Vergangenheit nicht hätten entstehen, daß in der Tat die meisten Naturwissenschaften nicht hätten gegründet werden können, wenn schon damals die gegenwärtige nützlichkeitstrunkene und zielstrebige Haltung geherrscht hätte.

Die Gesamtheit der Natur oder auch nur die Gesamtheit der lebenden Natur sinnend zu betrachten, das ist sicherlich nicht ein Weg, den die Naturwissenschaften lang hätten beschreiten können. Das ist der Weg des Dichters, des Philosophen, des Sehers. Eine Arbeitsteilung mußte stattfinden. Aber die übertriebene Fragmentierung jeglicher Naturanschauung — oder in Wirklichkeit deren völliges Verschwinden aus dem Denken fast aller Naturforscher — hat eine Humpty-Dumpty-Welt geschaffen, die uns um so unzugänglicher werden muß, je mehr und je winzigere Stückchen »zur genaueren Erforschung« aus dem Kontinuum der Natur herausgebrochen werden. Die Folgen der übertriebenen Spezialisierung, die uns oft Neuigkeiten bringt, die niemand hören möchte, können daran erkannt werden, daß, wenn man ein Gebiet, mit dem man einmal, sagen wir vor zehn oder zwanzig Jahren, sehr vertraut gewesen ist, wiederbesucht, man sich wie ein Eindringling in seinem eigenen Badezimmer vorkommt, und vierundzwanzig grimmige Fachleute sitzen in der Badewanne.

Tiefsinnigere Männer als ich haben sich als unfähig erwiesen, eine Diagnose, geschweige denn eine Kur der Krankheit, die uns alle befallen hat, zuwege zu bringen. Ich habe den Eindruck, daß der wahre Ursprung unserer Suche von den vorgeblichen Zwecken ausgelöscht worden ist. Ohne einen festen Mittelpunkt müssen wir straucheln. Das wundervolle, unvorstellbar fein gewirkte Gewebe wird Strähne für Strähne auseinandergenommen; jeder Faden wird herausgezerrt, zerrissen, zerlegt und gemessen; und am Ende ist sogar die Erinnerung an die Gestalt verlorengegangen und kann nie wieder zurückgerufen werden. Was ist aus einem Unternehmen geworden, das als eine Erforschung der »gesta Dei per naturam« begonnen hat?

Was Gott auf dem Wege der Natur schafft, das zu erforschen ist eine Tätigkeit, die nie zu Ende sein kann. Kepler und viele andere wußten es, aber jetzt ist es vergessen. Mag man auch im allgemeinen hoffen, daß unser Weg uns zum Verständnis führen wird, meistens führt er uns nur zu Erklärungen. Die Unterscheidung zwischen diesen beiden Begriffen wird allmählich fallen gelassen: eine Unterschiebung, die ich vor kurzem in einem Aufsatz zu besprechen versucht habe[20,21]. Irgendwo habe ich gelesen, daß Einstein einmal gesagt hat: »Das Unverständliche an der Natur ist, daß sie verständlich ist«; meines Erachtens hätte er sagen sollen: »daß sie erklärbar ist«. Das sind zwei ganz verschiedene Dinge, denn wir *verstehen* sehr wenig von der Natur. Sogar die exaktesten unter den exakten Wissenschaften schweben über axiomatischen Abgründen, die unerforschlich sind. Es ist wahr, wenn unser Verstand ein Fieber hat, so glauben wir, wie in einem Traum, wahren Verstehens habhaft zu sein; aber sobald wir aufwachen und das Fieber vorbei ist, bleiben nur Litaneien der Seichtheit zurück.

Sogenannte Naturgesetze werden in unserer Zeit am laufenden Bande erzeugt. Dogmenfabrikanten, Axiomspekulanten drängen sich um die Gabentische, an denen Forschungshilfe verteilt wird. Die Zeitschriften platzen vor der Fülle neu herangeschleppter Fakten. Aber die meisten dieser Tatsachen, in Hast erzeugt, sind wenig haltbar; sie verschwinden mit dem Wind, der einen Haufen neuer Fakten heranweht. Wie oft ist die Regelmäßigkeit dieser »Naturgesetze« nur der Widerschein der Regelmäßigkeit der Methoden, die zu der Aufstellung der Gesetzmäßigkeiten gedient haben! Viele Schliche, Kniffe und Richtwege sind neuerdings entdeckt worden, die das Leben der Forscher erleichtern und bereichern; aber mir scheint, daß diese von der Natur eigens dazu hervorgebracht worden sind, um von den Verblendeten herausgefunden zu werden. Wo ist der Maimonides, der uns aus dieser Verwirrung hinausführen könnte? Mit anderen Worten, die Naturforschung steht noch immer vor dem uralten Hindernis, dem Fehlen der endgültigen Bestätigung. Woher wissen wir, daß wir wissen? Es heißt in den Analekten des Konfuzius (XVII, 19): »Der Meister sagte, der Himmel spricht nicht.«

II. Närrischer und weiser

En vieillissant, on devient
plus fou et plus sage.
La Rochefoucauld

Lob der rauhen Kanten

Vor einigen Jahren hatte ich eine wissenschaftliche Autobiographie, einen recht flachen Bestseller, zu besprechen. In diesem Aufsatz benutzte ich die Gelegenheit, um einige allgemeine Gedanken über diese Art von Büchern auszudrücken; und diese möchte ich hier wiederholen, wenn aus keinem andern Grunde, so als Warnung für mich selbst.

> Das ist also eine wissenschaftliche Autobiographie; und soweit sie nichts anderes ist, gehört sie einem höchst fragwürdigen literarischen Genre an. Die Schwierigkeiten, mit denen jeder, der versucht, sein eigenes Leben zu schildern, zu kämpfen hat, sind groß, und wenigen ist es gelungen, sie erfolgreich zu überwinden; aber im Falle von Naturforschern, von denen viele ein eintöniges und ereignisloses Leben geführt haben, und die außerdem oft nicht die Fähigkeit zu schreiben besitzen, wird alles noch viel schwieriger. Obwohl ich mit dieser Gattung von Büchern nicht besonders vertraut bin, habe ich doch bei den meisten wissenschaftlichen Selbstbiographien, die ich gesehen habe, den Eindruck, daß sie direkt für die Ramschtische der Buchhandlungen geschrieben worden sind und diese fast noch vor ihrer Veröffentlichung erreicht haben. Es gibt natürlich Ausnahmen, aber sogar Darwin und sein Kreis leben viel überzeugender in den reizenden Erinnerungen an eine Kindheit in Cambridge, die Mrs. Raverat in ihrem Buch gesammelt hat, als in Darwins Selbstbiographie, so bemerkenswert ein Buch sie auch sein mag. Als Darwin, hypochondrisch in sein fröstelndes Plaid gehüllt, seine Erinnerungen niederschrieb, stand er in den letzten Jahren seines Lebens. Auch das ist eine charakteristische Tatsache: Naturwissenschafter schreiben ihre Lebensgeschichte gewöhnlich, nachdem sie sich aus dem tätigen Leben zurückgezogen haben, in jenem feierlichen Augenblick, da sie das Gefühl haben, daß sie nicht viel anderes mehr zu sagen haben. Daher sind diese Bücher auch

so traurig zu lesen: mit ihrer Kraft ist es vorbei, nur der Vollbart, ob nun äußerlich oder innerlich, ist geblieben. . . . Wahrscheinlich gibt es auch tiefere Gründe für die allgemeine Seichtheit wissenschaftlicher Selbstbiographien. »Timon von Athen« hätte nicht geschrieben, »Les demoiselles d'Avignon« nicht gemalt werden können, wenn es Shakespeare und Picasso nicht gegeben hätte. Aber von wievielen wissenschaftlichen Errungenschaften kann man dies behaupten? Man könnte fast sagen, daß mit sehr wenigen Ausnahmen es nicht die Menschen sind, welche die Wissenschaft machen; es ist die Wissenschaft, welche die Menschen macht. Was A heute tut, das können B oder C oder D sicherlich morgen tun.

Das habe ich vor mehr als zehn Jahren geschrieben, und ich habe meine Meinung nicht geändert. Vielleicht hätte ich jedoch hinzufügen sollen, daß, wenn A, B, C oder D dieselbe lautes Trompetengeschmetter verdienende Entdeckung gemacht haben, das nicht heißt, daß sie als menschliche Wesen identisch sind. Die Lebensgeschichte eines Cardano oder eines Cellini — nicht zu reden vom großen Augustin im Zwielicht der in die Brüche gehenden Antike — verdient deshalb so sehr, gelesen zu werden, weil sie ein Leben zu erzählen hatten und eine Geschichte. Aus diesen vergilbten Seiten blickt uns ein menschliches Gesicht entgegen, in ihnen schlägt ein menschliches Herz. Was die meisten Gelehrten zu beschreiben fähig sind — abgesehen von dem trivialen Alltag der Laboratoriumsgeschäfte — handelt bestenfalls von ihren Gefühlen in Stockholm, als sie im Krebsgang, aber als höchst dekorierte Krebse, sich von dort zurückzogen, wo der König stand, so schmal und leutselig; oder sie schildern ihre höchst uninteressanten Eindrücke, als sie ihr zwanzigstes Ehrendoktorat erhielten. Ihre langweiligen Bücher sind hauptsächlich Beschreibungen einer Karriere, nicht eines Lebens.

Man könnte natürlich einwenden, daß eines Menschen Karriere sein Leben ausmacht. Aber sogar in den Gipfeljahren bourgoisen Gesellschaftsglanzes, so um 1850 herum, war das nicht gänzlich wahr gewesen, obwohl die dicke braune Tunke von Arbeitsethos und goldener Regel erfolgreich alle Bewegungen des Herzens und des Geistes ertränkte. Wenn der führende deutsche Roman jener jämmerlichen Zeit den wenig anziehenden Titel »Soll und Haben« führte, so grub die russische Literatur zur selben Zeit tiefer und antwortete mit »Schuld und Sühne«, genau so wie Büchners »Kraft und Stoff« aufgewogen wurde durch »Furcht und Zittern«, von einem höchst privaten Mann in Kopenhagen geschrieben. Wenigen Menschen ist es vergönnt, ihr Genie, oder wenigstens ihr Talent, in ihrem Leben auszudrücken, und ich bin nicht einer von diesen gewesen. Wahrscheinlich hätte ich, wäre diese Gabe mir gewährt worden, nicht einmal gewußt, was damit anzufangen. Jedenfalls ist das alles eine müßige Überlegung, denn in unserer Epoche — und wahrscheinlich seit der französischen Revolution — haben Kunst, Literatur und Wissenschaft nur die Aufgabe, als eine jugendlich aussehende künstliche Haut zu dienen, mit deren Hilfe das zerfallende Skelett der Zeit fest zusammengehalten wird. Als Hölderlin in den Wahnsinn floh und Rimbaud nach Abessinien, wußten sie, was sie taten.

Kann man sich an seine Jugend, sein Leben, wirklich erinnern? Es ist wahr, je älter man wird, desto schärfer scheinen die Erinnerungen an die Jugendzeit zu werden; aber sind es wirklich Erinnerungen? Oder hat unsere alt gewordene Phantasie uns Bilder vorgespiegelt, die die vergangene Wirklichkeit kaum wiedergeben? Ist unser Leben, wenn wir darauf zurückblicken, ein Kontinuum? Schließlich gibt es nur einen Weg, geboren zu werden, und so viele zu sterben. Man sagt mir, ganz würden wir geboren und wir stürben ganz; aber wie steht es mit der Zeit dazwischen, die in meinem Fall so übermäßig lang ist? Sogar der Anspruch auf Totalität, wie ich ihn gerade jetzt ausgesprochen habe, ist nicht unwidersprochen geblieben. Zum Beispiel steht da ein uraltes römisches Gesicht aus dem klassischen Staub auf, und es rezitiert aus einem unsterblichen Gedicht: »Non omnis moriar«. Nun, das mag auf dich zutreffen, Horaz, aber wir haben vergessen, was du gewußt hast, und was wir wissen, das zu lernen hättest du als unter deiner Würde betrachtet. Und jetzt, da ich dich einmal hier habe, möchte ich noch gerne bemerken, daß unsere Monumente, im Gegensatz zu deinem, kaum beständiger als Stahl sein können, denn sie sind ja aus Stahl gemacht. Sie stehen auf vielen Piedestalen, aber alle tragen denselben Namen, und er lautet: Vergessenheit. Brecht hat das gut verstanden: »Von diesen Städten wird bleiben: der durch sie hindurchging, der Wind!«

Könnten wir nicht vergessen, so könnten wir uns nicht erinnern; genau so wie nur die zitternde Waage wägen kann. Nächte gibt es, die sind rosenrot getönt, Tage schwarz vor Wolken, ein Stöhnen von einem Totenbett, eine Hand auf meinem Haar, eine Stimme tief aus dem Scheiterhaufen der Vergessenheit. Die Aschen, sie sprechen, aber es ist ein gebrochenes Murmeln. Ein kurzer Widerglanz von Helle, wie von einem zerbrochenen Spiegel, spielt über der Schwärze einer immer gegenwärtigen Vergangenheit.

Ich sage, was mir gesagt worden ist. Wer ist der Sprecher? Wenn es die Erinnerung ist, warum höre ich sie manchmal flüstern, manchmal schreien, oft plappern, aber meistens verharrt sie in verstocktem Schweigen? Auf längst vergangene Telephonnummern aus meiner Eltern Wohnung in Wien folgt ganz ohne Zusammenhang das schüchterne Halblächeln auf dem Gesicht eines kleinen Mädchens, und ich bin acht. Geschäftige Gespenster mit Aktentaschen laufen durch Korridore, die längst aufgehört haben irgendwohin zu führen. Blinde Spiegel reflektieren erschreckte Gesichter; eine glühend rote Höllenmühle verschluckt Leichen und speit Pakete von Phosphaten aus; Goldzähne werden sortiert, numeriert und umgeschmolzen; all dies begleitet von der süßen, labyrinthischen Musik des vierten Aktes der »Nozze di Figaro«. Alles liegt in Stücken, aber die rauhen Kanten schneiden, und überall ist Blut.

Ich bin demnach verurteilt, Fragmente zu schreiben. Das ist ein Urteil, gegen das ich keine Berufung einlege, denn ich bin immer verliebt gewesen in kleine Formen. Gerade durch seine Rauheit zeichnet sich das Fragment aus; je zerrissener seine Ränder, desto besser. Ein Aphorismus hingegen ist vollkommen, wie ein winziges Ei; er ist ein Konzentrat des Anfangs und des Endes, mit all dem ausgelassen, was dazwischen liegt, wie wesentlich es auch sein mag; genau so wie das weiße Papier in Cézannes Aquarellen die wichtigste Rolle innehat.

Ein Institut und sein Wärter

Einige Jahre nachdem ich bei Hans Clarke an der Columbia-Universität zu arbeiten begonnen hatte, sagte mir einmal ein Besucher des Instituts, er habe den Eindruck gehabt, in ein Irrenhaus geraten zu sein, als er den Aufzug auf dem fünften Stock des »Kollegiums der Ärzte und Chirurgen« verließ, wie der altertümliche Rokoko-Name der Medizinischen Fakultät lautet. Viele Menschen liefen an ihm vorbei, manche schrien laut, andere trugen bizarre Gefäße oder Apparate; da öffnete sich eine Tür, und ein ältlicher Professor warf, höchst persönlich und von einem lauten teutonischen Falsett begleitet, einen Studenten hinaus, der mit gespieltem Schrecken und in großer Eile sich unter seinesgleichen zu verbergen suchte. Alles spielte sich in einem lässigen Laufschritt ab. Die meisten Türen waren offen, und eine reichhaltige Mixtur von Brooklyner, Bostoner, aber hauptsächlich von hamburg-amerikanischen Akzenten erfüllte die Luft.

Die Verkehrsdichte in den schäbigen Korridoren und Laboratorien war hoch, aber einige Individuen stachen aus dem allgemeinen Wirrwarr und der ziellosen Hast des Narrenreviers hervor. Da konnte man z. B. einen Mann sehen, der anscheinend ein groteskes Ballett probte: umgeben von einer reichhaltigen Sammlung verschiedener stillstehender Apparate und leerer Gefäße, goß er das Nichts aus dem einen in das andere. Ein leeres Becherglas wurde aufgehoben und langsam und sorgfältig in einen leeren Scheidetrichter geleert, dessen Nichtinhalt nach kräftigem Schütteln sich in zwei Schichten des Nichtseins verteilte, Nichts derart von Nichts trennend. Beide Nichtse wurden dann sorgfältig gesammelt, jedes in seinem eigenen Gefäß. Wenn ein Besucher all dies ansah, mußte er natürlich verblüfft sein; aber die das schöne Schauspiel schon vorher gesehen hatten, wußten, daß es sich um eine Kostümprobe handelte, um den Vorläufer eines für eine der nächsten Nächte geplanten Experiments. Tatsächlich umfaßte diese Pantomime noch viele andere Tätigkeiten: Kristallisieren, Destillieren, Sublimieren; sie alle nahmen an dem geisterhaften Spiel teil. Daß der größte Teil dieser schön gemessenen Bewegungen, dieser wohl durchdachten Handlungen zu nichts führte, was die Nachwelt weiser und reicher machte, mag bedauerlich sein. Aber ist das wichtig für den Einzelnen und sein Leben? Umfaßt nicht das große corpus mysticum der Welt alles, was jemals gefühlt oder gedacht worden ist, erlitten oder überstanden, geschaffen oder vergessen, ob es nun geschrieben war oder ungeschrieben geblieben ist, auf uns gekommen oder zerstört? Sind wir nicht in diesem Sinne Teile eines mächtigen Organismus, den der niemals aufhörende Blutkreislauf einer riesenhaften, immer größer werdenden Vergangenheit am Leben erhält?

Ein großer Teil der Bevölkerung schien nur am Rande zu vegetieren: sie kamen und sie gingen. Einige taten nichts, einige arbeiteten schwer; andere, Eulen der Minerva, flogen nur des Nachts. Der Ort war überfüllt, die Form der Laboratorien teilweise höchst unregelmäßig, und manche Insassen waren in den seltsamsten Winkeln verstaut. Mein unbotmäßiges Gedächtnis wirft viele schillernde Blasen: ein kleiner Mann mit einem blauschwarzen Bart, der aus unbekannten Gründen mit einem maltesisch-britischen Akzent spricht; eine reizende chinesische Dame, die ich irgendwie mit einem der größten historischen Unternehmen unserer Zeit assoziiere, mit Joseph Needhams ehrfurchterregendem Riesenwerk »Science and Civilisation in China«. Und dann steht wieder ein freundlicher Seelöwe vor mir, irgendwo und irgendwann über einen Kymographen herrschend. Im Institut nur geduldet, aber ihm nicht wirklich angehörend und später auch exmittiert, enthüllt er sich jetzt als der Entdecker einer sehr wichtigen Gruppe physiologisch aktiver Substanzen, der Prostaglandine. Das war der gutherzige Raphael Kurzrok, ein ausgezeichneter und freundlicher Geburtshelfer, unseren Familienannalen besonders teuer, weil er der Entbindung unseres Sohnes Thomas 1938 vorstand. Zu jener Zeit machte man mir viele Vorwürfe, denn ich hatte es unterlassen, die bei der Geburt von Söhnen landesüblichen Zigarren zu verteilen: ich war geizig, arm und jeder Art von Folklore abgeneigt.

Ein Department an einer amerikanischen Universität ist — oder war, als ich begann — etwas ganz anderes als ein deutsches »Institut«. In ihm spiegelten sich einige der besten Eigenschaften des amerikanischen Charakters, der zu jener Zeit noch nicht völlig überflutet oder denaturiert worden war von dem übermächtigen moralischen und physischen Lärm, den das Trommelfeuer der Massenorganisationen, einschließlich alles dessen, was Regierung oder Verwaltung heißt, auf ein gutartiges und hilfloses Volk losgelassen hat. In der Tat kenne ich keine Nation, die so wenig von ihren Vertretern — öffentlichen oder privaten, kaufmännischen oder mit Kunst oder Wissenschaft Betrauten — vertreten wird wie das amerikanische Volk. Die Offenheit und Zwanglosigkeit, das Fehlen von Aufgeblasenheit, die Hilfsbereitschaft und ehrliche Kollegialität, die resignierte Erkenntnis, daß wir uns alle in demselben lecken Boot befinden, der humorvolle Mangel an Ehrgeiz: all das und noch vieles andere mußten den Neuankömmling aus Europa beeindrucken. Das von mir zuletzt erwähnte Attribut erklärt auch zum Teil die verhältnismäßig niedrige Qualität der Institute. Tatsächlich war diese nicht auf eine niedrige Qualität der Personen zurückzuführen, welche die Institute bevölkerten, sondern auf ein von allen geteiltes Gefühl, daß nichts, was sie wissenschaftlich unternahmen, irgendwie ins Gewicht fallen könne, denn der Schauplatz der Naturwissenschaften war von den brüllenden und eingebildeten Schwergewichtlern Europas ganz besetzt. Man nahm es als selbstverständlich an, daß alle Wettbewerbe von den Weltmeistern aus Deutschland und England gewonnen würden. Mit anderen Worten, die Universitätsinstitute in den Vereinigten Staaten, mochten sie in ihrem wohlgeordneten Familienleben auch noch so angenehm sein, entbehrten jeder Durchschlagskraft.

Ich glaube, es ist keine Übertreibung, wenn ich sage, daß, soweit die Biochemie in Betracht kommt, all das durch Clarkes

Berufung an die Columbia-Universität radikal verändert wurde. Die Zeit ist gekommen, daß ich einige Worte über ihn sage.

Hans T. Clarke (1887—1972): seine Eltern waren Amerikaner, aber er war in England geboren und empfing seine Erziehung dort und in Deutschland. Er studierte organische Chemie in London und arbeitete nachher in Emil Fischers berühmtem Laboratorium an der Berliner Universität. Nach Ausbruch des ersten Weltkriegs kam er in die Vereinigten Staaten und verbrachte 14 Jahre als ein organischer Chemiker in der Eastman-Kodak Company in Rochester, New York. Während dieser Zeit spielte er eine wichtige Rolle bei der Entwicklung der imposanten Reihe der von dieser Firma verkauften organischen Verbindungen, eines Riesenschatzes von oft schwer zugänglichen Substanzen, ohne die der große Fortschritt in der amerikanischen organischen Chemie unvorstellbar gewesen wäre.* Im Jahre 1928, als die medizinische Fakultät in das nördliche Ende von Manhattan, nach Washington Heights, übersiedelte, um einen Teil des neugebildeten »Columbia-Presbyterian Medical Center« zu bilden, kam Clarke als neuer Direktor an das Biochemische Institut. Dort ist er dann 28 Jahre verblieben.

Als ich Clarke 1935 kennen lernte, traf ich einen recht groß gewachsenen Mann von aristokratischem Aussehen, mit einem menschlichen Gesicht und freundlichen Augen. Seine britische Erziehung, oder vielleicht sein angeborenes Temperament, hatten ihm die besondere Art scheuer Zurückhaltung verliehen, welche die auf dem europäischen Kontinent Geborenen seit undenklichen Zeiten in Staunen versetzt hat, wenn sie mit den höheren Schichten Englands zu tun hatten. In seinem Fall ging es nicht so weit, daß er stammelte — das echteste Merkmal der

---

* Viele Jahre später, als ich das Taburett der Biochemie in Columbia innehatte, das zu Clarkes Zeiten noch ein wirklicher Lehrstuhl gewesen war, wandte ich mich an die Firma mit der Anregung, uns bei der Gründung einer Clarkes Namen tragenden Professur zu helfen. Die Antwort, die ich damals erhielt. bleibt für mich ein Denkmal amerikanischer korporativer Schäbigkeit.

Empire-Gründer, welche, während der Rest der Welt sie mit Befremden betrachtete, es zustande brachten, ganze Erdteile zusammenzustottern. Aber er hatte eine zögernde, etwas verlegene Art zu sprechen. Deshalb war Clarke als Vortragender ziemlich schlecht. Aber er war ein sehr guter organischer Chemiker des alten Stils; einer von jenen, die sich gerne selbst im Laboratorium zu schaffen machten, mit Eprouvetten, kleinen Bechern und Uhrgläsern, und der glücklich war, wenn sich Kristalle zeigten. Er gehörte einer aussterbenden Gattung an, einer Epoche, als die Naturwissenschaften noch jung und abenteuerlich waren, als es noch möglich war, wirkliche Versuche auszuführen, als der Geruchssinn noch dazu diente, ganze Klassen von Verbindungen zu identifizieren.

Im Gegensatz zu den geschäftigen Eindimensionalen, mit denen ich fast mein ganzes Leben verbracht habe — nichts als Oberfläche und polierter Professionalismus — besaß Hans Clarke einen höchst privaten Bezirk: er liebte die Musik und war ein begeisterter Klarinettenspieler. So habe ich ihm oft zugehört, wie er mit seiner ersten Frau Kammermusik spielte; sie gehörte der Familie Max Plancks an.

Er veröffentlichte sehr wenig und wußte mehr, als er zeigte. Er gehörte einer gewissenhaften Generation an: jeden Tag in seinem langen Leben kam er früh am Morgen ins Institut, und dort saß er nun in seinem schäbigen Büro, die Türe zum Korridor offen, man konnte ihn sehen und mit ihm sprechen, indem man einfach seinen Kopf in die Tür steckte. Seine Würde erforderte keine Zeremonie. Wenn ich an meine geleckten Zeitgenossen denke, dick in Leder und Velours — Empfangsdamen und Sprechanlage und all die abstrakte Kunst, die Stiftungsgelder kaufen können, Wagen mit Chauffeuren, private Speisezimmer — kann ich den langen, teuflischen Weg ermessen, den wir in vierzig kurzen Jahren zurückgelegt haben.

Clarke hätte niemanden als besonders gescheit beeindruckt, auch war er kein tiefer wissenschaftlicher Denker. Er war vielleicht der uneigennützigste Naturforscher, dem ich begegnet bin, und ich habe mich oft gefragt, ob in den Naturwissenschaften ein gewisser Mangel an leidenschaftlicher Besessenheit nicht den einzigen Weg zur wahren Selbstlosigkeit darstellt. Aber er besaß ein geheimnisvolles Gefühl für Qualität. Nach einem kurzen Gespräch mit einem jungen Mann, in dem er sich bei dem Zitternden meistens danach erkundigte, wie man Schwefelsäure erzeugt, oder nach Dingen von ähnlicher Wichtigkeit, kam er zu einem Urteil, das, mindestens in neun Fällen von zehn, völlig richtig war. Es mag vorgekommen sein, daß er einige, die es nicht verdient hätten, zurückwies; aber er irrte sich fast nie in denen, die er aufnahm. In meinem späteren Leben habe ich ihn oft um diese Gabe beneidet, denn sie geht mir völlig ab. Die Studenten, die Clarke im Institut versammelte, waren deshalb alles in allem von hoher Qualität, und ihr späterer Lebenslauf hat es bewiesen. Er zeigte das gleiche Gefühl für Qualität in der Auswahl von Institutsmitgliedern, aber davon will ich später sprechen.

Wie viele wohlhabende Leute war Clarke frugal und hatte wenig Sinn für die Wichtigkeit, die Geld für die besaß, die keines hatten. Die Gehälter, die er für seine Fakultätsmitglieder aushandelte — eine der wichtigsten Funktionen eines Institutsdirektors an einer amerikanischen Universität — lagen fast alle unter dem Durchschnitt und waren meistens ungenügend; er hatte kein Verständnis für die finanziellen Schwierigkeiten, mit denen einige seiner jüngeren Kollegen zu kämpfen hatten, und er tat wenig dazu, diejenigen zu behalten, die weggestoßen oder weggezogen wurden.

Er schuf das bedeutendste Biochemie-Institut in den Vereinigten Staaten. Die Gruppe, die er um sich geschart hatte und die er gutmütig durch Nichtleiten leitete — Fakultätsmitglieder, Gäste, Studenten — stellte die erste ins Gewicht fallende amerikanische Gruppe in dieser Wissenschaft dar, und sie erhob die Biochemie hoch über ihren früheren Stand als eine Hilfswissenschaft zur Erziehung von Ärzten. Clarkes Ideal war F. G. Hopkins, der etwas Ähnliches an der Universität Cambridge zustande gebracht hatte. Ich hatte Hopkins zuerst 1934 in Cambridge kennengelernt, als er mir mit geistesabwesender und väterlicher Freundlichkeit seine Laboratorien zeigte. * Ich traf ihn wieder während des Krieges, als er Clarke in Columbia besuchte, und ich weiß, wie sehr Clarke sich über diesen Besuch freute. Hopkins war ein weiser und anständiger Mensch, und dies traf auch auf Clarke zu. Beide besaßen, was ich die Weisheit des Herzens nennen möchte.

Im Jahre 1956, als die Zeit gekommen war, da Hans Clarke von seiner Lehrkanzel zurücktreten mußte, bat er darum, in Columbia in einem kleinen Laboratorium verbleiben zu dürfen. Das Ansuchen wurde abgelehnt.

---

* Anläßlich meines Besuches in Cambridge wurde mir die schöne Ungezwungenheit des englischen Universitätslebens bewußt. Als ich im Februar 1934 auf der Postensuche nach England kam, hatte ich auch eine Verabredung mit Hopkins. Am festgesetzten Tage sprach ich im Institut vor, aber die Sekretärin teilte mir mit, der Professor sei verschwunden und sie wisse nicht, ob er nicht am Ende für den ganzen Tag nach London gefahren sei. Er tue dies häufig, ohne sie zu verständigen. Es gebe jedoch eine Methode, um sich zu vergewissern. Sie erkundigte sich demnach beim Institutsportier, ob der Professor, als er das Haus verließ, sich nach links oder rechts gewendet hatte. Links bedeutete Bahnhof und Zug nach London, rechts Spaziergang. Die Auskunft war ermutigend; und Hopkins kehrte tatsächlich bald von seinem erfrischenden Ausflug zurück.

Eine glückliche Familie und ihre weniger glücklichen Mitglieder

Als ich anfangs Oktober 1935 an die Columbia-Universität kam, geschah es, wie in fast allen Fällen, durch eine ihrer zahlreichen Hintertüren. Im ersten Teil dieser kurzen Erinnerungen habe ich meine Rückkehr in die Vereinigten Staaten gegen Ende 1934 geschildert. Die Gastfreundschaft des Mount-Sinai-Spitals in New York hatte das möglich gemacht, aber besonders Harry Sobotka, der dort der Biochemie vorstand. Ich verbrachte einige Monate in seinem Laboratorium, fast nichts anderes tuend als seinen angenehmen Gesprächen und guten Witzen zuhörend. Er war ein Student der beiden großen Richarde von München gewesen, Willstätter und Kuhn, und später ein Mitarbeiter eines anderen großen und unangenehmen Biochemikers, P. A. Levene vom Rockefeller-Institut. Wie viele Naturwissenschafter, die vorzeitig nach Amerika gekommen waren, d. h. aus eigener Wahl und ohne von der Großen Wanderung getrieben zu sein, fand Sobotka niemals eine völlig geeignete Wirkungsstätte, und sein rascher Verstand verschwendete sich an kleine Dinge.

Übrigens hatte ich es Sobotka zu verdanken, daß ich um diese Zeit die Bekanntschaft Bertolt Brechts machte. Er war nach New York gekommen, um sich mit der wenig zufriedenstellenden Aufführung seines Stücks »Die Mutter« zu befassen, der Bearbeitung von Maxim Gorkis Roman. Ich verbrachte einen unvergeßlichen Nachmittag mit Brecht, meistenteils in einer lebhaften Auseinandersetzung, denn unsere Ansichten über die Bedeutung des schwärzesten Ungeheuers jener schrecklichen Zeiten, Adolf Hitlers, waren sehr verschieden. Wenn ich darauf zurückblicke, muß ich zugeben, daß ich in diesem Gespräch unrecht hatte: ich war mir nicht im klaren darüber gewesen, daß, wenn man die historische Wichtigkeit eines Machthabers abschätzen will, man sein Gewicht um alle Leichen, die er auf dem Gewissen hat, vergrößern muß. Diese Erkenntnis, die mir erst nachher gekommen ist, hat es mir später leichter gemacht, der geschichtlichen Bedeutung einiger unserer in Wirklichkeit höchst unbedeutenden Staatsmänner Gerechtigkeit angedeihen zu lassen.

Die ersten Monate des Jahres 1935 dienten der Suche nach einer Stellung. Ich hatte schon dreißig Arbeiten publiziert, kannte aber niemanden, der mir hätte helfen können. Nachdem ich einige erfolglose Besuche in Boston, Philadelphia, Baltimore, Washington und Chicago gemacht hatte, fiel mir ein, Hans Clarke aufzusuchen, um mich als einen früheren Mitarbeiter Rudolph Andersons in Yale, mit dem Clarke freundschaftliche Beziehungen unterhielt, vorzustellen. Ich hatte das übliche rätselhafte Interview, wie ich dergleichen später unzählige Male miterlebt habe, aber nichts schien sich anzubieten. Meine Kenntnis der Schwefelsäureerzeugung muß Clarke jedoch zufriedengestellt haben, denn einige Wochen später rief er mich an und bat mich zu sich. Er teilte mir mit, daß zwei Chirurgen in Columbia einen Biochemiker suchten und daß ich vielleicht für diese Stellung geeignet sei. Dies stellte sich als zutreffend heraus. Dr. Fredric W. Bancroft und Dr. Margaret Stanley-Brown vom Chirurgischen Institut hatten eine kleine Geldbeihilfe von der Carnegie Corporation erhalten, die ihnen bei ihren klinischen Untersuchungen über Blutgerinnung helfen sollte. Ich erhielt die Stellung, mit dreihundert Dollar im Monat.

Das war also die Hintertür, durch die ich an die Columbia-Universität kam; und da mich niemand von dort weggerufen hat, bin ich an diesem Orte verblieben, bis der Kalender mit zornigem Gesicht zu verstehen gab, es sei Zeit, sich zu verflüchtigen. Mir war die Stellung eines »Assistant Professor« für Biochemie versprochen worden, was angesichts meiner bereits angebahnten Privatdozentur in Berlin und meines Alters, dreißig Jahre, durchaus in Ordnung gewesen wäre. Aber als ich einzog, mit Spatel und Notizbuch, da begann Clarke sich verlegen zu räuspern und herumzureden, und er teilte mir mit, es sei beschlossen worden, mir einen niedrigeren Titel zu verleihen, den eines »Research Associate«. Immer sanft vor dem Unvermeidlichen und tatsächlich wenig an diesen Dingen interessiert, fügte ich mich. Es war ein nicht vielversprechender Anfang einer keineswegs brillanten akademischen Karriere: »Assistant Professor« mit 33, »Associate Professor« mit 41, »Professor« mit 47. Ich nehme an, daß irgendwann während dieses blendenden Aufstiegs meine Anstellung sich in eine Dauerstellung verwandelt hatte; niemand hat mir etwas davon gesagt, und ich habe niemals gefragt. Wie so viele andere Dinge ist mir also auch dieser Gral des amerikanischen Akademikers völlig entgangen.

Man hätte sagen können, daß ich mich an einem zufriedenstellenden Orte befand: ein Chef, für den man Respekt haben, Kollegen, die man bewundern konnte. Der Titel dieses Kapitels erfordert demnach Rechtfertigung. Erstens sind solche Wörter, wie »happy« oder »happiness« — zu Tode gehetzt vom Werbejargon unserer Zeit — nicht leicht verständlich für jemanden, der in einer romanischen, germanischen oder slawischen Sprache aufgewachsen ist (Das Wörterbuch übersetzt beide Wörter, »happy« und »lucky«, mit »glücklich«.) Ich erinnere mich gut, wie erstaunt ich war, als ich am Anfang meines Englischstudiums zum ersten Mal auf die Phrase »the pursuit of happiness« stieß. »Glückseligkeit«, »félicité«? Andere Sprachen scheinen kein einzelnes Wort zu besitzen, das die völlige Abwesenheit von Unbehagen ausdrückt. Jedenfalls, wenn ich mich in unserem glücklichen Institut umsah, bemerkte ich, daß sich seine Mitglieder keineswegs in einem Zustand der Glückseligkeit befanden. Das war zum Teil auf das allgemeine Los der Menschheit zurückzuführen, zum Teil auf Clarkes Mangel an Interesse für die Zukunft der ihm Anvertrauten, wie ich schon erwähnt habe, hauptsächlich aber auf einen Umstand, den ich erst lange nachher einzusehen begann, nämlich, daß wir alle mitten in einer amerikanischen medizinischen Fakultät arbeiteten. Die Ausbildung von Laufburschen der Volksgesundheit ist eigentlich die Funktion einer Heilungsgewerbeschule, und die Medizinschulen waren tatsächlich schon damals im Begriffe, dies zu werden. Es gab und gibt natürlich viele ausgezeichnete Ärzte und Forscher in den Fakultäten; trotzdem haben die lächerlichen Technicolor-Heiligenscheine, die eine eifrige medizinische Handelskammer an den Köpfen der Ärzte anbringt — nicht zu reden von einer leichtgläubigen, weil zu Tode erschrockenen Öffentlichkeit — alles korrumpiert.

Es ist sehr zu bedauern, daß die biologische Forschung sich jetzt in der Hauptsache an den Medizinschulen abspielt; eine Entwicklung, zu der die sinnlose Finanzierungspolitik seitens der Regierung beiträgt. Die ungeheueren für die Forschung bestimmten Geldsummen werden komischerweise nach einem Schema verteilt, das sich nach der menschlichen Anatomie richtet: hier das Auge, dort der Nerv; hier die Lunge, dort der Magen; und außerdem der selbstverständliche Krebs, der parallel zu den zu seiner Bekämpfung eingesetzten Riesenmitteln zu wachsen und zu gedeihen scheint. Dabei ist erstaunlich wenig herausgekommen; und was entdeckt wurde, ist von einzelnen, oft dürftig dotierten Forschern gefunden worden.

Obwohl mir das früh klar geworden ist, bin ich doch verblieben. Was sonst hätte ich tun können? Ich bin vielleicht der ungeduldigste Stoiker, den es je gegeben hat, aber ich bin ein Stoiker. Seither sind die Dinge noch viel schlimmer geworden: die Medizinfakultäten sind von einem besonders virulenten Typus wissenschaftlicher Entrepreneure übernommen worden; und ein Teil dessen, was sich jetzt für »biomedizinische Forschung« ausgibt, gehört in die Annalen der Kriminalität.

Ein Ozean von Namen und Gesichtern

Indem ich mich jetzt dem zuwende, was ich in Clarkes Institut vorfand, betrete ich mit Furcht und Freude das Reich der Lebenden. Ich bin gewiß, daß meine Kollegen oder, wie man in Amerika sagt, meine Freunde, die noch ihre schäbigen Pensionen verzehren, froh darüber sein werden, daß ich sie mit Schweigen ehre. Der alte Leitsatz »de mortuis nil nisi bonum«, zweifellos von einem neolithischen Leichenbestatter geprägt, sollte nicht in so etwas wie »de vivis nil nisi malum« verwandelt werden. Andererseits hat es wenig Sinn, Kassandra einzuladen, in einer Freimaurerloge einen Vortrag zu halten. Sogar die aufrichtigsten Lobeshymnen klingen falsch, wenn man sie öffentlich vorträgt. Ich will es also ein für alle Mal wahr sein lassen, daß ich von jedem nur das Beste sagen kann.

Der Generalstab des Instituts, wenn ich ihn so nennen darf, bestand aus drei älteren, hilfsbereiten und freundlichen Männern: Clarke, Edgar G. Miller und G. L. Foster. Sie waren keineswegs alte Leute — 48, 42 und 44 — aber mir schienen sie damals alt. Sie übernahmen fast die gesamte Lehrtätigkeit, die hauptsächlich aus mittelmäßigen Vorlesungen für die Medizinstudenten bestand. Die Doktoranden genossen fast keinen förmlichen Unterricht, und was es gab, war uns Jüngeren vorbehalten. Einige der Kollegen waren schon bekannt geworden oder im Begriffe, es zu sein, obwohl die Universität davon wenig Kenntnis nahm: eine alte Columbia-Gewohnheit.

Wer alt wird, steht mitten in einem Ozean alter entfallener Namen und junger vertrauter Gesichter. Entsinnt man sich schließlich der Namen, so sind es vergessene Namen; sieht man die Gesichter wieder, so sind sie alt und traurig geworden. Die einzige Art, Malebolge zu durchqueren — und noch dazu ohne Vergil als Führer — ist, daß man sich sagt: was war, ist; was einmal jung war, bleibt immer jung; was einmal schön war, ist immer schön; was einmal strahlte, strahlt immer; was gelebt hat, kann nicht sterben.

Ich lege daher meine Hand in die der Mnemosyne, der Göttin der Erinnerung, und lasse mich führen. Einige meiner Kollegen waren bereits Forscher von hohem Rang: Michael Heidelberger, der Begründer der Immunochemie, eines neuen Zweigs der Biochemie — es ist nicht mehr als ein paar Tage her, daß ich im Autobus neben dem 90jährigen saß, wie er zur Arbeit fuhr, und ich bewunderte wieder einmal das schöne Humanistengesicht, wie es ein Quentin Matsys oder Holbein hätte malen sollen. Vielleicht weil auch Heidelberger die Klarinette gut spielte, hatte Clarke eine geringe Meinung von der Immunochemie. Aus diesem Grunde gehörte Heidelberger zu meiner Zeit niemals ganz zu unserem Institut. Sein Laboratorium befand sich zwei Stöcke höher, in der Inneren Medizin; und dort besuchte ich ihn häufig, um über Zucker oder über die Welt zu sprechen, meistens allerdings über das erstere.

Da gab es Oskar Wintersteiner, der ebenfalls Österreicher war, aus Graz, und sehr schön Klavier spielte. Er hatte bereits einige gute Arbeiten über Progesteron veröffentlicht, und später widmete er sich Studien, die ihn bekannt machen sollten, über Steroidhormone, Antibiotika und andere komplexe Naturprodukte. Wintersteiner war, wie viele Österreicher, ein stiller, empfindlicher, in sich gekehrter und etwas melancholischer Mann. Ich hatte ihn sehr gern, und auch Clarke war ihm zugetan; aber anstatt alles zu unternehmen, um das Avancement eines der besten organischen Chemiker, die es in unserer Umgebung gab, zu befördern, ließ er ihn gehen. Wintersteiner übersiedelte zu Squibb, wo er eine bedeutende Karriere machte.

Das hauptsächliche Ausstellungsstück war jedoch, als ich kam, Rudolf Schoenheimer. Er war nicht lange vor mir an die Columbia-Universität gekommen, aus Deutschland, wo er chemischer Assistent in Aschoffs berühmtem Pathologie-Institut an der Universität Freiburg war. Von dort hatte er eine blendende Idee mitgebracht, und er hatte das Glück und die Energie, sie in Clarkes Laboratorium in die Wirklichkeit umzusetzen. Einer der Physikprofessoren in Freiburg, G. von Hevesy — später sollte ich gut mit ihm bekannt werden — hatte schon vor dem ersten Weltkrieg Isotope * zur Markierung biologischer Reaktionen verwendet. Die vor dem Anfang der Dreißigerjahre verfügbaren Isotope waren jedoch von wenig Interesse für die Biologie. Die Elemente, die für Untersuchungen an lebendem Material die größte Bedeutung haben, sind Wasserstoff, Sauerstoff, Kohlenstoff, Stickstoff, Phosphor und Schwefel. Als Schoenheimer nach New York kam, war gerade das schwere Wasserstoffisotop, Deuterium, dank den Arbeiten von Harold Urey in Columbia, verfügbar geworden, und Schoenheimer entwickelte ein ehrgeiziges Programm zur Verwendung dieser isotopischen Markierung für die Untersuchung des Intermediärstoffwechsels. Ein früherer Student Ureys, David Rittenberg, der kurz vor mir zu Clarke gekommen war, assistierte Schoenheimer in diesen Arbeiten. Ihre Untersuchungen — die erste konsequente Verwendung stabiler Isotopen zur Verfolgung biologischer Reaktionen — sind von anhaltender geschichtlicher Bedeutung. Die Naturwissenschaften haben sich jedoch in meiner Zeit so schnell entwickelt, sie sind so riesenhaft gewachsen, daß das Aktuelle, fast bevor der Druck trokken ist, historisch geworden ist, und sogar die jüngsten Forscher sind dazu verurteilt, sich selbst zu überleben. Dann müssen die Armen kläglich umhergehen, Clowns ihrer eigenen Erfolge, Trommeln schlagend, die schon längst ihre Stimmung verloren haben. Aus diesem Grunde habe ich unsere Naturwissenschaften häufig mit Seifenskulpturen verglichen.

Schoenheimer hatte ein interessantes Schauspielergesicht. Er war ein wunderbarer Redner, ein ehrgeiziger und eindringlicher, aber gleichzeitig ein sehr nervöser und leicht verwunde-

---

* Die Bezeichnung »Isotop« ist jetzt ein Alltagswort geworden; es ist in der Tat keineswegs unwahrscheinlich, daß eines dieser Isotope schließlich die Ursache für das Ende unserer Welt sein wird. Es ist daher kaum notwendig für mich zu erklären, daß diese Bezeichnung sich auf eine Art von Geschwister eines der Elemente bezieht, die die Periodische Tabelle ausmachen. Isotope eines Atoms teilen miteinander den Platz in der Tabelle und besitzen die gleiche Anzahl von Protonen in ihrem Kern, aber verschiedene Zahlen von Neutronen.

ter Mann. Im Herbst 1941, als er die Höhe des Erfolges erreicht zu haben schien, nahm er sich das Leben; er war nur 43 Jahre alt. Bekanntlich sind Universitäten Hochburgen des Klatsches; es gab viele Gerüchte, keines von Interesse. Da ich mich nicht zum Seelenbohren eigne, weder bei mir selbst noch bei anderen, kann ich nur die Umstände beklagen, die einen so begabten Mann in eine so tiefe Verzweiflung getrieben haben. Bei meiner kühlen und witzigen Art ist es mir nie klar geworden, wie groß das Elend gewesen sein muß, in dem er gelebt hat.

Es gab noch andere, als ich kam, und jeder von ihnen war daran, Probleme von großer Bedeutung zu erforschen. Erwin Brand, ein leicht erzürnter, aber gutherziger Eiweißchemiker, ein ehemaliger Schüler des großen Max Bergmann; Warren Sperry, der über Lipoide arbeitete; Karl Meyer, der gerade damals seine erste wichtige Entdeckung in der Chemie des Bindegewebes gemacht hatte. Diese Leute, zusammen mit drei oder vier anderen, machten das Institut aus, wie ich es bei meiner Ankunft vorfand. Es gab wenige Gebiete der Biochemie, wie man sie damals verstand, zu denen der kleine Haufen von Leuten, die Clarke zusammengebracht hatte, nicht bemerkenswerte Beiträge geleistet hatte.

Dazu kamen noch die Doktoranden, nicht viele, aber von ausgezeichneter Qualität. Zum Beispiel war Konrad Bloch einer von Clarkes Studenten. Mein erster Doktorand in Columbia war Seymour S. Cohen. William H. Stein, der später zu Max Bergmann an das Rockefeller-Institut ging und auf dem Gebiet der Eiweißanalyse berühmt wurde, hatte unter E. G. Miller gearbeitet.

Als ich ankam, hatte die Einwanderung aus Europa noch kaum begonnen. Die nächsten Jahre brachten eine große Zahl von Gelehrten, und einige davon nahm Clarke in sein Department auf, z. B. Heinrich Waelsch, David Nachmansohn und Zacharias Dische. Es wäre jedoch durchaus falsch, zu glauben, daß die meisten damals mit offenen Armen empfangen wurden. Für die Jüngeren waren die Schwierigkeiten nicht allzu groß, denn sie hatten wenig beleidigten Stolz herunterzuschlucken; aber je hervorragender, je berühmter ein Mann war, desto größer war die Abneigung, ihn willkommen zu heißen. Diese armen Leuchten hatten ein schweres Leben. Ihre Manieren waren herrisch, ihre Akzente lächerlich; ihre Vorurteile und Konventionen waren völlig verschieden von denen, die sie in dem Lande vorfanden, in das sie gekommen waren.

Im Gegensatz zu den vielen, rasch fabrizierten Legenden würde ich sagen, daß von der Zertrümmerung der europäischen Wissenschaft in den Jahren 1930 bis 1950 niemand profitiert hat. Was die Vertriebenen mitbrachten, war weniger leicht verwendbar als die Webekunst der Hugenotten. Das eine Land mag ärmer geworden sein, aber das machte das andere nicht viel reicher. Sogar die Naturwissenschaften, nicht zu reden von Jus oder Medizin, leben im Schoße einer bestimmten Sprache und Zivilisation; und was da herausgerissen wurde, ist nie wirklich wieder nachgewachsen. Einstein, zu jener Zeit schon hauptsächlich ein Produkt der Meinungsindustrie, obwohl sicherlich gegen seinen Willen, mag eine Ausnahme gewesen sein; aber solche Männer wie Otto Meyerhof oder Carl Neuberg hatten es nicht leicht. Es waren eher die jüngeren Generationen, die um die Jahrhundertwende Geborenen, welche, wenngleich unansehnlich in ihrer Insektenkleinheit, einen Stimmungsumschlag in Amerika herbeiführten. Als Enrico Fermi eintraf — ich habe ihn, als er Physikprofessor in Columbia war, gekannt — war die Lage hingegen anders: beim Herannahen des Krieges waren alle fähigen und willigen Hände willkommen.

Der verblühte Strauß

Als ich in die Biochemieabteilung der Columbia-Universität eintrat, war die Bevölkerungsdichte der amerikanischen Naturwissenschaften überaus niedrig. Clarkes Gruppe war eine der größeren. Im Frühjahr 1935 wohnte ich in Detroit meinem ersten »Federation Meeting« bei; die Zusammenfassungen der dort gehaltenen Vorträge beanspruchten den Raum eines dünnen Büchleins von hundert Seiten, das bequem in meine Rocktasche paßte. Die entsprechende alljährliche Veröffentlichung der »Federation of American Societies of Experimental Biology« hat jetzt das Ausmaß des New Yorker Telephonbuches. Der freundliche, aber bekümmerte und leicht deprimierte Ton der Versammlung zeigte mir, wie sehr die amerikanischen Naturwissenschaften damals am Rande der Gesellschaft vegetierten. Das hat sich völlig verändert; aber weder die Naturwissenschaften noch die Gesellschaft haben davon profitiert.

Wenige Menschen haben die Kraft oder den Vorwitz, früh zu beschließen, was sie in ihrem Leben tun wollen, und dann zu versuchen, dies ins Werk zu setzen. Ich gehöre sicherlich nicht zu diesen Glücklichen. Die Windstöße, die mich in die eine oder andere Richtung drängten, sind ein wichtiger, vielleicht der wichtigste Bestandteil meines Lebens. Ich hatte niemals eine Wahl, oder ich konnte es mir nie leisten, eine zweite Möglichkeit abzuwarten. Clarkes Angebot war das erste, das ich erhielt, und so nahm ich es ohne Zögern an, obwohl dieser Entschluß über mein Schicksal zu bestimmen schien. Aber ich bin schon früh des Glaubens gewesen, daß des Menschen Schicksal aus seinem Herzen kommt; und dieses Herz, wie mir später klar geworden ist, wird nicht durch seine DNS programmiert. Die Bedingungen, unter denen ich angestellt wurde, bewiesen mir jedoch die prekäre Lage eines Menschen, der beabsichtigt, reine wissenschaftliche Forschung — aber gibt es so etwas? — in einer Medizinfakultät auszuführen. Da kamen z. B. zwei freundliche Chirurgen daher, sie hatten etwas Geld bekommen, um über Thrombose und Embolie zu arbeiten, zwei wichtige klinische Komplikationen, die fraglos von Interesse für die Chirurgie sind. Da die Biochemie damals besonders gut angeschrieben war, wurde ein Biochemiker angestellt, um bei der Verzehrung der bescheidenen Gabe zu helfen. Da ich dieser Biochemiker war, schlug ich eine bestimmte, mich interessierende Richtung ein, nämlich die Untersuchung des chemischen Mechanismus der Blutgerinnung, eines biologischen Systems, das ich noch immer faszinierend finde, denn aus ihm kann der Naturphilosoph ebensoviel lernen wie der Naturforscher. Mit drei gemeinsamen Publikationen war der Obolus entrichtet. Von diesem Zeitpunkt an war ich frei und bin es bis in die allerletzten Jahre geblieben, als eine viel schlimmere und erniedrigendere Form der Dienstbarkeit sich fühlbar machte: die völlige Abhängigkeit von aus der öffentlichen Hand tröpfelnden Geldmitteln. Darüber will ich aber noch später reden.

Jedenfalls veröffentlichte ich zwischen 1936 und 1948 viele Arbeiten über verschiedene Aspekte der Blutgerinnung, zuerst ganz allein und später mit Hilfe einiger begabter jüngerer Kollegen. Die Art und Weise, in welcher der tierische Organismus das Flüssigbleiben des zirkulierenden Blutes aufrecht erhält und regelt, stellt uns vor ein interessantes und lehrreiches Dilemma. Ich habe versucht, dies in den Anfangssätzen meiner Vorlesung über die Biochemie der Blutgerinnung zu formulieren, die ich vor den Medizinstudenten in Columbia zwischen 1942 und 1957 gehalten habe. »Die Blutgerinnung ist eine in erster Linie dem Schutz dienende Vorrichtung, aber es gibt hier eine seltsame Antinomie: das Blut muß im Kreislauf flüssig bleiben; einmal vergossen, muß es jedoch gerinnen. Verhält es sich anders, so schließen wir auf Anzeichen pathologischer Bedingungen.« In allen meinen Vorlesungen und bei vielen verschiedenen Problemen, habe ich immer versucht, den dialektischen Charakter der Lebensvorgänge hervorzuheben. Eine halbe Ärztegeneration muß mich gehört haben; aber ich frage mich, wieviel Eindruck ich auf sie gemacht habe.

Unsere Arbeiten auf diesem Gebiet erlangten damals recht viel Anerkennung, scheinen aber jetzt vergessen zu sein. Das ist eine der vielen verwelkten Blumen in dem Bouquet, das den Titel dieses Kapitels bildet. Ein Pionier in den Naturwissenschaften zu sein, hat viel von seiner Anziehungskraft verloren: bedeutende wissenschaftliche Tatsachen und, noch mehr, hoffnungsvolle wissenschaftliche Konzepte sind verblichen und vergessen, lange bevor ihr potentieller Wert erschöpft ist. Immer neue Tatsachen, immer neue Konzepte drängen sich in den Vordergrund und werden ihrerseits, innerhalb eines Jahres oder zweier, durch noch neuere ersetzt. Wir arbeiteten über die Aktivierung der Gerinnung durch Gewebslipoide; wir isolierten und reinigten den Gewebefaktor, der den physiologischen Gerinnungsprozeß auslöst, das sogenannte thromboplastische Protein; wir waren unter den ersten, die das gerinnungshemmende Heparin in die klinische Praxis einführten; wir untersuchten die Wirkungsweise dieses Hemmstoffs und entdeckten, daß zirkulierendes Heparin durch Injektion von Protamin gehemmt werden kann. Da dieser Antagonismus zwischen Heparin und Protamin auch heutzutage noch häufige klinische Anwendung findet, sind diese in Zusammenarbeit mit K. B. Olson ausgeführten Versuche fast das Einzige, was von meinen Bemühungen aus jener Zeit übrig geblieben ist.

In diesem Zusammenhang will ich noch einen Übersichtsaufsatz über Blutgerinnung erwähnen, den ich 1944 geschrieben habe [1], und dessen Schlußsätze ich hier anführen will.

> Es ist durchaus möglich, daß die Blutgerinnung nur *ein* Beispiel von Gerinnungsprozessen von allgemeinerer biologischer Wichtigkeit darstellt. Auf welche Art der lebende Organismus diese Gerinnungsprozesse kontrolliert, ist völlig unbekannt. Man könnte annehmen, daß die verschiedenen Faktoren, die das Gerinnungsphänomen ausmachen, obwohl sie unaufhörlich gebildet und zerstört werden und fortwährend aufeinander einwirken, in einem sehr empfindlichen Gleichgewicht gehalten werden. Darin liegt tatsächlich sowohl die Schwierigkeit als auch die Anziehung des Problems: die Schwierigkeit, weil es sich um ein Grenzproblem

handelt, in das einige der am schwersten zugänglichen und am wenigsten erforschten Substanzen und Reaktionen eingehen; die Anziehung, weil in der Blutgerinnung eines der unzähligen Systeme sozusagen ans Licht gebracht wird, durch die der Organismus, in Form vorherbestimmter Schwankungen, die Bedingung des Lebens aufrecht erhält.

Was ich darüber zu lehren vermocht habe, mag veraltet und überholt sein, aber nicht das, was ich daraus gelernt habe. Das ist in der Tat eine der schwersten Heimsuchungen des Naturforschers: daß, was von ihm zurückbleibt, sein Versuch ist und nicht seine Erfahrung.

Die Lipoide — jene interessanten und komplizierten fettartigen Zellbestandteile, deren wirkliche biologische Funktion noch im Dunkeln liegt — spielen eine wichtige Rolle in der Blutgerinnung. Außerdem hatten Vertreter dieser Klasse den Gegenstand meiner allerersten Forschungsbemühungen gebildet, wie ich im ersten Teil dieses Berichts erzählt habe. Es war also ganz natürlich für mich, Untersuchungen auch in dieser Richtung fortzusetzen. Es war ein Polyptychon, das aus einer ganzen Reihe von Tafeln bestand. Eine davon hatte mit der Chemie der verschiedenen Lipoide zu tun, und diese Arbeiten zogen sich bis in die Mitte der Sechziger weiter. Eine andere Gruppe befaßte sich mit einer Reihe wichtiger hochmolekularer Zellbestandteile, die als Lipoproteine bezeichnet werden. Das ist die Form — eine komplizierte Verbindung mit gewissen Eiweißstoffen — in der manche Lipoide im Körper vorkommen. Ich schrieb einen der ersten Übersichtsaufsätze über dieses Thema [2]. Clarkes Achtung für mich, niemals fieberheiß, stieg durch diesen Artikel beträchtlich an; er sagte mir, er habe ihn besonders amüsant gefunden — was zeigt, daß sogar die Lipoide lustig sein können für den vorbereiteten Geist.

Eine andere Untersuchungsreihe, die damals den Reiz großer Neuheit hatte, galt dem Stoffwechsel der Phosphatide, phosphorhaltiger Lipoide. Das radioaktive Phosphorisotop ^{32}P begann damals, allerdings unter großen Schwierigkeiten, zugänglich zu werden. Es war auch von einigen anderen gleichzeitig für Stoffwechselstudien verwendet worden, insbesondere von Camillo Artom. Die wütenden Wirbelwinde unseres Jahrhunderts hatten den liebenswerten, von der Sonne Siziliens ausgedörrten und eingekochten Mann einen langen Weg gefegt, bis nach Winston-Salem, North Carolina. Als ich diese Arbeiten begann, war es notwendig, den radioaktiven Phosphor selbst herzustellen; bei dieser alchemischen Hüttenindustrie half mir ein junger Physiker von Columbia, John Dunning, der später eine beachtenswerte Karriere machen sollte. Obwohl wir damals höchst erregt waren, sehen die Resultate jetzt, wenn ich auf sie zurückblicke, nicht besonders begeisternd aus: es war ja zu erwarten, daß die verschiedenen phosphorylierten Lipoide des Körpers nicht alle mit der gleichen Schnelligkeit gebildet werden. Wollte ich heute unsere damaligen Resultate einem Uneingeweihten klarmachen, so würde er vielleicht ähnlich antworten, wie es angeblich einmal ein Schah von Persien tat, als er die Einladung Kaiser Franz Josephs, einem Pferderennen beizuwohnen, ablehnte: »Daß ein Pferd schneller läuft als ein anderes, habe ich immer gewußt. Und es interessiert mich nicht, zu wissen, welches«. »Zu wissen, welches« ist jedoch das eigentliche Geschäft der Naturwissenschaft. Jedenfalls erschien es mir so, als ich jung war, obwohl ich später anfing, anders zu denken.

Ein kurioses Nebenprodukt dieser Arbeiten bleibt jedoch erwähnenswert: ich publizierte die erste Synthese einer radioaktiven organischen Verbindung. Die wenigen Male, da ich versuchte, mich dieser Tat zu rühmen, begegneten mir ärgerlicher Zweifel und Spott von Seiten der Nuklearbonzen. Denn angesichts der unzähligen unterdessen erschienenen Arbeiten über die Synthese radioaktiver organischer Substanzen, wie konnte ich unter den ersten, oder sogar der erste gewesen sein? Aber hier ist sie, diese Arbeit[3]: »Synthese einer radioaktiven organischen Verbindung: Alpha-Glyzerophosphorsäure«. Ich erwähne das, um einen von mir häufig einer meiner Großmütter zugeschriebenen Ausspruch zu bekräftigen, nämlich, daß es auch einer blinden Henne manchmal gelingt, ein Ei zu legen.

Noch ein paar verstaubte Proben aus meinem traurigen Herbarium, und ich bin fertig. Blutgerinnung, Lipoide, Lipoproteine und radioaktiv markierte Substanzen, das umfaßt nicht alles, worüber ich arbeitete. Noch drei andere Forschungsgebiete sind zu erwähnen. Wir arbeiteten ziemlich viel über die Inosite, eine Gruppe zuckerähnlicher Substanzen, von denen eine, die fast überall in lebenden Zellen vorkommt, oft unter die Vitamine eingereiht wird. Wir arbeiteten über das biologische Schicksal der Oxyaminosäuren. Wir untersuchten auch die Mechanismen der Hemmung des Zellkernteilungsprozesses, der Mitose.

Alles, was ich tat, geschah unter dem Eindruck des Wunders, das die Zelle ist; hier sah ich nichts als Ordnung und Schönheit. Für mich war sie im Kleinsten der Kosmos, »die ewige Zier«. Ich glaubte nicht, daß es uns jemals gelingen werde, den Bauplan zu enträtseln; einen Plan, in dem Kohäsion und Kompression nur zwei von vielen Elementen sind, die zu zerstören wir gezwungen sind, bevor wir sie untersuchen können. Obwohl man mir jetzt sagt, daß uns dieser Plan völlig klar geworden ist, kann ich das Gefühl nicht loswerden, daß das, wovon ich in jenen längst vergangenen Tagen geträumt hatte, etwas anderes gewesen ist. Mein Laboratorium war eines der ersten, in denen Mitochondrien isoliert und chemisch untersucht wurden. Überhaupt waren wir unter den ersten, welche die Ultrazentrifuge zur Bereitung der Organellen des Zytoplasmas, wie z. B. der Mikrosomen, anwandten. Es lag daher nahe, daß einige Zeit später, als mir eine Reihe von Laboratorien zugeteilt wurde, ich sie das »Cell Chemistry Laboratory« nannte.

Diese nicht einmal vollständige Liste meiner Tätigkeit bezieht sich auf die ersten zwölf Jahre meines Aufenthaltes an der Columbia-Universität. Über sechzig Arbeiten wurden während dieser Periode veröffentlicht, und sie behandelten ein sehr weites Gebiet der Biochemie, wie man diese Wissenschaft damals verstand. Einige dieser Studien mögen sogar ein bißchen zum

Fortschritt dieser Wissenschaft beigetragen haben; damals war sie noch eine langsame Wissenschaft, d. h. sie hatte menschliche Ausmaße. Die Arbeiten wurden mit sehr wenig Hilfe von auswärts ausgeführt: eine kleine Dotation von der Markle-Stiftung und während der Kriegsjahre etwas Geld vom »Office of Scientific Research and Development« (OSRD). Reklame gab es keine; ich habe niemals ein Presse-Interview gegeben. In der Tat haben sich »die Herren von der Presse« im allgemeinen von mir ferngehalten: der seltene Fall, daß das Kaninchen die Schlangen hypnotisiert.

Alles wurde mit Menschenhänden gemacht: vier Doktoranden, ein oder zwei »post-docs«, eine Laborantin. Elektrizität diente fast nur zur Betreibung der recht primitiven Zentrifugen. Substanzen wurden noch in sichtbarer Form isoliert und sogar kristallisiert. Die wunderbare Macht der Chemie, geheimnisvolle Naturphänomene der Mythologie zu entreißen und in Substanzen zu verwandeln, wurde immer wieder angerufen. Es wurden keine Behauptungen aufgestellt, die über den Augenschein der Wirklichkeit hinausgingen. Keine Fragen wurden gefragt, die nur Gott beantworten kann, noch wurden Antworten an seiner Statt gegeben. Es wurde kein Versuch unternommen, die Natur zu verbessern.

Nichtsdestoweniger, wenn ich auf diese wunderbaren Jahre zurückblicke, kommen mir die Worte in den Sinn, die dem heiligen Thomas von Aquino zugeschrieben werden: »Omnia quae scripsi paleae mihi videntur«. Alles was er geschrieben hatte, erschien ihm als Spreu. Als ich jung war, mußte ich — und es war leicht — zu den Ursprüngen unserer Wissenschaft zurückgehen. Die Literaturverzeichnisse chemischer und biologischer Arbeiten zitierten oft Veröffentlichungen, die vierzig oder fünfzig Jahre früher erschienen waren. Man hatte den Eindruck, daß man ein Bestandteil einer sanft wachsenden Tradition war; wachsend, mit einer Geschwindigkeit, die der menschliche Geist erfassen konnte, vergehend, mit einer Geschwindigkeit, der er gewachsen war. Jetzt hingegen, in unserer elenden wissenschaftlichen Massengesellschaft, sind fast alle

Entdeckungen tot geboren; wissenschaftliche Arbeiten sind nur ein Einsatz bei einem Mächtespiel, flüchtige Bilder auf dem Schirm eines Zuschauersports, gemischte Meldungen, die den Tag ihres Erscheinens kaum überleben. Unsere Wissenschaften sind Treibhäuser geworden für einen Markt, den es in Wirklichkeit gar nicht gibt; durch die gleichzeitige völlige Unterbrechung der Tradition haben sie eine wahrhaft babylonische Verwirrung des Geistes und der Sprache herbeigeführt. In unserer Zeit reicht die wissenschaftliche Überlieferung nur drei oder vier Jahre zurück. Das Proszenium sieht genauso aus wie vorher, aber die Dekorationen verwandeln sich fortwährend, wie in einem Fiebertraum; kaum ist eine Kulisse an ihrem Ort, so wird sie schon durch eine völlig andere ersetzt.

Das Einzige, was die Erfahrung uns jetzt lehren kann, ist, daß sie wertlos geworden ist. Man könnte sich fragen, ob ein Wissenskomplex, wie eine wissenschaftliche Disziplin ihn darstellt, ohne eine lebende Tradition existieren kann. Jedenfalls ist in vielen Gebieten der Naturwissenschaft, die ich zu überblicken vermag, diese Tradition völlig verschwunden. Ich übertreibe infolgedessen keineswegs, noch ist es eine Form koketter Bescheidenheit, wenn ich zu dem Schluß komme, daß die Arbeit, die wir während dreißig oder vierzig Jahren geleistet haben — mit all dem Einsatz, zu dem ehrliche Bemühung fähig ist — tot ist und vergangen.

Die »vererbliche Codeschrift«

Es war früh im Jahre 1944, als mir jemand von einer Arbeit erzählte, die er soeben im »Journal of Experimental Medicine« gesehen hatte. Das war die berühmte Arbeit von Oswald T. Avery, Colin MacLeod und Maclyn McCarty; sie trug den Titel »Untersuchungen über die chemische Natur der für die Transformation von Pneumokokkustypen verantwortlichen Substanz[4]. Die grundlegenden Beobachtungen sind nicht schwer zu beschreiben. Es gibt mehrere Typen von Pneumokokken: nichtvirulente und virulente, wenn man sie nach ihren biologischen Eigenschaften unterscheidet; »rauhe« und »glatte«, wenn es sich um die Eigenschaften ihrer Oberfläche handelt. Im Jahre 1928 hatte der englische Pathologe Frederick Griffith eine sehr wichtige Entdeckung gemacht: die Injektion lebender, nichtvirulenter Pneumokokken zusammen mit einem abgetöteten Präparat virulenter Zellen führt zum Tode der so behandelten Mäuse, aus denen dann virulente Organismen isoliert werden können. Ähnliche Beobachtungen über diesen Vorgang, der als Bakterientransformation bezeichnet wird, wurden später auch im Reagenzglas gemacht; es war klar, daß die virulenten glatten Zellen irgendeine Substanz enthalten mußten, die die Fähigkeit hatte, nichtvirulente rauhe Kulturen permanent und vererblich zu transformieren, und zwar zu einer Art von Zellen, die den glatten virulenten Spenderorganismen ähnelte. Avery und seine Mitarbeiter unternahmen es, diesen unbekannten Stoff zu isolieren, zu reinigen und seine chemische Natur festzustellen. Sie hatten Erfolg; und ihre Arbeit endete mit den folgenden Worten:

> Das hier vorgelegte Material bestätigt die Annahme, daß eine Nukleinsäure des Desoxyribose-Typus die grundlegende Einheit der transformierenden Substanz aus Pneumokokkus Type III darstellt.

Es ist schwer für mich, die Wirkung zu beschreiben, die dieser Satz — wie auch die schönen Experimente, die zu ihm geführt hatten — auf mich ausübte. Diese Wirkung kann vielleicht am besten in den Worten wiedergegeben werden, die ich viel später in einer bei einer Gedenkfeier »Hundert Jahre Nukleinsäureforschung« gehaltenen Ansprache verwendete[5].

> Da die Transformation eine unbegrenzt vererbliche Veränderung einer Zelle vorstellt, war hier zum erstenmal die chemische Natur der diese Veränderung bewirkenden Substanz klargemacht worden. Selten wurde so viel in so wenigen Worten gesagt. Der diese Worte schrieb, Oswald Theodore Avery (1877—1955), war zu dieser Zeit schon 67 Jahre alt: der immer seltener werdende Fall eines alten Mannes, der eine große wissenschaftliche Entdeckung machte. Sie war nicht seine erste gewesen. Er war ein stiller Mann; und es hätte die Welt geehrt, hätte sie ihn mehr geehrt. Es kommt jedoch in der Wissenschaft weniger darauf an, der Erste zu sein, als der Letzte.
> Diese Entdeckung, die mit einem Schlage eine Chemie der Vererbung möglich und die Nukleinsäurenatur der Gene wahrscheinlich machte, hat sicherlich damals auf einige — nicht auf viele — einen Eindruck gemacht, aber wahrscheinlich auf niemand einen tiefern als auf mich. Denn ich sah vor mir in dunkeln Umrissen die Anfänge einer Grammatik der Biologie. So wie Kardinal Newman im Titel eines berühmten Buches — »The Grammar of Assent« — von der Grammatik des Glaubens sprach, verwende ich dieses Wort als Beschreibung der grundsätzlichen Elemente und Prinzipien einer Wissenschaft. Avery gab uns den ersten Text einer neuen Sprache, oder richtiger, er zeigte uns, wo wir ihn zu suchen haben. Ich nahm mir vor, diesen Text zu suchen.
> Daher beschloß ich, alles, woran wir arbeiteten, liegen zu lassen oder es zu einem beschleunigten Abschluß zu bringen. Dabei waren es ganz interessante Dinge, die mit vielen Problemen der Zellchemie zu tun hatten. Oft habe ich mich gefragt, ob ich nicht unrecht gehandelt habe, das Steuer so herumzuwerfen, und ob es nicht besser gewesen wäre, der

Faszination des Augenblickes nicht zu erliegen. Aber diese biographischen Quisquilien können niemand interessieren. Für den Naturforscher ist die Natur ein Spiegel, der alle dreißig Jahre bricht; und wer kümmert sich schon um das zerbrochene Glas verflossener Zeiten?

Hier sollte ich vielleicht einige Worte über die Gruppe von Substanzen sagen, die so plötzlich in den Mittelpunkt wissenschaftlicher Aufmerksamkeit gerückt worden waren, die Nukleinsäuren. Wenn der Biochemiker lebendes Gewebe untersucht, gleichgültig ob er es nun mit Tieren, Pflanzen oder Bakterien zu tun hat, wird er manche Eigenschaften finden, die sie alle gemeinsam haben, und er wird auch viele Unterschiede entdecken. Es wird von seinem Gesichtspunkt abhängen, und auch von dem Ziel seines Forschens, ob er die Ähnlichkeiten oder die Verschiedenheiten betont. Es ist manchmal schwer, Gemeinsamkeiten in Dingen zu entdecken, die scheinbar sehr verschieden sind; es ist beträchtlich schwieriger, Unterschiede zwischen Dingen zu erkennen, die gleich zu sein scheinen. Was alle lebenden Zellen gemeinsam haben, ist, daß sie in der Hauptsache aus vier Substanzklassen zusammengesetzt sind: die Proteine, die Polysaccharide, die Lipoide und die Nukleinsäuren. Die ersten drei Gruppen sind schon lange mit großem Erfolg untersucht worden. Nur mit Bezug auf die Nukleinsäuren mußten 75 Jahre zwischen ihrer Entdeckung und dem Zeitpunkt vergehen, als ihre Funktionen und ihre Strukturen verständlich zu werden begannen.

Der Chemiker unterscheidet zwischen zwei Nukleinsäuretypen, je nach dem Zucker, der in ihnen enthalten ist: Desoxyribonukleinsäure, die jetzt den allgemein bekannten Spitznamen DNS oder noch häufiger DNA trägt, und Ribonukleinsäure, als RNA oder RNS abgekürzt. (Tatsächlich sind das falsche Singulare, denn hinter ihnen verbirgt sich eine große Zahl verschiedener chemischer Individuen: eine Erkenntnis, die vielleicht eine der Früchte meiner Bemühungen ist.) Als Avery seine große Entdeckung machte, wußte man schon, daß in tierischen und pflanzlichen Zellen der Hauptteil der DNS im Zellkern gefunden wird, und dieser war auch als der Sitz der zu jener Zeit noch fiktiven Einheiten der Vererbung bekannt, der Gene. Averys Entdeckung ließ es daher als höchstwahrscheinlich erscheinen, daß die Gene DNS enthielten oder aus dieser Nukleinsäure bestanden. Ich glaube, daß heutzutage nur wenige leugnen werden, daß dies eine der wichtigsten Entdekkungen in der Biologie ist.

Als diese großartige Veröffentlichung erschien, kümmerten sich jedoch die meisten — einschließlich der damaligen Nobelpreiskommitees — nicht im geringsten um sie. Diejenigen, die es hätten wissen sollen, waren allzusehr damit beschäftigt, ihre eigenen Kreisel durch die Korridore der Macht zu treiben. Da ich niemals den Eingang zu diesen nützlichen Irrgängen gefunden habe, gehörte ich nicht zu diesen Leuten. Tatsächlich war mir die Tragweite der Entdeckung sofort klar. Ich begann sogar die Abfassung eines Aufsatzes, der den Titel »Professor Kekulés zweiter Traum« trug, in welchem viel von der späteren Entwicklung ziemlich richtig vorausgesagt war. Es tut mir leid, daß mein einziger Versuch, »Science-fiction«, die bald »Science-truth« werden sollte, zu schreiben, nicht mehr existiert.

Als ich Averys Arbeit las, war ich nicht völlig unvorbereitet. Zwei Stockwerke über mir arbeitete Martin Dawson — er starb jung — und er war gerade dabei, ausgezeichnete Studien über bakterielle Transformationen auszuführen; auch in meinem eigenen Laboratorium war ich zweimal den Nukleinsäuren begegnet: einmal, in Form der RNS, als einem Bestandteil des von mir schon vorher erwähnten thromboplastischen Proteins, und einmal als DNS, als wir während des Krieges Forschungen über den Erreger des Typhus, die Rickettsia prowazeki, unternahmen. Aber noch wichtiger war der tiefe Eindruck, den gerade zu jener Zeit ein kleines Buch auf mich ausgeübt hatte. Es hatte den großen österreichischen Physiker Erwin Schrödinger zum Verfasser und als Titel trug es eine nicht geradezu bescheidene Frage: »What is Life?«[6] Große Forscher sind besonders dann hörenswert, wenn sie über etwas reden, von dem sie wenig wissen; in ihrer eigenen Spezialität sind sie gewöhnlich groß und langweilig.* Von den Chromosomen sprechend — den winzigen Stäbchen im Zellkern, deren Zahl für eine gegebene Gattung konstant ist, und die wahrnehmbar werden, wenn der Kern sich zur Teilung vorbereitet — hatte Schrödinger das Folgende zu sagen:

> Diese Chromosome sind es . . . die in irgendeiner Form von Codeschrift das gesamte Muster für die zukünftige Entwicklung des Individuums und sein Funktionieren im Zustand der Reife enthalten. . . . Indem wir die Struktur der Chromosomenfasern als eine Codeschrift bezeichnen, wollen wir ausdrücken, daß der alldurchdringende Geist, den Laplace sich einmal ausdachte, der Geist, für den jede kausale Verbindung unmittelbar klar ist, in der Lage sein sollte, aus der Struktur direkt zu erkennen, ob das Ei unter geeigneten Bedingungen sich zu einem schwarzen Hahn oder einer gesprenkelten Henne entwickeln werde, zu einer Fliege oder einer Maispflanze, zu einem Rhododendron, einem Käfer, einer Maus oder einer Frau. . . . Aber die Bezeichnung Codeschrift ist natürlich zu eng. Die chromosomalen Gebilde sind gleichzeitig daran beteiligt, die Entwicklung, die sie vorausahnen lassen, zu bewerkstelligen. Sie sind Gesetzbuch und Exekutive — oder um eine andere Metapher zu verwenden, sie sind zugleich der Plan des Architekten und die Kunst des Baumeisters.

Vererbliche Codeschrift? Der Geheimschriftleser, der in jeder Seele verborgen ist, war mitgerissen. »Chromosome!«, rief ich aus, »DNA, des Baumeisters Kunst! Arbeiten wir also über die Nase der Cleopatra!«

* Obwohl Schrödingers Buch auf die Anfänge der Molekularbiologie einen großen Einfluß ausgeübt hat, trifft Nestroys lustige Bemerkung sicherlich auf ihn am wenigsten zu: »Wann er das, was er zu viel an Dummheit hat, abgebet an sieben Gelehrte, es wurden d'schönsten Eseln daraus.« (Der konfuse Zauberer, 1. Akt, 6. Szene)

Was zu tun war, erschien mir klar, aber ganz und gar nicht, wie es zu tun war. Averys Arbeiten hatten nachgewiesen, daß die Desoxyribonukleinsäure eines Pneumokokkenstammes biologische Eigenschaften besaß, die einem entsprechenden Präparat aus Kalbsthymus abgehen. Es war mir infolgedessen offenbar, daß diese beiden Substanzen sich auch chemisch unterscheiden mußten; und von hier zu der Annahme, daß alle Nukleinsäuren spezies-spezifisch sind, schien ein leichter und einleuchtender Schritt. Als ich dies zuerst mit anderen besprach, war ich erstaunt zu beobachten, daß es ihnen keineswegs offenbar erschien. Sie hatten kein Interesse für das Problem und waren auch nicht willens, meine wenig kampflustigen Argumente anzuhören. Daß eine neue Wahrheit, ob sie nun mit der Wissenschaft oder mit anderen Dingen zu tun hat, anfangs nur schwer übermittelt werden kann, zeigt, daß wir in Furchen denken und daß es uns weh tut, weggerissen zu werden von überkommenen Begriffen, in denen wir uns sicher fühlen wie im Mutterschoß.

Wenn Kunst die höchste Form der Wirklichkeit ist, die der Mensch — oder wenigstens der moderne Mensch in seiner Weltlichkeit — erreichen kann, so beweisen die vielen Fälle, in welchen große Schöpfungen anfangs zurückgewiesen und oft mit unglaublicher Böswilligkeit abgelehnt wurden, wie sehr wir uns dem Begreifen, dem Ergreifen der Wirklichkeit widersetzen. Häufig nehmen wir nur das an, was uns die fragwürdigen Führer des sogenannten Zeitgeschmacks vorgekaut haben; das ist aber dann eine unechte Wirklichkeit, »ein Mikroidol einer Osterinsel des Geistes«[7]. Ich habe anderswo versucht, etwas über die geheimnisvolle Macht der Moden in der Wissenschaft zu sagen.[8]

Als ich 1945 zuerst begann, ernsthaft über die Nukleinsäuren nachzudenken, war dies natürlich das Ergebnis meiner lebenslangen Bezauberung durch die zahllosen Erscheinungsformen des Lebens, durch seine ungeheure Mannigfaltigkeit, seine majestätische Einheitlichkeit. So viele Farben, aber sie verblassen alle; so viele Kräfte, aber sie werden alle zunichte; geboren werden, um zu sterben; sterben, um geboren zu werden. Schon als Kind hatte ich das Gefühl, daß ich in einem sanften Weltall lebe, geordnet durch eine Weisheit, die zu verstehen ich niemals hoffen konnte. Die große Göttin Ananke erschien mir als eine treue Freundin. Als ich später die Chemie erlernte und über die Chemie des Lebens nachzudenken anfing, hatte mich mein Vertrauen in die überlegene Weisheit der lebenden Zelle keineswegs verlassen. Immer war es mir offenkundig gewesen, daß es eine Stufe geben muß, auf der das ganze Leben chemisch ist, genauso wie es viele andere Stufen des Lebens gibt, deren Verständnis durch ausschließliche Bezugnahme auf die Gesetze der Chemie nur verzerrt werden kann. Was ich nie verstehen werde, ist, wie sich alle diese Stufen zur ewigen Treppe zusammenfügen. Mein größter Mangel als Naturforscher — und eine der Erklärungen meiner verhältnismäßigen Erfolglosigkeit — ist wahrscheinlich mein Widerstreben gegen die Vereinfachung. Im Gegensatz zu vielen anderen bin ich ein »terrible complicateur«.

Unser Verständnis der Welt ist aus unzähligen Schichten errichtet. Jede Schicht verdient erforscht zu werden, solang wir nicht vergessen, daß es nur eine von vielen ist. Wenn wir alles wüßten, was man von einer Schicht wissen kann — ein höchst unwahrscheinlicher Fall —, so würde uns das nicht viel über den Rest belehren. Die Integration der immensen Anzahl von Informationseinheiten und die daraus abgeleitete Anschauung der Natur gehen in unserm Geiste vor sich; aber der Geist des Menschen ist leicht getäuscht und verwirrt, und die Anschauung der Natur ändert sich mit den Generationen. Tatsächlich ist es die Intensität der Anschauung, die viel schwerer ins Gewicht fällt als ihre Vollständigkeit oder Richtigkeit. Ich zweifle, daß es so etwas gibt wie eine richtige Anschauung von der Natur, es sei denn, daß die Spielregeln vorher deutlich festgelegt worden sind. Zweifellos wird es später andere Spiele geben und andere Regeln.

Es war also die Chemie der Zelle, mit der ich mich befaßte. Die Bemühungen der vorigen Generation gingen hauptsächlich darauf aus, die Einheit der Natur nachzuweisen. Ihre großen Erfolge bestanden darin, daß sie betonten, wie einheitlich die lebende Materie in ihrer allgemeinen Zusammensetzung ist, in ihren Stoffwechselreaktionen und in der Ökonomie der zum Leben erforderlichen Energie. Ich jedoch war viel mehr von der anderen Seite des Janusantlitzes angezogen, von der enormen Vielfalt der lebenden Natur.* Aus dem Gesichtspunkt des Chemikers drückt sich diese Mannigfaltigkeit nicht nur in der Gestalt des Wesens oder Organs aus, also morphologisch, sondern noch viel mehr in den zahllosen Verbindungen, die für den einen oder anderen Organismus spezifisch sind. Es war mir jedoch klar, daß alle diese verschiedenen Pigmente oder Riechstoffe oder Toxine nur die Symptome, nicht die Ursachen der biologischen Spezifität sein konnten. Der die Unterschiede spezifizierende, wirkliche Urheber mußte woanders gesucht werden.

Es erschien mir wahrscheinlich, daß der entscheidende Einfluß auf die biologische Vielfalt und auf die Stoffe, welche die erbliche Beständigkeit dieser Vielfalt aufrechterhalten, von den Zellbestandteilen von hohem Molekulargewicht kommen mußte, den Riesenverbindungen, die den Hauptteil aller Gewebe ausmachen. Ich denke an die Eiweißstoffe und die konjugierten Proteine, wie z. B. die Lipoproteine, die Mukoproteine usw., die Polysaccharide und die Nukleinsäuren. Was die ersten anbelangt, die Proteine und die Polysaccharide, so waren ihre biologische Aktivität und die wichtigen chemischen Unterschiede, die sie in verschiedenen Zellen kennzeichnen, schon vor längerer Zeit erkannt worden. In der Tat schien die große

* In einer meiner frühesten Arbeiten, die ich während meines Aufenthalts in Berlin publizierte, findet sich schon eine Diskussion des Problems der »Strukturspezifität«[9]. Um die zweifelhafte Natur dieser Phantastereien zu betonen, wurden sie jedoch vom Herausgeber der Zeitschrift in die kleinste zur Verfügung stehende Druckschrift verbannt.

Familie der Eiweißverbindungen dazu berufen, die Hauptrolle in der Bestimmung der biologischen Spezifität zu spielen. Die Nukleinsäuren andererseits waren sozusagen nur die Kleiderhänger für die den Vordergrund einnehmenden Eiweißstoffe. All dies veränderte sich plötzlich durch Averys Entdeckung, welche die Desoxyribonukleinsäuren als den Mittelpunkt der den Lebensprozeß beherrschenden Mächte feststellte. Mir erschien es, als ob erst zu diesem Zeitpunkt die Chemie wirklich großjährig geworden sei, denn sie stellte sich als die zentrale Wissenschaft der Lebensvorgänge heraus.

DNS und RNS waren bis 1944 wirkliche Singulare. Man wußte, daß die Nukleinsäuren aus vier Bausteinen, den Nukleotiden, zusammengesetzt waren. Jedes Nukleotid bestand aus drei miteinander verbundenen chemischen Verbindungen: einer stickstoffhaltigen Base (entweder Adenin oder Guanin, die als Purine bezeichnet werden, oder Cytosin, Thymin, Uracil, die Pyrimidine genannt werden), einem Zucker (Desoxyribose oder Ribose) und Phosphorsäure. Die Nukleinsäuren wurden als kleine Ketten formuliert, in denen die vier Nukleotide miteinander durch Phosphatbrücken verbunden waren. Dieses Strukturmodell wurde als ein Tetranukleotid bezeichnet: ein Name, der dazu diente, diese unwichtigen und wenig aufschlußreichen Substanzen zu der Rolle eines biologischen Leims zu verdammen. Durch meine und meiner Mitarbeiter Arbeiten wurde seit 1946 aus diesem bescheidenen Singular ein Riesenplural.

Wie schon gesagt, war ich unter dem Einfluß der Entdeckung Averys zu dem Schluß gekommen, daß die DNS der Träger der Speziesspezifität sein muß. Dies konnte nach meiner Meinung auf eine von zwei Ursachen zurückzuführen sein: entweder enthielten DNS-Präparate aus verschiedenen Zellen verschiedene Bausteine oder sie unterschieden sich durch verschiedene Anordnung derselben Bausteine. Die erste Alternative könnte symbolisch durch den Unterschied zwischen zwei Wörtern, wie RAST und REST, dargestellt werden. Drei Buchstaben — d. h. drei Nukleotide — identisch, einer verschieden. Ein einfaches Beispiel für die zweite Art von Unterschied könnte aussehen wie die Wörter RAST und STAR: dieselben Bestandteile in verschiedener Anordnung. Denkspiele waren jedoch wertlos, solange es keinen Weg gab, um ihre Richtigkeit zu überprüfen. Selbst auf diese verhältnismäßig junge Vergangenheit zurückblickend — nicht viel mehr als dreißig Jahre — mag man es schwierig finden, sich ins Gedächtnis zurückzurufen, wie wenig man damals wirklich wußte. Nur zwei Präparate waren in beträchtlicher Menge, aber in einem größenmäßig sehr abgebauten Zustand isoliert worden: die Desoxyribonukleinsäure aus Kalbsthymus und die Ribonukleinsäure aus Hefe. Sogar für die Charakterisierung der Grundbestandteile waren enorme Mengen notwendig; eine quantitative Analyse kam überhaupt nicht in Frage. Um meine Vermutungen betreffs der Chemie der Nukleinsäuren als richtig zu beweisen, war es offenkundig notwendig, höchst genaue quantitative Methoden zu entwickeln. Diese Methoden mußten außerdem auf winzige Mengen von Nukleinsäure anwendbar sein, denn es war unerläßlich, verschiedene Organe vieler verschiedener Gattungen und auch relativ unzugängliche Mikroorganismen zu vergleichen.

Als ich 1946 ernstlich daran dachte, mich an das Rätsel der Nukleinsäuren heranzumachen, kamen mir einige glückliche Umstände zu Hilfe: erstens, ein gänzlich neuer Weg zur Trennung kleinster Quantitäten war vor kurzem entwickelt worden: zweitens, ein neues Instrument, das in unserer Arbeit eine kritische Rolle spielen sollte, war gerade damals im Handel verfügbar geworden; drittens, und das war das Wichtigste, ich hatte zwei ausgezeichnete Mitarbeiter erworben: Dr. Ernst Vischer und Frau Charlotte Green.

Die Methode war die 1944 von R. Consden, A. H. Gordon und A. J. P. Martin beschriebene Anordnung für die Trennung kleiner Mengen von Aminosäuren. Dieses Verfahren, das bald als Papierchromatographie bekannt werden sollte, besteht im wesentlichen darin, daß ein Tropfen der Lösung, welche die zu trennenden Substanzen enthält, auf einen Streifen von Filtrierpapier aufgetragen wird, der dann mit einem Lösungsmittel berieselt wird. Dies führt schließlich zu der Erzeugung scharf voneinander abgegrenzter Flecken, deren jeder einen der Bestandteile der ursprünglichen Lösung enthält. Es gelang uns. diese Methode für die Analyse der Nukleinsäurebestandteile, der Purine und Pyrimidine, umzugestalten. Daß es uns möglich war, aus der Papierchromatographie ein genaues quantitatives Verfahren zu machen, war auf die Verfügbarkeit des ersten im Handel erhältlichen Ultraviolettspektrophotometers zurückzuführen, denn die Purine und Pyrimidine besitzen überaus kräftige und charakteristische Absorptionsspektren im Ultraviolett.

Was Ernst Vischer anbetrifft, waren seine chemische Erziehung und das chemische Wissen, das er in seiner Geburtsstadt Basel erworben hatte, genau so solide wie die bemerkenswert robusten Schweizer Schuhe, in denen er zuerst in mein Laboratorium marschierte. Das war im Herbst 1946. Ich brauchte nur einen Blick auf ihn zu werfen, und schon hatte ich den richtigen Namen für ihn: ich nannte ihn »den getreuen Eckart«. Sein ruhiger Fleiß, seine nicht aus dem Gleichgewicht zu bringende Gründlichkeit, seine intellektuelle Ehrlichkeit erwiesen sich als unschätzbar, besonders für einen Menschen wie mich, denn in diesen jüngeren Jahren bin ich sicherlich einer der unruhigsten Quietisten gewesen.

Wir machten uns an die Arbeit, zuerst wir drei; später kamen noch einige andere dazu: Stephen Zamenhof, Boris Magasanik, George Brawerman, David Elson, Ed Hodes, Ruth Doniger und einige mehr. Ich stellte die meisten Nukleinsäurepräparate her, Vischer und Green entwickelten die quantitative Analyse. Wir hatten Erfolg, und unsere erste Arbeit, eine kurze vorläufige Mitteilung, wurde Mai 1947 publiziert.[10] Es war ein bescheidener Anfang: die Methoden waren noch roh; die Lösungsmittelsysteme und die Art, in der die voneinander getrennten Zonen sichtbar gemacht wurden, waren primitiv; aber es glückte uns, winzige Mengen, etwa fünf Millionstel Gramm, von jeder der Substanzen abzutrennen und zu identifizieren. Ich bin nicht sicher, daß vor unsern Arbeiten sogar eine millionenfache Menge ebenso verläßliche Resultate hätte geben können.

Unsere ersten Ergebnisse über die Zusammensetzung von DNS-Präparaten aus verschiedenen Zelltypen waren mangelhaft, denn unsere Verfahren waren grob. Aber sie reichten aus, um mich in meinem Glauben zu bestärken, daß verschiedene Tier- oder Pflanzengattungen verschiedene Typen von DNS enthalten mußten. Ich fing an darüber nachzudenken, in welcher Weise Verschiedenheiten der Zusammensetzung, und sogar kleine Verschiedenheiten, von Einfluß auf den Gehalt an »biologischer Information« sein könnten.* »Professor Kekulés zweiter Traum« begann, verschiedene geisterhafte Schemen aufzuwerfen. Ich dachte an Veränderungen der Nukleotidsequenz, die Träger der Speziesspezifität sein konnten, aber noch häufiger an spezifische sterische Anordnungen. Ich hatte mich in die Topologie verliebt, und verschiedene Arten von miteinander verflochtenen Ringen erfüllten mein Büro, Ringe, die der Länge nach gespalten werden konnten und zu seltsam verschlungenen Strukturen führten. Als ich zuerst in der Öffentlichkeit unsere frühesten Beobachtungen erörterte, an einem Cold-Spring-Harbor-Symposium und am Zytologiekongreß in Stockholm im Sommer 1947, erschien die DNS deshalb als ein Möbiusstreifen. Irgendwie tut es mir noch immer leid, daß diese Auffassung lediglich ein Hirngespinst geblieben ist. Hier einige Sätze aus dem Vortrag:

> Eine der einfachsten Oberflächen, die in der Topologie studiert werden, ist der sogenannte Möbiusstreifen. Er besteht aus einem langen Papierstreifen, dessen beide Enden zusammengeklebt werden, nachdem eines einer bestimmten Anzahl von Drehungen unterzogen wurde. Wenn z. B. das

---

* Da die Menschheit damals ihre Denkvorrechte noch nicht ganz an Rechenmaschinen abgetreten hatte, ist es nicht wahrscheinlich, daß ich diesen häßlichen Ausdruck hätte gebrauchen können. Leider haben wir keine bessere Bezeichnung für das blinde Tastvermögen, womit die lebende Materie auf einen Wirkstoff reagiert.

> eine Ende einmal völlig herumgedreht worden ist (d. h. durch vier rechte Winkel), bevor es mit dem andern Ende vereint wurde, und der Streifen dann die Mittellinie entlang durchgeschnitten wird, erhält man zwei miteinander verflochtene Ringe, die beide die ursprüngliche Drehung geerbt haben. Jeder kann dann wieder in zwei verflochtene Ringe geteilt werden, usw. Ein neugieriges Kind kann, indem es die Anordnungen verändert, viele faszinierende Entdeckungen über die Vererbung geometrischer Besonderheiten machen, und wenn es herangewachsen ist und sich ihrer entsinnt, können sie dazu beitragen, der anscheinend automatischen Natur der Lebensprozesse etwas von ihrem Schrecken zu nehmen.[11]

Dies ist wahrscheinlich die erste kindische Andeutung der Strangtrennung in der DNS. Der Schrecken ist jedoch nicht geschwunden; er hat sich vergrößert, denn wir haben begonnen, das Leben gerade als Automatismus zu definieren. Die Majestät des Buchs Genesis ist durch eine Technologie der Biopoiese (Lebenserschaffung) ersetzt worden, die wahrscheinlich aus den kommenden Jahrhunderten einen Alptraum machen wird, von dem sich jetzt niemand etwas träumen läßt.

Es traf sich gut, daß wir in unsern ersten Versuchen, die Struktur der DNS zu erforschen, Nukleinsäurepräparate aus Hefe, Rinderorganen und Tuberkelbazillen gewählt hatten, denn besonders die erste und die letzte von diesen sind in ihrer Zusammensetzung voneinander aufs dramatischste verschieden. Diese Verschiedenheit gab mir genügend Zuversicht, um sogar kleine Unterschiede als bedeutsam zu erkennen, wenn sie reproduzierbar waren. Hätte ich hingegen beschlossen, die DNS aus Kalbsthymus mit jener aus Pneumokokken zu vergleichen, so wäre ich wahrscheinlich zu dem Schluß gekommen, daß die beiden chemisch voneinander nicht unterscheidbar seien.

Um diese Episode zu Ende zu führen, mag es von Interesse sein, wenn ich aus den einleitenden und den abschließenden

Sätzen meiner ersten zusammenfassenden Übersicht über unsere Arbeiten zitiere, die 1950 in der Schweizer Zeitschrift »Experientia« erschienen ist.[12]

> Wir begannen unsere Arbeit mit der Annahme, daß die Nukleinsäuren komplizierte und nicht leicht durchschaubare Hochpolymere sind, in dieser Beziehung den Proteinen vergleichbar. Die Bestimmung ihrer Struktur und ihrer strukturellen Unterschiede erforderte daher die Entwicklung von Methoden, die sich zur präzisen Analyse aller Nukleinsäurebestandteile eigneten. Ferner erschien es uns nötig, Nukleinsäurepräparate aus einer großen Anzahl verschiedener Zelltypen herzustellen und der Analyse zugänglich zu machen. Die Verfahren mußten die Untersuchung sehr kleiner Mengen ermöglichen, denn es war klar, daß der größte Teil des Materials nur sehr schwer zugänglich sein würde. Die in unserm Laboratorium entwickelten Verfahren machen es tatsächlich möglich, eine vollständige Analyse der Bestandteile mit 2—3 mg von Nukleinsäure auszuführen, und dies in sechs Parallelbestimmungen. . . .
> Hier sind unsere Schlußfolgerungen. Die Desoxypentosenukleinsäuren aus tierischen und bakteriellen Zellen enthalten verschiedene Proportionen derselben vier stickstoffhaltigen Verbindungen, nämlich Adenin, Guanin, Cytosin, Thymin. Ihre Zusammensetzung scheint charakteristisch für die Spezies, aber nicht für das Gewebe zu sein, aus dem sie isoliert wurden. Es ist demnach wahrscheinlich, daß es eine enorme Zahl strukturell verschiedener Nukleinsäuren gibt; eine Zahl, die sicherlich viel größer ist, als die gegenwärtig vorhandenen analytischen Methoden es nachweisen können. . . .
> Eine Entscheidung, ob in der Natur vorkommende Hochpolymere verschieden oder identisch sind, liegt jetzt noch oft außerhalb der uns zur Verfügung stehenden Mittel. Dies wird besonders auf solche Substanzen zutreffen, die sich voneinander nur durch die Sequenz, nicht durch die Pro-

portionen ihrer Bestandteile unterscheiden. Die Zahl der möglichen Nukleinsäuren, die dieselbe analytische Zusammensetzung aufweisen, ist wahrhaft immens ... Ich glaube, daß es keinen Widerspruch gegen die Feststellung geben kann, daß, soweit es sich um die chemischen Möglichkeiten handelt, die Nukleinsäuren sehr wohl unter den Stoffen sein können, oder möglicherweise der Stoff sind, der mit der Übertragung vererblicher Eigenschaften betraut ist.

Zugegebenermaßen klingen diese Prophezeiungen, wenn man sie mit denen Ezechiels vergleicht, ziemlich trocken; andererseits sind sie jedoch viel schneller in Erfüllung gegangen. Die im Vortrag beschriebene Episode war jedoch noch nicht ganz zu Ende, denn in die Korrekturfahnen meines Aufsatzes hatte ich noch zwei neue Sätze eingefügt.

Nach viel innerem Kummer und Kampf hatte ich mich dazu gebracht, den folgenden kurzen Absatz auf Seite 206 der Fahnen dieses Aufsatzes hinzuzusetzen.[12]

> Die Ergebnisse widerlegen die Tetranukleotidhypothese. Es ist jedoch bemerkenswert — ob es mehr als zufällig ist, kann man noch nicht sagen —, daß in allen Desoxypentosenukleinsäuren, die wir bis jetzt untersucht haben, die molaren Verhältnisse von gesamten Purinen zu gesamten Pyrimidinen, und auch die von Adenin zu Thymin und von Guanin zu Cytosin, nicht weit von eins liegen.

Ich hatte lange eine große Abneigung dagegen empfunden, solche Regelmäßigkeiten anzunehmen, denn ich hatte immer den lebhaften Eindruck gehabt, daß unsere Suche nach Harmonie, nach einer leicht erkennbaren und gefälligen Harmonie, nur dazu diente, die Schwierigkeiten im Verstehen der Natur zu beschönigen oder auszulöschen. Viele Forscher hatten in der Vergangenheit versucht, vereinheitlichende Formulierungen für die Proteine und andere natürliche Hochpolymere zu finden, genau so wie die Nukleinsäuren als Tetranukleotide betrachtet worden waren, einfach weil sie aus vier Bestandteilen aufgebaut waren. All das hatte ich als falsch erkannt, und ich wollte, wie ich einmal sagte, »es vermeiden, mich in einer modernisierten Form der alten Falle zu fangen, in die so viele ausgezeichnete Forscher auf dem Gebiet der Nukleinsäurechemie geraten waren.«[13]

Unsere ersten Resultate über DNS litten daran, daß für die Bestimmung der Purine und für die der Pyrimidine verschiedene Methoden angewandt werden mußten. Dies führte dazu, daß die Ausbeute an Purinen immer höher war als an Pyrimidinen. Aber ich konnte nicht umhin zu bemerken, daß in DNS aus menschlichem und Rindergewebe oder aus Hefe sich immer mehr Adenin finden ließ als Guanin, mehr Thymin als Cytosin, während in der DNS aus Tuberkelbazillen diese Verhältnisse umgekehrt waren. Als ich die Molverhältnisse von Adenin zu Guanin und von Thymin zu Cytosin berechnete, fand ich sie fast gleich für eine bestimmte Quelle und anscheinend charakteristisch für die Spezies.

Einmal, an einem späten Nachmittag, als ich an meinem Schreibtisch saß, in dem engen Schlauch, der mir damals als Büro diente, fragte ich mich: »Wie wäre es, wenn ich annehme, daß DNS gleiche Mengen von Purinen und von Pyrimidinen enthält?« Ich brachte alle Ziffern zusammen, die wir über die Molverhältnisse von Adenin und Guanin und von Cytosin und Thymin in einer bestimmten DNS-Art gesammelt hatten, und korrigierte jede der zusammengehörenden Gruppen auf 50 %: da zeigten sich zum ersten Mal die Regelmäßigkeiten, die ich damals Komplementärverhältnisse zu nennen pflegte und die später als Basenpaarung berühmt geworden sind.

Da diese Form von Gleichgewicht nie vorher in der Natur gefunden worden war, war ich vielleicht mehr verwirrt als erfreut über diese Entdeckung. Die Fähigkeit, ein schönes Gedicht zu schreiben, hätte mich weniger erstaunt. Dies trug sich entweder gegen Ende 1948 zu oder anfangs 1949. Als ich im Sommer 1949 einige Vorträge in Europa hielt, erwähnte ich diese Beobachtungen, stieß jedoch abermals auf wenig Verständnis. Da ich, ein wissenschaftlicher Primitiver, es selbst nicht gerne sah, daß man Naturgesetze auf Grund von Korrektionsfaktoren aufstellte, ließ ich die Entdeckung der Komplementarität weg, als ich meinen Übersichtsaufsatz aus den Vortragsaufzeichnungen rekonstruierte.[12] Unterdessen hatten wir jedoch unsere Methoden beträchtlich verbessert: wir konnten jetzt alle stickstoffhaltigen Bestandteile in ein und derselben Analyse bestimmen; wir hatten viel mehr Präparate zur Analyse, und die Ausbeuten waren so zufriedenstellend, daß keine Korrektion mehr notwendig war. Ich gewann an Zuversicht und fügte den vorher zitierten Absatz hinzu. Ein Vortrag, den ich früh im Jahre 1951 hielt, klingt voller Zuversicht.[14] Er betont ausdrücklich die von der Gattung bestimmten Unterschiede in DNS und die Regelmäßigkeiten in der Zusammensetzung, die allen DNS-Präparaten gemeinsam sind; er unterstreicht die Existenz sogenannter »AT- und GC-Typen« der DNS, je nachdem ob die Summen von Adenin und Thymin oder die von Guanin und Cytosin vorherrschen; und er endet mit der folgenden Schlußbemerkung:

> Es gehört sich, diese viel zu skizzenhafte Übersicht mit einem Geständnis der Unwissenheit zu beenden. Was unsere Untersuchungen uns mehr als irgend etwas anderes gelehrt haben, ist, wie wenig wir noch von der Chemie der Nukleinsäuren wissen. Die chemische Spezifität der Makromoleküle und die Wechselwirkungen zwischen ihnen, durch die die Organisation der Zelle aufrecht erhalten wird, kann auf Grund unseres gegenwärtigen Wissens nur teilweise verstanden werden. In der Verfolgung eines wissenschaftlichen Problems sind zwei Prinzipien wirksam: Verallgemeinerung und Vereinfachung. Beide sind nötig, beide gefährlich. Es ist völlig klar, daß wir mehr Geometrie lernen können aus den Illustrationen eines Lehrbuchs über darstellende Geometrie als aus den schönen Bildern in Sir D'Arcy Thompsons Buch »On Growth and Form«. Aber es ist schwer zu sagen ,wo die Gefahrengrenze liegt, über die hinaus Übervereinfachung eine dogmatische Unwissenheit erzeugen muß. Sollen wir die Vielfältigkeit der Natur betonen, die uns die Einfachheit ihres Grundplans vergessen läßt; oder soll die wesentliche Gestalt über die zufälligen Formen siegen? In Wycherleys »The Country Wife« wird ein Quacksalber wie folgt angeredet: »Doktor, aus Ihnen wird niemals ein guter Chemiker werden, denn Sie sind so ungläubig und ungeduldig.« Wären Geduld und Leichtgläubigkeit alles, was der Chemiker braucht, so wäre das Problem der Nukleinsäuren — noch immer so rätselhaft und unfaßbar — schon längst gelöst worden.

Die Regelmäßigkeiten in der Zusammensetzung der Desoxyribonukleinsäuren — einige freundliche Leute sprachen später von den »Chargaff-Regeln« — sehen folgendermaßen aus:

(a) die Summe der Purine (Adenin und Guanin) gleicht derjenigen der Pyrimidine (Cytosin und Thymin); (b) das Molverhältnis von Adenin zu Thymin gleicht 1; (c) das Molverhältnis von Guanin zu Cytosin gleicht 1. Und, als unmittelbare Folge dieser Beziehungen, (d) die Anzahl von 6-Aminogruppen (Adenin und Cytosin) ist die gleiche wie die von 6-Ketogruppen (Guanin und Thymin).

In mancher Beziehung war ich der falsche Mann, um diese Entdeckungen zu machen: einfallsreich eher als analytisch; apokalyptisch eher als dogmatisch; aufgewachsen und erzogen, Reklame zu verabscheuen; unbehaglich in wissenschaftlichen Versammlungen; alle Verbindungen fliehend; immer glücklicher unter Jüngeren als unter Weiseren; eher erschreckt durch eine absurde Welt als sie zu verstehen suchend; aber immer dessen bewußt, Tag und Nacht, daß es mehr zu sehen gibt, als ich sehen kann, und sogar noch viel mehr, worüber man schweigen sollte.

Ich glaube nicht, daß mein Aufsatz, der 1950 in »Experientia« erschien [12], viel Eindruck machte. Sogar die hauptsächlichen Nutznießer meiner Beobachtungen zitierten ihn nicht; aber das geschah vielleicht absichtlich. Alles in allem neige ich zu der Ansicht, daß das wissenschaftliche Klima noch nicht bereit war, Gedanken über biologische Information und über ihre Erhaltung und Weiterleitung zu übernehmen, und daß es einer enormen Propagandaleistung — oder, freundlicher gesagt, einer enormen erzieherischen Leistung — bedurfte, um dies zu bewirken. Einer solchen Leistung wäre ich nicht fähig gewesen.

Es ist fast unmöglich, die moralische, intellektuelle und materielle Atmosphäre einer vergangenen Periode zu rekonstruieren, und das sehr im Gegensatz zu der verhältnismäßigen Leichtigkeit, mit der die historischen Begebenheiten, die sich in ihr ereigneten, oft aufgezählt werden können.* Aus diesem

---

* Was Napoleon am 18. Brumaire tat, kann festgestellt werden, nicht aber, was er dachte; und dieses ist wieder nicht dasselbe, wie was er zu denken vorgab. Wenn es sich um die Aufnahme eines Ereignisses durch einzelne handelt, tappen wir noch mehr im Dunkeln. Als ich vor kurzem den Brief-

Grund ist Ideengeschichte ein unsicheres Unternehmen; und das macht die Geschichte der Naturwissenschaften fast unmöglich, es sei denn, daß wir uns mit einer anekdotischen und primitiv chronologischen Schilderung begnügen. Aber dann bekommen wir eine Chronik, keine Geschichte.

Deshalb finde ich es schwer, mit historischer Genauigkeit der Entwicklung meiner Ideen über Nukleinsäuren nachzuspüren. und wenn ich wissen will, worüber ich im Sommer 1948 nachgedacht habe, muß ich in einer Anekdotensammlung nachsehen.[15] Immer viel mehr ein Polymane als ein Monomane, hatte ich mir Gedanken über so viele verschiedene Dinge gemacht!

Jedenfalls kann nicht geleugnet werden — obwohl viele es noch immer gerne leugnen möchten — daß die Entdeckung der Basenkomplementarität in der DNS eine weitreichende Wirkung auf die Entwicklung des biologischen Denkens gehabt hat. Diese Wirkung ist wahrscheinlich noch nicht am Ende, und das »letzte Wort« über irgendein naturwissenschaftliches Problem wird erst gesprochen werden, wenn das bewußte Leben auf unserm Planeten zu Ende gegangen ist; aber die schweren goldenen Siegel, die von der Molekularbiologie an den Bullen angebracht worden sind, machen es immer schwieriger, die Dokumente zum Zusatz weiterer Kodizille wieder zu öffnen. Als ich zwölf Jahre nach unsern ursprünglichen Veröffentlichungen zurückblickte, war ich selbst erstaunt:

> Wenige Fortschritte der jüngsten Zeit haben, ob nun zum Bessern oder zum Schlimmern, eine solche Wirkung auf das biologische Denken gehabt, wie die Entdeckung der Basenpaarung in den Nukleinsäuren. Die Komplementaritätsprinzipien liegen nicht nur den modernen Anschauungen über die Struktur der Nukleinsäuren zugrunde, sondern sie

---

wechsel zwischen Goethe und Schiller las, war ich beeindruckt von der Tatsache, daß die gesamte umfangreiche Korrespondenz, die von 1794 bis 1807 währte und mehr als tausend Briefe umfaßt, nur eine einzige Erwähnung Bonapartes enthält.

bilden auch den Grundstein für alle mehr oder weniger fundierten Überlegungen über die physikalischen Eigenschaften (Denaturierung, Hypochromizität, usw.) dieser Verbindungen, über die Weiterleitung biologischer Informationen von der Desoxyribonukleinsäure zur Ribonukleinsäure, und über die Rolle, die diese in der Überwachung der Synthese spezifischer Proteine spielt. Sie bilden die Grundlage für die gegenwärtige Erklärung des Mechanismus, durch den die Aminosäuren aktiviert werden, bevor sie zur Synthese eines Proteins vereinigt werden; auch in den Versuchen, den Nukleotid-Code zu enträtseln, der für die spezifische Aminosäuresequenz eines Proteins verantwortlich ist, werden sie fortwährend angewandt.[7]

Als ich anfing, mir darüber Rechenschaft zu geben, wie einzigartig die von uns entdeckten Regelmäßigkeiten waren, versuchte ich natürlich zu verstehen, was all das bedeutete, aber ich kam nicht sehr weit damit. Meine Neigungen gingen immer eher dahin, über ein Geheimnis zu staunen, als es den Zuschauern zu erklären. Die meisten werden sagen, daß dies eine höchst unwissenschaftliche Veranlagung ist, und ich fürchte, sie haben recht. Nichtsdestoweniger versuchte ich, Molekularmodelle der Nukleotide zu bauen, da ich aus unsern früheren Arbeiten über die Inosite gelernt hatte, wie wichtig die Betrachtung und Untersuchung korrekter Modelle sein kann: wir konnten das verschiedene Verhalten dieser Verbindungen gegenüber der enzymatischen Oxydation aus den verschiedenen Molekularstrukturen der Isomere ableiten. Unglücklicherweise waren die Atommodelle, die ich besaß, sehr gering an Zahl und übermäßig umfangreich und schwerfällig; kaum hatte ich ein Nukleotid konstruiert, als es schon an einer oder mehreren seiner zahlreichen Verbindungsstellen entzweibrach. Nachdem ich ein Trinukleotid gemacht hatte, war ich am Ende meiner Atome und noch mehr meiner Geduld. Auf diese holprige Weise mit Modellen von Adenin und Thymin spielend, glaubte ich tatsächlich, eine Art von speziellem Zusammenpassen dieser Moleküle zu bemerken — an das entsprechende Guanin-Cytosinpaar erinnere ich mich nicht — aber ich hatte niemals genug Modelle von zwei Nukleotidketten, um etwas Sinnvolles beobachten zu können. Bald verdrängte ich das ganze traumatische Erlebnis, denn als »schrecklicher Komplizierer« — immer zwei Schritte vor der Wirklichkeit voraus — träumte ich von etwas viel Großartigerem als einem einfachen, mit einer Sonderschrift bedruckten Streifen. Ich war nicht willens zuzugeben, daß die Natur blind ist und Braille liest. Tatsächlich kann ich mich noch immer nicht ganz dareinfinden. Auf diese Weise verpaßte ich die Gelegenheit, ein Ausstellungsobjekt in den verschiedenen Ruhmeshallen der Naturwissenschaftsmuseen zu werden. Zum Erfolg in den Naturwissenschaften gehört eine ganz bestimmte Art von Beschränktheit, die mir, obwohl mit vielen andern Arten von Beschränktheit reich gesegnet, immer abgegangen ist.

Unterdessen hatten wir die Veröffentlichung zahlreicher Arbeiten über Nukleinsäurestruktur fortgesetzt, und diese begannen einige Aufmerksamkeit hervorzurufen. Der erste bedeutende Naturforscher, der sich für meine Arbeiten interessierte, war der schwedische Biologe John Runnström. Er lud mich in sein Laboratorium in Stockholm ein, wo ich DNS aus vielen verschiedenen Arten von Seeigelsperma herstellte; auch besuchte er mich in New York. Ich hatte den gütigen und ganz unschwedisch lebhaften Mann sehr gern; er erschien mir als ein Überbleibsel jener großen Naturforscher der Vergangenheit, die Wagemut mit tiefer Ehrfurcht vor der Natur zu vereinen vermochten. Durch ihn lernte ich Georg von Hevesy und Einar Hammarsten kennen. Obwohl Hammarsten überzeugender als irgendjemand den hochmolekularen Charakter der DNS nachgewiesen hatte, schien er durch das, was ich ihm erzählte, nicht beeindruckt. Ganz anders verhielten sich jedoch Hevesy oder Erik Jorpes, ein Forscher, dessen Beiträge zur Biochemie vielleicht nicht die Anerkennung gefunden haben, die sie verdienen.

Zwei hervorragende britische Kristallographen, J. D. Bernal

und W. T. Astbury, hatten schon lange gewußt, wieviel Interessantes aus den Nukleinsäuren herauszuholen war. Astbury besuchte mich in New York, im September 1950, bald nach dem Erscheinen meines »Experientia«-Aufsatzes, und später sandte ich ihm einige meiner DNS-Präparate. Ein jüngerer englischer Biophysiker, M. H. F. Wilkins, besuchte mich ein Jahr später und nahm einige von mir hergestellte DNS-Proben mit. Das war zur Zeit einer Gordon-Konferenz in New Hampton, New Hampshire, an der ich zusammen mit einigen ausgezeichneten Eiweiß- und Nukleinsäurechemikern teilgenommen hatte. Von diesen lebt der wundervolle Linderstrøm-Lang in meiner Erinnerung weiter. Ich hatte Lang zuerst in Stockholm 1947 am Internationalen Cytologiekongreß kennengelernt, als er sich anbot, uns irgendwohin in Upsala zu transportieren. Sein Automobil beschrieb einen komplizierten topologischen Schnörkel; aber als dieselbe kleine Kirche sich meinen Augen zum fünften oder sechsten Mal darbot, sagte ich ihm schüchtern, daß wir uns anscheinend in einem Kreis bewegten. »Was immer es war, es war nicht ein Kreis« antwortete er und verließ die verhexte Bahn. Obwohl ich mich nicht recht erinnere, wohin wir damals fuhren, möglicherweise um Arne Tiselius zu besuchen, ist es offenkundig, daß wir schließlich unser Ziel erreicht haben müssen; sonst könnte ich ja diese Zeilen jetzt nicht schreiben. Jedenfalls war Linderstrøm-Lang als Mensch größer denn als Autofahrer. Mir fallen viele Kollegen ein, von denen ich das Umgekehrte sagen könnte.

Die DNS-Präparate, die ich den Röntgenkristallographen gab, waren, worauf ich sie damals hinwies, für physikalische Untersuchungen nicht gut geeignet. Sie waren mit besonderer Aufmerksamkeit auf chemische Reinheit und Einheitlichkeit hergestellt, jedoch durch völlige Dehydration ihres strukturell wichtigen Wasseranteils beraubt. Was man erhielt, war ein schneeweißer Filz, der sich besonders gut für chemische Untersuchungen eignete, aber die Präparate waren durch den Behandlungsprozeß sicherlich an vielen Stellen gebrochen worden. Tatsächlich stellte sich das alles als nicht besonders wichtig heraus. Während ich in meinem bedächtigen Tempo weiterzugehen gedachte, gab ich mir nicht genug Rechenschaft davon, daß wir an der Schwelle einer neuen Art von Naturforschung standen: einer normativen Biologie, in der die Realität nur dazu dient, Voraussagungen zu bestätigen; und wenn sie das nicht tut, wird sie durch eine neue Realität ersetzt. Was hingegen Dogmen anbetrifft, so erfordern sie überhaupt keine Experimente. So ist denn auch die Struktur der Desoxyribonukleinsäure, wie sie gegenwärtig allgemein angenommen wird, auf einem gänzlich deduktiven Wege vorgeschlagen worden, auf einem Wege, der wirkliche Präparate von Nukleinsäuren, ob hochpolymerisiert oder abgebaut, gar nicht benötigte. »Naturae imperatum est«, »der Natur wurde aufgetragen« — um Francis Bacons berühmte Warnung abzuwandeln*; und ans Parieren hat niemand gedacht.

* »Naturae enim non imperatur, nisi parendo« — »denn der Natur wird nicht befohlen, außer indem man ihr gehorcht«. (Bacon, »Novum Organum«, Abt. 129)

Steter Tropf

Als ich F. H. C. Crick und J. D. Watson erstmals in Cambridge traf, in den letzten Maitagen 1952, erschienen sie mir als ein schlecht zusammenpassendes Paar. Dieses keineswegs denkwürdige Ereignis ist so oft gemalt oder übermalt worden — »Cäsar fällt in den Rubicon« —, retuschiert oder neu gefirnißt; die verschiedenen Auto- und Allohagiographien[15, 16] waren so freigebig mit Wegwerfaureolen, daß sogar ich, mit meinem guten Gedächtnis für komische Vorfälle und meiner großen Bewunderung für die Filme der Marx Brothers, es schwer finde, die ganze legendäre Inkrustation abzukratzen. Ich will die Freilegung des Begebnisses dennoch versuchen, und ich hoffe, daß die sich dabei ergebenden Portraits weniger verzerrt sein werden als das berühmte Selbstbildnis des Parmigianino im Wiener Museum.

Die ganze Sache ging folgendermaßen vor sich. Der Sommer 1952 schien eine ungewöhnlich beschäftigte Zeit werden zu wollen: der Biochemiekongreß in Paris; Vorlesungen am Weizmann-Institut und in einigen europäischen Städten; dazu noch ein weiterer erfolgloser Versuch, wie schon zweimal vorher, eine Professur in der Schweiz aufzutreiben. Mein erster Vortrag war für Glasgow vorgesehen, und auf dem Weg dorthin verbrachte ich den 24. bis 27. Mai in Cambridge, wo John Kendrew eine Wohnung für mich in einem der Colleges, in Peterhouse, besorgt hatte. Bei dieser Gelegenheit bat er mich, mit zwei Leuten im Cavendish-Laboratorium zu reden, die gerade daran waren, sich an die Nukleinsäuren heranzumachen. Was sie eigentlich tun wollten, war ihm nicht klar; er klang nicht sehr hoffnungsvoll.

Der erste Eindruck war wirklich gar nicht günstig; und er wurde nicht besser durch die vielen possenhaften Züge, die das darauf folgende Gespräch belebten, wenn »Gespräch« die richtige Beschreibung von etwas ist, was sich großenteils als eine Stakkatotirade darbot. Um dem Vorwurf eines »crimen laesarum maiestatum« vorzubeugen, muß ich darauf hinweisen, daß mythologische oder historische Paare — Kastor und Pollux, Harmodios und Aristogeiton, Romeo und Julia — vor der Tat ganz anders erscheinen mußten als nachher. Jedenfalls sieht es so aus, als hätte ich den Schauer der Erkenntnis eines historischen Augenblicks verpaßt: einer Veränderung im Rhythmus des Herzschlags der Biologie. Außerdem hielt ich die statistische Wahrscheinlichkeit, daß zwei Genies vor meinen Augen hier im Cavendish-Laboratorium zusammengekommen seien, für so gering, daß ich sie gar nicht in Betracht zog. Mein Unglück war, daß ich die beiden Großen kennengelernt habe, als sie noch außergewöhnlich klein waren; was aus ihren Tornistern heraussteckte, waren wahrhaftig keine Marschallstäbe, und sogar die Tornister waren kaum wahrnehmbar. Mein Urteil war sicherlich rasch und möglicherweise falsch.

Wie sahen also die Figuren aus, die sich da vor mir erhoben? Der eine, Mitte der Dreißig, lebhaft, bleich; eine fleischgewordene — oder besser, knochengewordene — Karikatur Cruikshanks oder Daumiers oder etwas aus Hogarth (»The Rake's Progress«), worüber bei Lichtenberg mehr nachzulesen wäre; die hohe, erregte Stimme eine nie ermüdende Pikkoloflöte, mit einigen in des Geschwätzes trübem Strom glitzernden Goldklümpchen. Der andere, viel jünger, ein dauerndes, eher hinterhältiges Lächeln auf dem noch unentwickelten Gesicht; eine aufgeschossene junge Erscheinung, die mich irgendwie — ich habe es schon früher gesagt[17] — an einen der Schusterjungen aus Nestroys »Lumpazivagabundus« erinnerte. Ich erkannte sofort eine Varietènummer mit zu jener Zeit ausgezeichnet aufeinander eingespielten Partnern, obwohl in spätern Jahren die spiralische Duplizität sich beträchtlich auseinandergeschraubt hat. Das Repertoire hingegen war unerwartet.

Soweit ich es verstehen konnte, wollten die beiden, von keiner Kenntnis der einschlägigen Chemie beschwert, DNS irgendwie als eine Helix formulieren. Der Hauptgrund schien das von Pauling aufgestellte alpha-Helix-Modell eines Proteins zu sein, denn es lag nahe, das dabei erarbeitete Strukturprinzip auf andere große Kettenmoleküle auszudehnen. Ich entsinne mich nicht, ob ich tatsächlich ein in den Dimensionen korrektes Modell einer Polynukleotidkette zu sehen bekam, glaube es jedoch nicht, denn sie waren noch völlig unvertraut mit den chemischen Strukturen der Nukleotide. Worüber sie sich hingegen schon damals viel Sorge machten, und das wahrscheinlich mit Recht, war die korrekte Geometrie ihrer Spirale. Ob die Röntgenuntersuchungen der DNS-Struktur, die Rosalind Franklin und M. H. F. Wilkins zur gleichen Zeit im Londoner King's College unternahmen, überhaupt erwähnt wurden, ist mir nicht mehr in Erinnerung. Da ich — zumindest zu jener Zeit — wenig Vertrauen dazu hatte, daß Röntgenaufnahmen von in die Länge gezogenen und anderweitig gepökelten Hochpolymerpräparaten für die Biologie wichtig sind, ist es denkbar, daß ich nicht genug aufgepaßt habe.

Es war mir klar, daß ich einer völligen Neuheit gegenüberstand: enormer Ehrgeiz und Angriffslust, vereint mit einer fast vollständigen Unwissenheit und Verachtung der Chemie, dieser realsten aller exakten Wissenschaften — eine Verachtung, die später einen sehr schädlichen Einfluß auf die Entwicklung der »Molekularbiologie« haben sollte. Wenn ich an die vielen schweißbedeckten Jahre zurückdachte, die über der Bereitung zahlloser Präparate vergangen waren, an die unzähligen Stunden, die es brauchte, um diese zu analysieren, konnte ich nicht umhin, äußerst verblüfft zu sein. Ich bin überzeugt, daß, hätte ich mehr Kontakt z. B. mit theoretischen Physikern gehabt, ich viel weniger erstaunt gewesen wäre. Jedenfalls, hier standen sie vor mir, spekulierend, mit Hypothesen jonglierend, lüstern nach Auskünften. So erschien es wenigstens mir, einem Menschen, dessen beschränkte Sehkraft allgemein bekannt ist.

Ich sagte ihnen alles, was ich wußte. Wenn sie schon vorher etwas über die Paarungsregeln gehört hatten, so verbargen sie es vor mir. Da sie aber nicht viel über irgend etwas zu wissen schienen, war ich nicht übermäßig erstaunt. Ich erwähnte unsere frühen Versuche, die Komplementaritätsverhältnisse mit der Annahme zu erklären, daß in den Nukleinsäureketten die Adenylsäure immer neben der Thymidylsäure stand und die Cytidylsäure neben der Guanylsäure. Diese Hypothese hatten jedoch wir selbst widerlegt, als wir fanden, daß der stufenweise enzymatische Abbau einem völlig aperiodischen Muster entsprach; denn hätte die Nukleinsäurekette aus einer Anordnung von A-T- und G-C-Dinukleotiden bestanden, so hätten die Regelmäßigkeiten bewahrt bleiben müssen.

Ich glaube, daß das doppelsträngige Modell der DNS die Folge unseres Gesprächs war; aber solche Dinge müssen einem späteren Urteil überlassen bleiben:

Quando Iudex est venturus
Cuncta stricte discussurus!

Als Watson und Crick ein Jahr später ihre erste Mitteilung über die Doppelhelix[18] veröffentlichten, erwähnten sie meine Hilfe nicht und zitierten nur eine kleine Arbeit aus unserm Laboratorium, die 1952 kurz vor ihrer eigenen publiziert worden war, jedoch nicht, wie man erwartet hätte, meine länger zurückliegenden, ausführlichen Übersichtsaufsätze[12, 14].

Später, als die Wirbeltänze der Molekularderwische den Höhepunkt des Taumels erreicht hatten — alles, nicht nur die Biologie, wurde mit einem Mal »molekular« —, wurde ich oft von Leuten, die es mehr oder weniger gut meinten, gefragt, warum nicht ich das berühmte Modell entdeckt hätte. Meine Antwort lautete immer, daß ich zu dumm gewesen sei, aber daß, hätten Rosalind Franklin und ich zusammenarbeiten können, wir vielleicht etwas dieser Art in ein oder zwei Jahren zustande gebracht hätten. Ich zweifle jedoch, daß es uns gelungen wäre, die Doppelhelix zu dem zu erheben, was ich einmal beschrieben habe als »das mächtige Symbol, welches das Kreuz als die Unterschrift des biologischen Analphabeten ersetzt hat«.[19]

Zündhölzer für Herostrat

Als das Artemision — eines der Weltwunder der Antike — 356 v. Chr. in Flammen aufging, wurde ein Mann verhaftet, der gestand, den Brand gelegt zu haben, um seinen Namen unsterblich zu machen. Als die Richter ihn verurteilten, bestimmten sie, daß sein Name in Ewigkeit unbekannt bleiben solle. Bald nachher behauptete jedoch der Historiker Theopompos, des Verbrechers Name sei Herostratos gewesen. Ob dies wirklich der Name war oder ob Theopompos nur jemanden, sagen wir seinen Schwiegervater, ärgern wollte, kann nicht festgestellt werden. Als ich vor kurzem den Namen des Herostrat in einem Aufsatz erwähnte, rief mich der Herausgeber an und sagte, daß niemand im Verlagsbüro den Namen jemals gehört habe, den Richtern von Ephesos derart zu einer verspäteten Genugtuung verhelfend.

Wenn Herostrat die Unsterblichkeit verdient hat, weil er den Artemistempel niederbrannte, so dürfte vielleicht der Mann, von dem er die Streichhölzer erhielt, nicht ganz vergessen sein. Ich bin dieser Mann.

Ich fürchte, daß ich auf Mißverständnis stoße, wenn ich sage, daß alle großen wissenschaftlichen Entdeckungen — oder wie manche sagen würden, alle großen wissenschaftlichen Fortschritte — ein herostratisches Element enthalten, einen unersetzlichen Verlust von etwas, was zu verlieren die Menschheit sich nicht leisten kann. Das wurde wahrscheinlich kaum bemerkt, solange die Naturwissenschaften klein und machtlos waren, und die größten aller naturwissenschaftlichen Geister — der Entdecker des Feuers, der Erfinder des Rades, diejenigen, die als erste solche Begriffe wie Zeit oder Kraft geprägt haben — bleiben als Wohltäter der Menschheit in uraltem Nebel verborgen. Ob Prometheus es verdiente, daß die Adler ihn quälten, kann nicht entschieden werden; die Schöpfer des Mythos glaubten sichtlich, daß die Götter triftige Gründe hatten.

In der Frühzeit der Geschichte bestand anscheinend eine deutliche Trennung zwischen naturwissenschaftlicher Forschung und Technik. Mit wenigen Ausnahmen konnte diese kaum als eine Anwendung der sich der Induktion bedienenden wissenschaftlichen Forschung betrachtet werden, sondern eher als ein mit der Erfahrung wachsender, wenig systematischer Lernvorgang. Mit dem Beginn der modernen Phase der Naturwissenschaften anfangs des 17. Jahrhunderts wurde die Unterscheidung viel schwieriger; und was die letzten 150 Jahre anbetrifft, müßte man sich in jedem bestimmten Falle darüber auseinandersetzen, ob die Wissenschaft die Technik beeinflußt hat oder umgekehrt. Ich will es gar nicht unternehmen, den Gewinn oder Verlust zu wägen.

Die philosophische und moralische Einwirkung der Wissenschaften wechselte mit den geschichtlichen und sozialen Bedingungen. Newtons Physik wirkte sicherlich auf Newton selbst ganz anders als auf Voltaire. Descartes, Malebranche und Diderot mögen dieselben Bücher gelesen haben, aber die von ihnen gezogenen Schlüsse waren verschieden. Es gibt keine Hinweise darauf, daß Pascal seine Mathematik vergessen hatte, als er an der »Apologie« zu arbeiten begann. Die Naturwissenschaft erschütterte den Erschütterlichen und festigte den Festen. Ihre Verwendung als eine ideologische Waffe kam später.

Die Biologie nimmt unter den Wissenschaften einen besonderen Platz ein. Obwohl sie erst spät aus ihrer rein beschreibenden und klassifizierenden Phase herauswuchs, war ihre Wirkung höchst unmittelbar. Nur die Astronomie, zur Zeit von Kopernikus, Tycho, Kepler, Galilei, kann mit ihr verglichen werden. Aber die große Umwälzung in unserer Anschauung der Natur, die von der modernen Biologie hervorgebracht worden ist, hat weder Trauer- noch Ruhmgesang erzeugt, weder John Donnes »The Sun is lost, and th'earth ...« noch Goethes »Die Sonne tönt nach alter Weise ...«

Die großen Namen in der Biologie der letzten Jahre sind Darwin, Mendel und Avery. Der Einfluß Darwins auf Denken und Handeln war fast augenblicklich. In mancher Hinsicht ist er der Richard Wagner der Naturwissenschaften; und es ist nicht ein Zufall, daß ein empfänglicher, zerbrechlicher, zerbrochener Geist wie der Nietzsches — jeder Gedankenstrich ein Strich durch den Gedanken — beiden zum Opfer fiel. Mendels Ruhm brauchte viel länger; sobald jedoch die Genetik als eine eigenständige, obwohl in weiten Kreisen mißverstandene Wissenschaft anerkannt wurde, wurde der Mendelismus ebenso rasch und ebenso schamlos vulgarisiert wie der Darwinismus. Es wäre töricht, diese Forscher für die Missetaten verantwortlich zu machen, die in ihrem Namen begangen wurden — die Schlächter hätten zweifellos andere Schutzheilige finden können —, aber der Gestank, der aus solchen Slogans wie »die Verbesserung der Herrenrasse« herausdringt, mit all den sie begleitenden unerhörten Greueln, wird nie wieder verschwinden. Mendel ist daran völlig unschuldig, nicht ganz so Darwin; aber der hauptsächliche Tadel gebührt den Schlagwortgewaltigen.

Der Einfluß Averys spielte sich auf einer ganz andern Ebene ab. Sein Wirkungsbereich beschränkte sich auf die biologischen Wissenschaften; sein Name ist noch immer in weiten Kreisen unbekannt. Während Mendels Nachfolger nachweisen konnten, daß die von ihm entdeckten Vererbungsregeln auf bestimmte, wirklich existierende Erbelemente zurückzuführen sind, die sich in den Chromosomen vorfinden, deutete Averys Entdeckung auf die chemische Natur dieser Elemente hin, auf die Zusammensetzung der Gene. Die in meinem Laboratorium gesammelten Beobachtungen vervollständigten die Erforschung, indem sie nachwiesen, daß die Desoxyribonukleinsäuren tatsächlich Texte von bestimmten Nachrichtengehalt darstellen können und daß außerdem diese Texte eine völlig neue Eigenschaft gemeinsam haben, nämlich eine höchst seltsame und unerwartete Paarung der DNS-Bestandteile. Diese Entdeckungen waren alle das Ergebnis induktiven Denkens, sie fußten auf zahlreichen experimentellen Beobachtungen, wie das auch bei den darauf folgenden wichtigen Entdeckungen der Fall war, z. B. der Aufdeckung der Mechanismen, durch welche die Nukleinsäuren vervielfältigt werden, und bei der Ergründung des genetischen Code.

Das Doppelhelix-Modell der DNS, das einen sehr großen Einfluß auf die biologischen Wissenschaften hatte, ist etwas ganz anderes. In der Art, wie dieses Modell vorgelegt wurde, stellt es im wesentlichen ein Kunststück der Verpackung dar, ein überaus geschicktes und witziges Denkspiel; und als solches eignet es sich besonders für die kräftige Propagandakampagne, die fast sofort nach seiner Formulierung einsetzte. Zwölf Jahre später, auf den Tumult des Anfangs zurückblickend, schrieb ich die folgenden Sätze: [20]

> Das ist nicht der Ort, um die »histoire intime« einer Entdeckung zu schreiben; aber Sie wissen, daß das hervorragendste charismatische Symbol unserer Zeit — die Wendeltreppe, die hoffentlich in den Himmel führt — Gegenstand einer bemerkenswert eindringlichen Reklame gewesen ist. Es hat als Emblem gedient, es ist auf Krawatten gedruckt worden, es schmückt Briefpapier, es steht vor Gebäuden als Kommerzskulptur. Sogar in die höheren Sphären manieristischer Kunst ist es eingedrungen. Der halbstarre, biegsame Charakter der DNS-Struktur scheint Salvador Dali an seine schmiegsamen Uhren erinnert zu haben; und so hat der Arcimboldi unserer Zeit wiederholt das Porträt einer etwas schlaffen, vielleicht teilweise denaturierten Doppelhelix gemalt.* Wenn Sie in Betracht ziehen, daß kein Echo des Kopernikus sich bei Titian findet und keines von Kepler oder Galilei bei Rubens oder Poussin, so werden Sie vielleicht einiges über unsere Kunst daraus lernen; aber ich fürchte, Sie werden daraus auch etwas über unsere Naturwissenschaft lernen können.

Alle diese fröhlichen Geräusche, dieser überschwengliche Karnevalgeist haben eine bedauerliche Wirkung gehabt:

---

* In einer Dali-Ausstellung in New York im Jahre 1963 trug eines der Gemälde den Titel »Galacidalacidesoxiribunucleicacid« und in einer wortreichen, im Katalog abgedruckten Erklärung kamen die Namen der Erfinder der Doppelhelix in enger Verbindung mit denen von Jesaja und Christus vor.

die meisten Studenten erforschen nicht mehr die Natur; sie überprüfen Modelle.

Recht viele Jahre sind vergangen, seit dies geschrieben wurde. Es ist stiller geworden, denn die Wissenschaft erstickt langsam, teils durch Überproduktion, teils durch Unterfinanzierung. Die üblen Zustände, auf die der letzte Satz meines Zitats anspielt, halten an. Der Texanergeist — »für das Unmögliche brauchen wir bloß etwas länger« — hat in der Wissenschaft viele kurzlebige Triumphe gefeiert; aber die neue Wissenschaft, die aus der Verschmelzung von Chemie, Physik und Genetik hervorging, d. h. die Molekularbiologie, ist herrisch geblieben und dogmatisch. Eines der von ihr verkündeten lästigen Dogmen, das sogenannte Zentraldogma: DNA macht RNA; RNA macht Eiweiß, gilt nicht mehr. (Ich hatte es nie angenommen, wie aus den Vorträgen hervorgeht, die ich 1957 in Moskau und 1958 in Wien hielt.[21, 22]) Aber die Tatsache, daß Dogmen vom Berge heruntergebracht werden konnten, zeigt, wie verhängnisvoll die Naturwissenschaft sich verändert hatte.

Das war die Zeit, da ich mich sehr vereinsamt zu fühlen begann. Weder Land noch Beruf, weder Sprache noch Gesellschaft, und nicht einmal die stille und ehrfürchtige Betrachtung der Natur schienen eine Zufluchtsstätte zu bieten. Wir sterben alle in einem Panzer von Eis, pflegte ich zu sagen. Aber ich war noch nicht 55 Jahre alt. Die folgerichtige, liebevolle und sorgfältige Erforschung des Lebens war durch eine gehetzte und lärmende Jagd nach Sensationen und »Durchbrüchen« ersetzt worden. Eine völlig neuartige Sorte von Naturwissenschaftern erfüllte die Laboratorien und die Kongresse. Ich fragte mich, ob nicht auch ich, wenn auch nur zu einem kleinen Teil, dabei mitgeholfen hatte. Ich beantwortete die Frage mit einem kleinlauten Nein und wiederholte sicherheitshalber die schönen Worte, mit denen im Claudiusgedicht der Krieg abgelehnt wird: »'s ist leider Krieg — und ich begehre / nicht schuld daran zu sein!« Ob ich mich durch diese lyrische Entlastung wirklich der Schuld entledigte, ist eine andere Frage.

Im Lichte der Dunkelheit

Im Jahre 1969 war ich zu einem Vortrag in Basel eingeladen worden. Dieser sollte zwei Zwecken dienen: dem Gedenken an die hundert Jahre, die seit der Entdeckung der DNS durch Friedrich Miescher verstrichen waren, und der Feier des 25sten Jahrestags der schweizerischen naturwissenschaftlichen Zeitschrift »Experientia«. Da mir weder DNS noch auch die Zeitschrift fremd waren — dort war mein alter Übersichtsaufsatz über Nukleinsäuren veröffentlicht worden, in dem ich zum ersten Male die von uns beobachteten Komplementaritätsverhältnisse in DNS publizierte —, nahm ich die Einladung mit Freuden an. Der Vortrag fand an einem angenehmen Maitag statt, in der eleganten, großen Aula der Universität. Der Raum war voll von jungen Leuten, meinem Lieblingspublikum. Es war eine ungewöhnliche, vieles in Frage stellende Menge, zugleich arglos und argwöhnisch, denn es war die Zeit einer großen Gärung unter den Studenten der ganzen Welt, einer Erhebung zu neuen und undefinierbaren Horizonten. Das Vorjahr hatte den einzigartigen Pariser Aufstand vorbeiflackern sehen, vielleicht den letzten Versuch der Jugend, sich Luft zum Atmen zu verschaffen. Aber all das sollte sich leider bald verflüchtigen, ohne richtige Spuren zu hinterlassen, ganz im Gegensatz zu der romantischen Bewegung vor 150 Jahren, an die mich die neue Begeisterung in mancher Beziehung erinnerte. Die jungen Leute waren sicherlich nicht gekommen, um nur mich anzuhören; der bedeutende Ökologe Nikolaas Tinbergen sollte über Ethologie sprechen. Natürlich bestand das Publikum nicht ausschließlich aus Studenten; viele Naturforscher von höchstem Rang waren ebenfalls anwesend. Einer davon, der berühmte organische Chemiker Leopold Ruzicka folgte trotz seinen 82 Jahren meinen Worten mit lebhafter Aufmerksamkeit, und als ich zu Ende war, stand er auf und sprach einige viel zu schmeichelhafte Worte über mich.

Vor der Wahl meines Gegenstands hatte ich viel über die anziehende Gestalt Friedrich Mieschers nachgedacht, denn er erschien mir als einer der seltenen Forscher, die ich als »die Stillen im Lande« zu bezeichnen pflegte. Ich machte mir auch Gedanken darüber, wie in stilleren Zeiten eine neue wissenschaftliche Idee entstehen und sich entwickeln konnte. Um ein wissenschaftliches Konzept erfolgreich zu formulieren, müssen viele Vorbedingungen erfüllt sein, und diese Voraussetzungen müssen in einer ganz bestimmten synchronen Weise aufeinander eingewirkt haben. Erstens muß der richtige Mann sich die richtige Frage vorlegen. Dies mag ein scheinbar zufälliges Geschehnis sein, und eines, das viel öfter vorfällt, als wir uns Rechenschaft geben; denn wir können weder Lessings »unglücklicherweise ohne Hände geborenen Raphael« erkennen noch Thomas Grays »stummen ruhmlosen Milton«. Mit andern Worten, auch in den Naturwissenschaften mag es vorkommen, daß einer muß, aber nicht kann. Weniger dem Zufall überlassen ist, daß dieser Mann ein Publikum finden muß, d. h. er muß veröffentlichen und Leser finden können; und das ist wahrscheinlich sogar in den bukolischen Tagen des letzten Jahrhunderts nicht so leicht gewesen. Aber wichtiger als alles andere ist, daß die Zeit reif sein muß, sowohl für die Frage als für die Antwort. Es gibt viele Beispiele dafür, daß, was eine Zeit in ihr Herz aufnimmt, mit ihr stirbt. Wissenschaftliche »Bestsellers« sind alles in allem nicht dauerhafter als andere »Bestsellers«; und man hätte sagen können, daß die Tatsache, daß Mieschers Arbeiten zu seinen Lebzeiten so wenig Widerhall fanden, ein gutes Omen für ihren dauernden Wert war.

Dieser Vortrag — im wesentlichen eine recht zwanglose Übersicht über hundert Jahre Nukleinsäureforschung — wurde schließlich zu einem Essay umgeschrieben, der den Titel trug: »Vorwort zu einer Grammatik der Biologie«. Da ich der Meinung war, daß er ein breiteres Publikum erreichen sollte, bot ich den Aufsatz der deutschen Monatsschrift »Merkur« an, aber der befremdete Herausgeber lehnte ihn ab und so erschien er schließlich in der Zeitschrift »Experientia«[5]. Dort bekam ihn der verstorbene Sam Granick von der Rockefeller-Universität zu Gesicht, ein guter und anständiger Biochemiker, und der Aufsatz machte einen solchen Eindruck auf ihn, daß er von sich aus dem Herausgeber der Zeitschrift »Science« schrieb, mit der Anregung, eine englische Übersetzung zu veröffentlichen. Obwohl ich die Muttersprache immer als die Sprache definiert hatte, aus der man nicht übersetzen kann, gab ich dem Drängen nach, die Übersetzung ins Englische selbst auszuführen, und in dieser Form[23] wurde er vielleicht der meistgelesene unter allen meinen Aufsätzen.

Vor kurzem, als ich ein Buch fertig machte, in dem auch dieser Aufsatz erscheinen sollte, fiel mein Auge auf den letzten Absatz. Ich will diese Stelle hier zitieren, denn sie versucht etwas auszudrücken, was den Mittelpunkt meiner Einschätzung unserer gegenwärtigen Naturwissenschaften bildet. So zögernd die Worte auch klingen mögen, ich glaube, sie sind gültig.

> Mir scheint, daß der Mensch nicht ohne Geheimnisse leben kann. Man könnte sagen, die großen Biologen arbeiteten geradezu im Lichte der Dunkelheit.* Wir sind dieser fruchtbaren Nacht beraubt worden. Schon gibt es keinen Mond mehr; nie wieder wird er Busch und Tal still mit Nebelglanz füllen! Was wird als nächstes gehen? Ich fürchte, ich werde mißverstanden werden, wenn ich sage, daß durch jede dieser wissenschaftlich-technologischen Großtaten die Berührungspunkte zwischen Menschheit und Wirklichkeit unwiederbringlich verringert werden.

Jemand, der diese Worte gelesen hatte, sagte zu mir: »Sie scheinen die Naturwissenschaften nur so lange hochzuhalten, wie sie keinen Erfolg haben. Beleuchtete Dunkelheit wird Licht.« Und ich konnte nur erwidern: »Was ist Erfolg in der Naturwissenschaft? Beleuchtete Dunkelheit ist nicht Licht. Wir weilen in der Höhle der unbeschränkten Möglichkeiten. Wenn Sie eine Taschenlaterne mit sich nehmen, wird es sich mög-

---

* In der deutschen Fassung hieß es hier »im Lichte der Geheimnisse«. Anläßlich der englischen Übersetzung veränderte ich diese Worte zu »in the very light of darkness«, und so möchte ich sie auch in den deutschen Text einfügen.

licherweise zeigen, daß Sie sich nur in einer Rumpelkammer befinden. Wenn ich weiß, was ich finden soll, will ich es nicht einmal finden. Ungewißheit ist das Salz des Lebens.« Und er sagte: »Wenn Sie Dunkelheit sagen, meinen Sie Finsternis.« Ich leugnete es; aber ich glaube nicht, daß wir zu einem Ausgleich kamen.

Dieses Gespräch versetzte mich in uralte Zeiten zurück. Ich war zwölf und dachte mir Wahlsprüche aus oder sonstige Leitmotive für mein künftiges Leben. Diese waren, wie es sich gehörte, heraldisch und deshalb auf Lateinisch, denn so geziemt es sich für das Wappenschild eines Untergymnasiasten. Da gab es »oculis apertis« oder »larvatus prodeo«, aber am häufigsten erschien als Wappentier der Maulwurf und er sagte »fodio in tenebris«. »Ich grabe im Dunkeln« sagte der Maulwurf und war hoffnungslos unterirdisch. Auf der Erde mag die Sonne geschienen haben; aber tief unten, da war das stilisierte Tier und beschäftigte sich mit seinen blinden Ausgrabungen. Verändern wir uns denn wirklich während unseres Lebens? »Denn wie du anfiengst, wirst du bleiben«, schrieb Hölderlin in seinem Gedicht »Der Rhein«. Wir schauen auf die eingeschrumpfte, zahnlose Helena und begreifen nicht, daß, wenn sie einst war, sie ewig bleiben wird: die schönste aller Frauen. Auch ich habe versucht, meinen Anfängen treu zu bleiben.

Woran ich mich von meinen Anfängen erinnere, ist der wahrhaft lyrische Schauder, mit dem ich die Natur betrachtete. Ich bin nicht sicher, daß ich wußte, was ich mit Natur meinte. Sie war das Blut und die Knochen des Weltalls, sein Auf- und Untergang, Blühen und Verwelken, Firmament und Friedhof. Der Wechsel der geistigen und stofflichen Gezeiten, das Schweben zwischen Zukunft und Vergangenheit, die geheimnisvollen Schicksale des ewig währenden Steins und der kurzlebigen Fliege: sie erfüllten mich mit Bewunderung und Ehrfurcht. Natur, so schien es mir, war fast das ganze Nicht-Ich, der ganze Nicht-kleiner-Junge. Hätte mich jemand damals gefragt, ob ich mir nicht wünschte, hinauszutreten in die Welt und einige dieser Rätsel der Natur zu beseitigen, ich glaube nicht, daß ich ihn verstanden hätte. War ich nicht aus der Dunkelheit, die meine Vergangenheit und meine Zukunft gleichmäßig umhüllte, hervorgegangen, war nicht sie es, die mich aufrecht erhielt? Ein kleiner Bub beginnt damit, das Verständliche nicht verstehen zu können; aber wenn er alt wird, sieht er oft von dem weg, was nicht verstanden werden kann. Ich bin dankbar dafür, daß das Schicksal mich vor dieser Art von Blindheit bewahrt hat. Umgeben von einem Übermaß gelöster Rätsel, bin ich noch immer davon betroffen, wie wenig wir verstehen. Ich möchte nicht soweit gehen zu behaupten, daß Wissen und Weisheit einander ausschließen; aber sie sind keineswegs kommunizierende Gefäße, und der Stand des einen ist ohne Einfluß auf den des andern. Mehr Leute haben Weisheit gewonnen aus Nichtwissen, welches nicht dasselbe ist wie Unwissenheit, als aus Wissen. (Ich möchte an den mittelenglischen mystischen Traktat erinnern, der den schönen Titel trägt: »The Cloud of Unknowing« — »Die Wolke des Nichtwissens«.)

Es kommt mir daher vor, daß, wenn ich als Kind in einem großen Walde saß, ich mich damit begnügte, seine Unendlichkeit zu bewundern, ohne nach den Namen der einzelnen Bäume zu fragen. Dies kam später, und es kamen sogar Zeiten, da ich zu graben begehrte; aber mein Wahlspruch blieb unverändert: ich grabe im Dunkeln. Mit 15 Jahren begann ich Pascals »Pensées« zu lesen, wahrscheinlich bevor ich wußte, was für ein großer Naturforscher Pascal war. Wir übernehmen von andern nur, was wir schon in uns selbst besitzen. Was ich von Pascal übernahm, war vielleicht die Tiefe und die Intensität der Beobachtung, aber nicht die Rasiermesserschärfe des »Geistes der Geometrie« oder die knappe Eleganz seiner Prosa. Von ihm überzeugt, daß auch ich ein »denkendes Schilf« bin, war es mehr das Substantiv als das Adjektiv, dessen ich mir bewußt war. Seine Behauptung, daß witzige Menschen schlechte Chaktere seien, tat mir weh, denn ich war stolz darauf, selbst ein witziger Kopf zu sein.* Nichtsdestoweniger dachte ich, daß

* Es gibt einen tiefen Witz und es gibt einen seichten Witz. Dieser lebt

Pascal mich würde lehren können, wie ein von tiefem religiösen Nachdenken erfülltes Leben mit einem wissenschaftlicher Forschung gewidmeten Leben vereinbar sein könne, obwohl es möglich ist, daß er diesem entsagen mußte, bevor er sich jenem widmen konnte.

Hätte ich, mit solchen Jugendneigungen, nicht daran denken sollen, ein Künstler oder ein Schriftsteller zu werden? Aber ich war für jenen Beruf völlig unbegabt und hatte nicht Mut genug für diesen. Dabei hatte ich das Unglück, viele Dinge gut und nichts hervorragend machen zu können. Ich hatte Musik gern, aber ich war ein ungeschickter Klavierspieler; ich war ins Schreiben verliebt, aber meine eigenen Versuche erfüllten mich mit Ekel. Schon als ein Kind war ich ein nüchterner Beobachter meiner selbst; ich hatte ein starkes Gefühl für das Lächerliche, besonders soweit es meine eigene kleine Persönlichkeit betraf. Es gab keinen Beruf, den ich, wie ich mich so ansah, frei hätte wählen wollen, keine Berufung, der ich hätte folgen können. Was ich am liebsten tat, war zu lesen, und ich war ein abscheulich gelehrtes Kind; aber ich hätte niemals daran gedacht, von meinem Wissen Gebrauch zu machen. Ich war eine Monade auf der Suche nach einem Geschick, das es nicht gab. Schon als Kind scheine ich eine starke Neigung zu dem gehabt zu haben, was Unamuno »das tragische Lebensgefühl« genannt hat. Ich habe nie so viel ans Sterben gedacht wie damals, und als Kind bin ich ein großartiger Theoretiker der »ars moriendi« gewesen.

Was ich schon zu jener Zeit besaß — es hat mich niemals verlassen — war ein Traum von einer Wirklichkeit, die wir nur tangential berühren können, eine Scheu vor dem Numi-

---

im Geplapper der Conférenciers und in der trostlosen Wüste des Vergnügungs- und Journalistenbetriebs. Jener aber ist tot. Das Verschwinden des Witzes als einer menschlichen Geistestätigkeit, als des rapiden Rapiers assoziativen Denkens, die völlige Abwertung des Witzes im lexikalischen Bestand fast aller Sprachen sind ein Symptom des Absterbens des Sprachgefühls in unserer Zeit. Denn im Witz schlug die Sprache die Augen auf, sah, daß es gut war, und lachte.

nosen in der Natur, dessen Macht gerade auf seiner Unerreichbarkeit beruht. Es war ein Gefühl für den Sinn der Dunkelheit im Leben des Menschen. In der Sixtinischen Kapelle, wo Michelangelo die Schöpfung des Menschen darstellt, sind der Finger Gottes und der Adams nur durch einen kleinen Raum getrennt. Diesen Abstand nannte ich die Ewigkeit; und dort, so fühlte ich, war ich ausgesandt zu reisen.

Daß dies eine Reise ohne Ziel sein könnte, bekümmerte mich nicht. Wie oft habe ich gesagt, daß nur der Weg gilt, nicht das Ziel? Allerdings könnte eingewendet werden, daß Jakob Böhme nicht auf zwei Dezimalen genau zu sein brauchte, und daß Mystiker es nicht notwendig hatten, sich mit elektronischen Taschenrechnern auszurüsten. Aber wir leben in seltsamen Zeiten. Außerdem konnte, als ich in die Naturwissenschaften glitt, ein naiver junger Mann sich noch einbilden, daß er sich dem Studium der Natur widmete. Es mag allerdings nur meiner Einfältigkeit zuzuschreiben sein, aber ich wurde erst spät in meinem Leben der Trennung der Naturwissenschaften von der Natur gewahr. Jedenfalls ist das Wort Natur für mich noch immer gleichbedeutend mit der höchsten Form der Wirklichkeit.

In einem früheren Kapitel habe ich beschrieben, wie ich, ein junger Mann von schwachem Antrieb, in die Wissenschaft geriet. Was man sich wirklich wünscht, wenn man jung ist, ist, die fürchterliche schwarze Bestie zu überwältigen, die »Zukunft« heißt. Jedenfalls wählte ich — und auch dies aus leichtfertigen Gründen —, was mir als die am wenigsten problematische unter den Naturwissenschaften erschien: die Chemie. Wien war weit entfernt von dem nicht nur sensorischen Gestank, der den Leunawerken entströmte; und sogar wenn ich ihn hätte riechen können, zweifle ich, daß er mich der vielen großen Gefahren bewußt gemacht hätte, welche die chemische Industrie für unser Überleben auf Erden bedeutet. Wie es mit allen guten Dingen im Leben geht, scheinen wir die Umwelt erst bemerkt zu haben, als sie sich zu verschlechtern begann. Zurückblickend gewinne ich den Eindruck, daß mein Leben nicht im Gleichtakt mit meiner Umgebung war, und daß für mich die Biedermeierzeit erst 1933 zu Ende ging.

Als ich mein Doktorat an der Universität erwarb, bekundete das Diplom, daß ich Chemie studiert hatte. Dies schien mir das Recht, und zu jener Zeit auch die Fähigkeit, zu verleihen, diese Wissenschaft in allen ihren Abteilungen zu betreiben. Das Spezialistentum hatte damals in den Naturwissenschaften, wie in allen andern Fächern, noch nicht so stark um sich gegriffen, wie es seither geschehen ist. Natürlich beschloß man, entweder ein anorganischer oder ein analytischer Chemiker zu werden, ein physikalischer Chemiker oder ein Organiker, ein chemischer Technologe oder ein biologischer Chemiker; aber die Schranken waren schwach und leicht wegzurücken. Die Richtung, die man einschlug, war von allerhand Umständen diktiert, und nur sehr selten von der Vorliebe, denn alle Teile der Wissenschaft hingen zusammen. Die scheinbare Freiheit der Wahl erzeugte ein Gefühl der Freiheit, das den Naturwissenschaften jetzt leider völlig abhanden gekommen ist. Das Zusammenschrumpfen des Spielraums geht mit einer radikalen Veränderung in der Art der Menschen einher, die sich den verschiedenen Disziplinen widmen; oder es hat sie sogar verursacht. Die Naturwissenschaft ist ein harter und erbarmungsloser Meister geworden, und dazu noch ein völlig humorloser.

Ich besaß ein Diplom. Machte mich das zu einem Naturforscher? Natürlich nicht. Wie wird man ein Naturforscher? Ich wollte, ich könnte die Stationen beschreiben; sie sind schlecht beleuchtet. Außerdem sind die Etappen in den verschiedenen Zweigen der Naturwissenschaften nicht gleich. Die genau umgrenzten Gehege der Physik oder Chemie sind eine Sache, der riesige und anscheinend küstenlose Ozean der Biologie eine völlig verschiedene. Der Geologe weiß, was unter Erde verstanden wird, die er sogar in seinem Namen mitführt; aber weiß der Biologe, was Leben ist? Viele Forscher sind gerade durch den Reiz der Geheimnisse in zahllose konzentrische Kreise von Dunkelheit gezogen worden. Tatsächlich war das der hauptsächliche Grund, warum ich die mir beigebrachte Chemie auf

Probleme des Lebens anwenden wollte. Der tiefsinnige Lichtenberg hatte mich gelehrt, daß die Leute, um irgend etwas zu finden, zuerst wissen müssen, daß es existiert. An dieser Zuversicht hat es mir während meines ganzen Lebens niemals gefehlt. Was jedoch mit dem Älterwerden schwächer wurde, war die Überzeugung, daß die Art und Weise zu forschen, wie wir sie gewählt hatten, die richtige war.

Das Gefühl, daß es immer mehr gibt, als er finden kann, daß er nur Fetzen aus einem unentwirrbaren Zusammenhang herausreißt, bildet einen Teil meiner Definition eines Naturforschers. Diese Definition paßt auf wenige meiner Zeitgenossen, und sicherlich nicht auf die «erfolgreichen«. Was ist Erfolg in der Naturwissenschaft? Preise, Titel und andere Ehrungen, Geld in Haufen? Manche würden sagen, Ruhm und ein bleibender Name. Aber wie lange bleibt »bleibend«? Die Winde der Mode, diese unergründlichen Winde, blasen Staub auch auf die glitzerndsten Errungenschaften. Die Gefahr ist groß, daß Professor Ozymandias schon lange vor seinem Tod komisch aussehen wird.* Die Kataloge der Bibliotheken werden ihn als »Mandias, Oskar (›Ozzy‹)« anführen, und bald wird es nicht einmal Bibliotheken geben.

Viele von denen, die jetzt in die Naturwissenschaften eintreten, sind von den Winden der Mode getrieben — etwas, wovor ich in meiner Jugend völlig bewahrt war —, und sie werden versuchen, sich an jemanden anzuschließen, der der Strömung des Augenblicks folgt oder, noch besser, selbst zu denen gehört, die die Strömung erzeugen. Einige unter diesen jungen Leuten werden im Laufe ihrer Lehrzeit vielleicht zu Wissenschaftern werden, aber die meisten nicht. Sie werden nur Spezialisten werden, Fachleute. Die Art von Individuation, die der Entstehung eines wirklichen Naturforschers vorhergeht,

* In Shelleys berühmtem Sonett wird die prahlerische Inschrift auf dem völlig zertrümmerten Denkmal eines Großherrschers aus alter Zeit vorgestellt:

»My name is Ozymandias, king of kings:
Look on my works, ye Mighty, and despair!«

kann ich nicht beschreiben; aber unter den Tausenden von wissenschaftlichen Gewerbetreibenden, die ich in meinem Leben getroffen habe, hat es vielleicht zwanzig oder dreißig gegeben, denen ich die Bezeichnung »Naturforscher« hätte verleihen wollen. Ich bin oft im Zweifel gewesen, ob ich mich einbezogen hätte.

Es ist geradezu die Macht der Mysterien, die nach meiner Meinung den wahren Naturforscher antreibt; dieselbe Kraft, blind sehend, taub hörend, unbewußt gedenkend, welche die Larve in den Schmetterling treibt. Wer nicht wenigstens einige Male in seinem Leben diesen kalten Schauder im Rückgrat gespürt hat, diese Konfrontation mit einem ungeheuren, unsichtbaren Gesicht, dessen Atem ihn zu Tränen rührt, ist nicht ein Naturforscher. Je schwärzer die Nacht, um so heller das Licht. Wer wußte dies besser als San Juan de la Cruz, als er in der finstern Nacht seine Seele auf ihre ewige Suche sandte?

> ... sin otra luz y guia
> sino la que en el corazón ardia.

(... mit keinem andern Licht und Führer / als dem Licht, das in seinem Herzen brannte.)

Brennen wir nicht immerfort auf den Scheiterhaufen des Giordano Bruno oder Servetus? Faulen wir nicht ewig im Verlies des Galilei? Stirbt nicht ein jeder von uns vor Durst in seiner eigenen Wolke des Nichtwissens? So viele Fragen; keine Antworten.

Aber wenn ich auf die hell beleuchtete Bühne unserer gegenwärtigen Wissenschaften blicke, wie verschieden ist das Schauspiel! Durchbruch jagt Durchbruch; und es gibt immer noch Platz für mehr, solange die Geldmittel reichen. Ein Ding führt zum nächsten, und am Ende werden wir alles wissen. »Geld ist der Same der Naturwissenschaften« hätte ein moderner Tertullian schließen können; obwohl er, an den letzten Weltkrieg denkend, die Tautologie hätte vollziehen und an die Stelle von »Geld« »Blut« setzen können. Und welcher

Dünkel, welche Überheblichkeit! Ich kann mir nicht vorstellen, daß ein eminenter Käsehändler aufstehen und ausrufen könnte, er sei ein eingefleischter Käsehändler, denn er wüßte, daß sogar an einem Edamer oder Emmenthaler mehr daran ist, als sein Gehirn umfassen kann. Aber habe ich nicht erst vor kurzem gesehen und gehört, wie einer unserer hervorragendsten wissenschaftlichen Würdenträger aufsprang und in offener Versammlung ausrief, daß er ein unverbesserlicher »Reduktionist« sei? Gebt ihm und seinesgleichen einfach ein bißchen mehr Zeit und viel mehr Geld, und während sie zwischen EMBO und NATO hin und her fliegen, zwischen NIH und CNRS und MRC, werden ihre »post-docs« noch fleißiger sein müssen, und bald wird es keine Geheimnisse mehr geben und der ewige Tag völligen Wissens wird angebrochen sein.*

Und wie viele unserer Großen haben laut verkündet, daß wir noch mehr Naturwissenschaft benötigen, d. h. mehr von ihnen selbst? Dies vermutlich ganz im Gegensatz zu der alten ägyptischen Priesterschaft, deren Mitglieder vielleicht gar nicht darauf gekommen waren, daß es einer kritischen Masse von Summern bedurfte, bevor der Nil dazu überredet werden konnte zurückzukommen.

Es ist daher keineswegs erstaunlich, daß ich mich während meines ganzen Lebens als Forscher so allein gefühlt habe, schmerzlich des Unterschiedes bewußt, der mich von fast allen mir bekannten Naturwissenschaftern trennte. Wir begannen alle auf die gleiche Weise, aber dann liefen unsere Pfade auseinander, und ich mußte einen einsamen Weg gehen. Nicht ich

* Ob zu jener Zeit eine völlig verwüstete Erde noch »homo non nimis sapiens« tragen wird, weiß ich nicht. Aber unterdessen werden Raumsonden das Weltall nicht nur mit dem genetischen Code und dem Bild eines Schimpansen vertraut gemacht haben, sondern auch mit Herrn Jimmy Carters Stimme auf Band oder Platte — natürlich in der Annahme, daß das Weltall sich mit passender Hi-fi-Ausrüstung, vermutlich »made in Japan«, versorgt haben wird. Alle Befürchtungen wurden zerstreut, als man erfuhr, daß komplette Gebrauchsanweisungen und eine Ersatznadel in der idiotischen Kapsel enthalten waren.

habe ihn gewählt; er wählte mich. In unserer gedankenlosen Zeit, die jeden Gedanken in Anführungszeichen setzt und Außenseiter damit bestraft, daß sie ihnen dumme Spitznamen anhängt, bin ich ein »Einzelgänger« (»maverick«) oder eine »Bremse« (»gadfly«) genannt worden. Aber ich glaube nicht, daß solche Bezeichnungen den Fall entscheiden werden, noch habe ich, im Gegensatz zu den lästigen Insekten, jemals einen besonderen Geschmack für Ochsenblut gehabt, d. h. ich habe angesichts meiner Kollegen niemals vampirische Gelüste verspürt.

In den Naturwissenschaften gibt es immer einen gordischen Knoten mehr als es Alexander gibt. Man könnte fast sagen, daß die Naturwissenschaften, wie sie gegenwärtig betrieben werden, eine Anordnung darstellen, mit deren Hilfe jeder gordische Knoten, wenn er einmal durchschnitten ist, zwei neue Knoten erzeugt, usw. Aus einem als gelöst angesehenen Problem entstehen hundert neue; und so ist die Mythe von der Grenzenlosigkeit der Naturwissenschaften entstanden. Tatsächlich sehen viele Wissenschaften jetzt so schwach und abgezehrt aus wie Mütter, die zu viele Kindbetten durchgemacht haben.*

Die Beobachtung, daß es ebenso viele oder sogar etwas mehr Philosophien als Philosophen gibt, hat mir immer viel Freude gemacht, denn sie zeigte mir, daß die Philosophie ein wahrhaft menschliches Unternehmen ist. Die gleiche Freiheit der Wahl besteht sicherlich nicht für einen Physiker oder Chemiker. Das eiserne Mieder der Axiome, Gesetze und Theorien, und, ebenso wirksam, der Zwang, den die gegenwärtig in den verschiedenen Wissenschaften zugelassenen Methoden ausüben, verhindern Abweichungen und Flüge der Phantasie. Die meisten Naturwissenschaften neigen zu Voraussagen und die meisten ihrer Ergebnisse sind voraussagbar. Für mich, würde ich jedoch sagen, beginnt das wahre Interesse erst dort, wo diese Eigenschaften nicht mehr gelten, d. h. wo die Dunkelheit herrscht als Drohung und Lockung. Die gastfreundliche Beleuchtung der

---

* Ich habe die Grenzen der Wissenschaft in einem vor kurzem erschienenen Aufsatz zu erwägen versucht.[24]

Naturwissenschaften, an die wir uns gewöhnt haben, hat viel zu viele wissenschaftliche Mücken angezogen.

Ist da etwas zu machen? Der Versuch, eine unerträgliche Lage zu verbessern, wird gewöhnlich herabsetzend als utopisch bezeichnet. Der Entwurf einer Utopie stammt tatsächlich aus der Verzweiflung über die bestehende Welt. Dieses Gefühl der Verzweiflung muß am Ende der »aurea aetas« entstanden sein, oder, wenn man das vorzieht, kurz nach der Vertreibung aus dem Paradies. Es war ein durchaus berechtigtes Gefühl. Wenn ich die Rolle unserer gegenwärtigen Naturwissenschaften, nach allgemeiner Ansicht blühend wie nie zuvor, betrachte, bin ich nicht in der Lage zu entscheiden, ob ihre übermächtige Vorherrschaft die Ursache für das Verschwinden der religiösen Empfindung war oder durch dieses hervorgebracht wurde. Es besteht jedoch wenig Zweifel, daß die Naturwissenschaften ganz und gar eine Ersatzreligion geworden sind, wobei sie die erforderliche Doppelrolle spielen: für die Laienöffentlichkeit die der geheimnisvollen Unverständlichkeit, für die Ausübenden die eines Mittels zum Broterwerb. Die erste Aufgabe könnte leicht durch einen andern Glauben oder Aberglauben erfüllt werden, aber nicht die zweite. Die Ausweitung der Naturwissenschaften zu einer Massenbeschäftigung, wie sie während meines Lebens begann, brachte mit sich die Notwendigkeit ihres fortwährenden Wachstums — in dieser Hinsicht andern zum Wachsen verurteilten Sagengestalten ähnlich, wie dem »Bruttosozialprodukt« — nicht, weil es soviel mehr zu entdecken gibt, sondern weil es so viele gibt, die dafür bezahlt werden wollen. Jeder, auch der bescheidenste Reformversuch wird daher mit unaufrichtigem Geschrei über die »Freiheit der naturwissenschaftlichen Forschung« aufgenommen; und darauf folgt dann sofort die Bildung aller Arten von druckausübenden Klüngeln, die alle unter dem bereits fadenscheinigen Banner des Galilei marschieren. Als Freiheitskämpfer verkleidete Entrepreneurs mögen grotesk aussehen, aber sie sind gewöhnlich wirksam, denn wenig ist so unwiderstehlich wie die Triebkraft der Geldbörse.

Am Anfang dieses Berichtes beschrieb ich die Wirkung, welche die Atombomben von Hiroshima und Nagasaki auf mich und mein Verhältnis zur Naturwissenschaft ausübten. Wenn ich seit jener Zeit über die Richtung nachdachte, die die Naturwissenschaften eingeschlagen hatten, hatte ich das Gefühl, daß es so nicht mehr viel länger weitergehen konnte; andererseits, wie ein Jahr nach dem andern verfloß, konnte ich nicht umhin zu bemerken, daß es so weiterging. Ich hätte daraus den Schluß ziehen sollen, daß apokalyptische Talente zur Voraussage der Zukunft nicht viel taugen. Was ich mir aber wirklich sagte, war, daß die Zukunft immer ein bißchen weiter weg ist, als es dem Auge des Propheten scheint. Berufspessimisten behalten alles in allem am Ende recht, wenn man sie nicht allzu strikt auf ein Zeitmaß festlegt. Die meisten Leute gehen der Kassandra aus dem Wege, denn sie wissen, daß sie nur die unangenehmsten aller Möglichkeiten vernehmen werden. Trotzdem und ungeachtet des von mir ausgehenden Aromas von Verfall und Untergang, bin ich oft nach meinen Gedanken über die Zukunft der Naturwissenschaften gefragt worden. Hier, mehr oder weniger, ist meine Antwort.

Ein Naturforscher, der sich dialektischen Betrachtungen über Wissenschaft hingibt, wird sofort mit einem Dilemma konfrontiert: einerseits das wunderschöne Ebenmaß der Wissenschaft, ihre Regelmäßigkeit, ihre Offenheit, die große Anziehung, die sie auf einen scharfen und suchenden Geist ausübt; andererseits die verrohenden und grausamen Verwendungen, zu denen sie mißbraucht werden kann, die Brutalität des Denkens und der Phantasie, die aus ihr hervorgegangen ist, die immer zunehmende Arroganz der sie Ausübenden. Keine andere geistige Tätigkeit besitzt so widerspruchsvolle Züge. Kunst, Dichtung, Musik üben keine Macht aus; es ist unmöglich, sie auszunützen oder zu mißbrauchen. Wenn Oratorien morden könnten, hätte das Pentagon schon längst »musikalische Forschung« unterstützt.*

* Wissenschaftliche Beobachtungen können jedoch zum Übeln verwendet

Wer sich mit Voraussagen befassen will, kann als Realist handeln oder als Utopist. Wählt er jenes, so wird er den beiden Seiten des vorher erwähnten Dilemmas gleich viel Beachtung zollen. Will er ein Utopist sein, wird er — aus Respekt für seinen Vorgänger Tommaso Campanella — nur auf der Sonnenseite wandeln, ohne sich um die schwarzen Schatten zu kümmern, die die Gegenwart werfen mag. Da ich zu der ersten Möglichkeit hinneige, will ich annehmen, daß die Naturwissenschaften, wenigstens noch für einige Zeit, auf dem Wege fortfahren werden, den sie um 1940 eingeschlagen haben: eine immer größere Fragmentierung unseres Naturbildes; eine rasch fortschreitende Spezialisierung, welche die wissenschaftlichen Fächer immer weiter voneinander wegtreiben wird; ein ungeheurer Anstieg der zur Erhaltung und Ausdehnung der naturwissenschaftlichen Einrichtungen erforderlichen Ausgaben, und damit eine immer weiter werdende Kluft zwischen Anspruch und Leistung.

Ich sehe nur zwei Sicherheitsventile gegen den gefährlich ansteigenden Kesseldruck. Angesichts der schweren Zeiten, denen sie entgegengehen, werden vielleicht den Staaten, einem nach dem andern, die Geldmittel zu fehlen beginnen; und zweitens, jedoch nicht ohne Beziehung dazu, mag es geschehen, daß es den Naturwissenschaften bald an einer genügenden Anzahl junger Lehrlinge fehlen wird. Es ist jedoch schon oft beobachtet worden, daß Sicherheitsventile sich gewöhnlich zu spät und in die falsche Richtung öffnen. (Dies könnte als das »Seveso-Syndrom« bezeichnet werden.)

---

werden, auch wenn sie sich später als falsch herausstellen. Lange bevor man begann, die Nerventätigkeit zu verstehen, wurden Nervengase fabriziert. Tatsächlich sind viele abscheuliche Dinge auf Grund falscher Hypothesen gemacht worden, aber dies beeinträchtigte nicht ihre Abscheulichkeit. Für unser lückenhaftes Verständnis ist der Tod kein besonders spezifischer Vorgang. Während es (vorläufig!) nur einen Weg gibt, geboren zu werden, gibt es viele Wege zu sterben, und das mit Hilfe zahlreicher chemischer und physikalischer Vorgänge.

Schließlich wird natürlich auch dies ein Ende finden, vielleicht weil die Gehirne dann so voll von Blei oder Quecksilber sein werden, daß sie die althergebrachten Programme der Computer nicht mehr werden verstehen können. Auch wird die Menschheit zweifellos so viele andere Sorgen haben, daß unsere Art, Naturwissenschaft zu betreiben, sozusagen durch ein Versäumnisurteil verschwinden wird, wie dies mit vielen andern, anscheinend unentbehrlichen Institutionen in der Vergangenheit geschehen ist. Riesenhafte historische Veränderungen werden gewöhnlich nicht erkannt, während sie vor sich gehen; und es ist durchaus möglich, daß das Hinscheiden unserer Art von Wissenschaft schon einige Zeit vor sich gegangen ist, ohne daß man es gemerkt hat.

Ich möchte jedoch dieses Kapitel nicht auf diese finstere Art beenden, sondern lieber mit einem arkadischen Pastell. Bevor dies geschieht, sollte ein Einwand erledigt werden. Den Kritikern der Naturwissenschaften wird gewöhnlich vorgeworfen, daß sie den Fortschritt behindern. Aber was bedeutet der Ausdruck »Fortschritt der Naturwissenschaften«? Kann die Naturwissenschaft in quantitativen Begriffen gemessen werden, kann sie einem Fünfjahrplan unterliegen? Sind sechs Lehrsätze der Thermodynamik besser als drei, sind die höchsten Schmelzpunkte die besten? Gibt es eine optimale Geschwindigkeit für das Wachstum der Wissenschaften, ist »schneller« dasselbe wie »besser«? Und wenn wir schon dabei sind, muß alles wachsen? Auf keinem andern Gebiet geistiger Betätigungen hat die viktorianische Verzerrung der Fortschrittsidee so viel Schaden gestiftet wie in der wissenschaftlichen Forschung. Die Prager, die Mozarts »Don Giovanni« bei der Premiere von Herzen applaudierten, mögen meinetwegen noch an die Existenz des Phlogistons geglaubt haben; und dennoch lebten sie in einer bessern Welt. Ich weiß nicht, ob es des Guten zuviel geben kann, aber ich bin davon überzeugt, daß das Wachstum der Naturwissenschaften, wie auch aller anderen Dinge, mit Mäßigung gehandhabt werden muß. Ich glaube, daß unsere Welt die Wissenschaft zu schnell vorantreibt, ebenso wie sie die Vernunft zugunsten der Schlauheit mißachtet.* Stete Neugier höhlt das Hirn.

Wenn es die eigentliche Aufgabe der Naturwissenschaften ist, die Wahrheiten der Natur zu ergründen, die Wirklichkeit der Welt zu enthüllen**, so sollte solches Lehren höhere Weisheit mit sich bringen, eine größere Liebe zur Natur und, in manchen, eine tiefere Bewunderung für die Gewalt der Gottheit. Indem sie uns unmitelbar mit etwas unermeßlich Größerem, als wir selbst sind, konfrontiert, sollte die Naturwissenschaft dazu dienen, die Grenzen des Elends der menschlichen Existenz zurückzudrängen. Auf Männer wie Kepler oder Pascal hat sie vielleicht diese Wirkung gehabt. Unenträtselbare Kräfte haben jedoch die Wissenschaften daran gehindert, in dieser Richtung weiterzugehen. Aus einem Unternehmen, dessen Ziel es war, die Natur zu verstehen, sind sie ein Beruf geworden, der sich damit betraut fühlt, die Natur zuerst zu erklären und dann zu verbessern. Die Vorstellung von den Naturwissenschaften als einer Versuchsstation für neue Naturphänomene oder als einer Reparaturwerkstatt für alte, die nicht mehr gut funktionieren, hat seltsame Folgen gehabt. Sie hat zu einer Überbetonung der mechanischen Gesichtspunkte geführt: wie die erforderlichen Räder und Getriebe funktionieren, um die erwarteten Wirkungen zu erzielen und die vorausgesetzten Ziele zu erreichen. Generationen von Wissenschaftern haben viele endgültige und überzeugende Erklärungen gegeben, aber die Erklärungen veränderten sich mit den Zeiten.

---

* Wenn es jemandem gelänge, anstatt des IQ, des Intelligenzquotienten, so etwas wie den HQ, den Humanitätsquotienten, auszuarbeiten, so würden sich höchst erstaunliche Testresultate ergeben.

** »Wirklichkeit« und »Realität«, obwohl sie jetzt dasselbe ausdrücken, haben sehr verschiedene Stammbäume. In »Wirklichkeit« — wie auch im entsprechenden Wort des Russischen — sind das Wirken, das Werk, also das Handeln enthalten, während in den vom lateinischen *res* abgeleiteten Wörtern des Englischen und der romanischen Sprachen die Dinglichkeit betont wird. Man könnte also von einem Forscher sagen, daß er die Wirklichkeit der Welt untersucht, aber ihre Realität vernachlässigt; und von einem andern das Umgekehrte.

Ich weiß nicht, ob die Analogie stimmt, aber ich kann nicht umhin, an die bedauernwerte Tatsache zu denken, daß, sobald ein Kind herausgefunden hat, wie das mechanische Spielzeug funktioniert, dieses nicht mehr existiert. Obwohl in der wissenschaftlichen Forschung die Untersuchung das Objekt gewöhnlich nicht mit ähnlicher Unwiderruflichkeit verbraucht, scheint sie die Richtung der Denkprozesse zu beeinflussen und oft auch deren Spielraum zu begrenzen. Das Gewicht, das auf Mechanismen gelegt wird, hat eines der Übel unserer Zeit erzeugt: den Fachmann. Es hat Körpermechaniker aus Ärzten gemacht und Zellmechaniker aus Biologen; und wenn man den Philosophen noch nicht einen Gehirnmechaniker nennen kann, so ist das nur ein Zeichen seiner Rückständigkeit.

Ich sehe nur eine Rettung: die Rückkehr dazu, was ich »kleine Wissenschaft« nennen möchte. Im Gegensatz zu den großen, gläubigen Thomasen — Morus, Campanella — habe ich das von mir beschriebene Nimmerland gesehen. Von dort bin ich hergekommen, von der Wissenschaft der Zwanziger oder Dreißigerjahre dieses Jahrhunderts; dort haben meine Zeitgenossen begonnen. Die Zeiten waren sicherlich ebenso bestialisch wie jetzt, obwohl auf eine andere Weise; aber die Anstalten waren klein, und klein war die Anzahl der Wissenschafter, die in ihnen arbeiteten. Das langsame Tempo der Entdeckungen machte es der Öffentlichkeit und auch den Forschern selbst verhältnismäßig leicht, sich ihnen anzupassen. Es gab viel weniger Lärm, denn in der Tat, jetzt sind es die zahllosen in der Wüste rufenden Stimmen, welche die Wüste erzeugt haben.

Der Wunsch nach einer Rückkehr zu einer andern Art von Naturwissenschaften gründet sich auf ästhetische und ethische Erwägungen — zwei philosophische Gebiete, die von der Philosophie der Naturwissenschaften anscheinend vernachlässigt worden sind. Geradeso wie die großen Naturforscher sich von einer Vision der Harmonie des Weltalls haben leiten lassen, ist alles Schöne auf der Welt schön vermöge seiner Gestalt. In den »Enneaden« schreibt Plotin:

> Wir behaupten, daß die Dinge in dieser Welt schön sind, indem sie an der Form teilhaben; denn jedes formlose Ding, das von Natur aus fähig ist, Gestalt und Form zu erhalten, ist häßlich und vom göttlichen logos ausgeschlossen, so lange es keinen Anteil an logos und Form hat. Das ist die absolute Häßlichkeit.[25]

Ich würde sagen, daß genau das mit der naturwissenschaftlichen Forschung geschehen ist: sie ist ungestalt geworden.

Selbstverständlich befürworte ich nicht eine Rückkehr zu der Art von Naturwissenschaft, die Plotin gefallen hätte, gar nicht zu reden von seinem Meister Plato. Sie hätten wahrscheinlich das, was wir tun, als menschlicher Anstrengung unwürdig erklärt. Viel eher hätte es Aristoteles sein können, der sich in unsern Laboratorien zu Hause gefühlt hätte, obwohl auch er gewichtige Einwände gegen die unüberlegte Weise, in der wir unsere nicht leicht verständlichen Tätigkeiten ausüben, erhoben hätte. »Was ist der Zweck deiner Handlungen?«, hätte er fragen können. »Was willst du erzielen? Größere Reichtümer? Billigere Hühnchen? Ein glücklicheres Leben, ein längeres Leben? Willst du Macht über deine Nachbarn? Fliehst Du nur vor deinem Tod? Oder bist du auf der Suche nach größerer Weisheit, tieferer Frömmigkeit?«

Die Geister, denen ich begegne, sind immer höchst geschwätzig, und diesem hier hätte ich sicherlich keine Antwort geben können; umso weniger als ich der Meinung bin, daß der Sinn und das Ziel der Naturwissenschaften verfinstert oder sogar verwischt worden sind, nicht nur durch die Riesenhaftigkeit der Räume, in die sie sich ausgedehnt haben, sondern auch durch die Horden von Halbeingeweihten, die alles zusammentrampeln. »Thyrsigeri multi, paucos afflavit Iacchus« *. Dies mag

* Daß es viele Thyrsusträger gibt, aber nur wenige, die Bacchus' Atem verspürten, ist eine alte Klage. »Übrigens war ich erstaunt zu finden, daß die berühmte entsprechende Stelle in Matthäus 20,16 über die vielen Berufenen und die wenigen Auserwählten im Text meines griechischen Neuen Testaments als Lesart in eine Fußnote verwiesen ist, während sie

einmal wahr gewesen sein; aber jetzt muß der arme Bacchus, statt Bacchanale zu arrangieren, sich über die Beschaffung des Geldes Sorgen machen, mit dem er alle diese hungrigen Thyrsusträger bezahlen soll.

Was ich mir wünsche, ist die Einführung oder eigentlich die Wiedereinführung von Arbeitsbedingungen, die es einem Mann, vielleicht zusammen mit zwei oder drei jüngeren, möglich machen, seine Forschung auf eine ruhige und würdige Weise auszuführen. Ich möchte den Lärm und das Geschrei und die Volksmassen des Sportplatzes oder der Zirkusarena ferngehalten sehen. Dies kann voraussichtlich erst geschehen, wenn es keine Mammutkredite mehr gibt, noch auch das von ihnen bedingte Schlagwortdreschen, also dann, wenn solche Floskeln wie »wissenschaftlicher Durchbruch« und »Schwerpunkte der Vorzüglichkeit«, »interdisziplinäre Teamforschung« und »Peer Review« üble Erinnerungen an eine häßliche Vergangenheit geworden sind. Sanft und ehrfürchtig wird der Forscher der Zukunft, dieses blasse Gebilde meiner Träume, versuchen, das, was in der Natur ruht, freizulegen; und die Art, in der er es tut, wird den Wert des von ihm Gefundenen bestimmen. Er wird die grauen Streifen zerfressener Natur, die seine Meßmaschinen zurückzulassen pflegen, zu vermeiden suchen; und er wird, soweit er kann, sich fernhalten von METHODE, diesem Bulldozer der Wirklichkeit. Er wird langsam sein, denn er wird einer von wenigen sein. Er wird sich von der unabänderlichen Schickung Rechenschaft geben, die darin besteht, daß zwischen ihm und der Welt immer die Schranke des menschlichen Gehirns liegt. Aber vor allem wird er sich der ewigen Dunkelheit bewußt sein, die ihn umgeben muß, während er die Natur erforscht.

---

sich in der Vulgata und in den verschiedenen mir zugänglichen Übersetzungen im Haupttext vorfindet.

III. Die Sonne und der Tod

Le soleil ni la mort ne se
peuvent regarder fixement.
La Rochefoucauld

Eine Medaille aus echtem Silber

Es ist Anfang Oktober 1974, und ich sitze in meinem alten Büro in der Medizinschule. Es ist ein kleines Zimmer ganz am Ende einer Flucht von Laboratorien, voller Bücher und Papiere, voll von Haufen neu erschienener Zeitschriften, deren hohe und unregelmäßige Stöße, innerhalb weniger Monate angesammelt, verzweifelte Arme zum Himmel zu strecken scheinen, als brächten sie ein Opfer dar dem Staub und der Eitelkeit irdischen Wissens. Das Zimmer besitzt die Art von Unordnung, aus der, was immer man will, sofort bezogen werden kann, wenn auch nur durch den Eingeweihten. Das Prinzip von Poes gestohlenem Brief ist hier befolgt: was die Uneingeweihten nicht lesen sollen, ist zur bequemen Besichtigung angeboten.

Als ich einzog, war es ein hübsches Zimmer, mit einer schönen Aussicht auf den Hudson und die grünen Küsten von New Jersey. Anfang 1951 war die Besitznahme erfolgt, und die Rockefeller Stiftung und der U. S. Public Health Service hatten großzügig dazu beigetragen, daß ich eine sehr brauchbare Gruppe von Laboratorien bauen lassen und ausstatten konnte, die wir das Laboratorium für Zellchemie nannten. Viele junge Leute waren durch diese Räume durchgegangen, Studenten und neugebackene Doktoren; einige waren hochbegabt, die meisten waren anständig; Hochzeiten wurden gefeiert, Kinder wurden geboren; niemand starb. Das Laboratorium war ein wirklicher Mikrokosmos, vielleicht mehr »mikro« als »Kosmos«. Das Geklatsche und die Eifersüchteleien des Instituts, der übliche kleinliche Zeitvertreib einer Universität — nur die russische Sprache vereinigt in einem Wort so viel leere und öde Schäbigkeit: das Wort ist «pošlost'« — all dies kam nur langsam und stückweise zu uns, denn sechs Stockwerke trennten uns von dem Hauptquartier der biochemischen Abteilung.

Aber jetzt, 24 Jahre später, wie ich da in meinem Zimmer sitze, ist die schöne Aussicht dahin, Wasser und Himmel sind hinter einer Masse hoher Gebäude verschwunden, die Schatten sind länger geworden. Es ist, als hüllte ein bitteres Mißbehagen die Wissenschaften ein. Nichts scheint mehr zu gehen, wie es sollte. Was ist die Ursache, was das Symptom? Die Naturwissenschaft hat an beiden teil: schuldig wenn gesegnet, schuldig wenn verdammt.

Andere Schatten, nur für mich bestimmt, sind auch dunkler und drohender geworden. Staub hat sich gelegt, nicht nur auf meine Bücher, sondern auch auf mein Haar, und dieser will nicht weggehen. Ich bin ein alter Mann, und wie ich hier in meinem Büro sitze, lesend und schreibend, fällt mir der alte deutsche Studentenreim ein: »Auf dem Dache sitzt ein Greis, der sich nicht zu helfen weiß«. In Wirklichkeit gehöre ich nicht zur Gattung der Hilflosen; aber damit, was man jetzt allenthalben antrifft, habe ich mir nie Rat schaffen können, nämlich mit der Art von forschen Forschern, die darauf aus zu sein scheinen, der Menschheit nagelneue Naturgesetze zu verkaufen, als wären es gebrauchte Automobile. Ein Gefühl für die tastende Natur des Erkennens; ein Begriff von dem vorläufigen und fragmentarischen Charakter aller menschlichen Einblicke in die Natur; ein Bewußtsein davon, wie viel Anmaßung und Voreiligkeit sogar das tiefste Verständnis begleiten, wenn es sich anschickt, verallgemeinernde Feststellungen über das Leben zu machen: all das wird ein Teil des Vermächtnisses sein, mit dem die vielen Jahre den alternden Forscher belastet haben. Ist er auch nur halbwegs gut, wird er viel bescheidener geworden sein.

Jede Gegenwart verwirft das Beste und das Schlechteste und klammert sich an die Mittelmäßigkeit, als wäre sie die Mutterbrust. Für den einsamen Arbeiter oder Denker, wie er über die Hindernisse nachdenkt, die er auf seinem Wege findet, über die ihm begegnende Böswilligkeit, die flüsternden Gerüchte, die didaktischen Dummheiten der etablierten Welt, erhebt sich die Gefahr milden Größenwahns. Er wird sich dessen erinnern, was größere Männer über die Art gesagt haben, in der die Welt sie empfing, z. B. an Goethes Worte in seinen Gesprächen mit Kanzler Müller (23. November 1823): »Das ist die alte Erfahrung; sobald sich etwas Bedeutendes hervortut, alsobald erscheint als Gegensatz die Gemeinheit, die Opposition. Lassen wir sie gewähren, sie werden das Gute doch nicht unterdrükken.« Oder Jonathan Swift in »Thoughts on Various Subjects«: »When a true Genius appears in the World, you may know him by this infallible Sign; that the Dunces are all in Confederacy against him.« (Wenn ein wahres Genie in der Welt erscheint, könnt Ihr es an diesem unfehlbaren Zeichen erkennen: daß die Trottel alle im Bunde gegen es vereint sind.)

Aber das Opfer hätte unrecht, sich diese Trottel — Duns Scotus hat es nicht verdient, als der sprichwörtliche Dummkopf in den englischen Sprachschatz einzugehen — zu Herzen zu nehmen. Die Trottel sind einfach gegen alle Nichttrottel, und sie tuen dazu noch etwas, was sogar Swift nicht vorausgesehen hat: sie erwählen ihre eigenen Genies aus ihrem Kreise und zwingen sie der Nachwelt auf, welche, selbst von einer ähnlichen Schicht angeführt, mit großer Wahrscheinlichkeit die Entscheidung ihrer Vorgänger gutheißt. Das Genie — wer könnte es wagen, diese Bezeichnung leichthin anzuwenden? — ist etwas überaus Seltenes, besonders in der Naturwissenschaft.* Was mich anbelangt, bin ich ihm nie begegnet, obgleich ich auf einige sehr talentierte Naturforscher getroffen bin.

An diesem klaren blauen Oktobermorgen sitze ich noch an meinem Schreibtisch, als, ohne anzuklopfen, eine kleine Patrouille in mein Laboratorium einmarschiert, unter der Leitung des Dekans der Medizinischen Fakultät. (Ein Dekanat in Amerika ist keineswegs eine Ehrenstellung, sondern hat viel handfestere Attribute.) Er wollte das Zellchemielaboratorium irgendeinem jungen Mann zeigen, der für eine klinische Grup-

---

* Ob es in den Wissenschaften so etwas wie ein Genie geben könne, ist viel diskutiert worden. Kant leugnet es nachdrücklich (Kritik der Urteilskraft § 47), Jean Paul widerspricht und will diesen Begriff auf die »erfindenden« Philosophen anwenden, aber nicht auf die »sichtenden« (Vorschule der Ästhetik § 11). Heutzutage wird mit dem Ehrentitel so sorglos umgegangen, daß er jeden Sinn verloren hat.

pe engagiert werden sollte. Diese Ovation, ganz im Stile Swifts, erfreute mich nicht so, wie sie es hätte tun sollen, denn es wurde mir plötzlich klar, daß Columbia diese elegante Art gewählt hatte, um mir zu bedeuten, daß vierzig Jahre genug seien und ich mich jetzt entfernen solle. Das ereignete sich drei Monate nach meinem offiziellen Rücktritt.

Noch früher, weniger als zwei Wochen, nachdem ich das ominöse Alter erreicht hatte, wurde mir vom Büro des Vizepräsidenten der Universität mitgeteilt, die Universität sei nicht mehr in der Lage, für von mir selbst gestellte Anträge auf Forschungsbeihilfe gutzustehen. Es wurde mir nahegelegt, jemanden zu finden, der das Gesuch an meiner Statt zu unterzeichnen bereit wäre. Dies lehnte ich natürlich ab, und so fand eine uralte Beziehung ihr Ende. Ich befürchtete nämlich, daß ich viel zu korpulent geworden war, um mich hinter einem Mittelsmann verstecken zu können: ich hätte auf allen Seiten herausgeschaut.

Schäbigkeit ist so sehr in das innerste Gefüge unserer Institutionen eingebaut, daß niemand, der in ihnen eine lange Zeit verbracht hat, sich darüber beklagen dürfte, daß sie seien, wie sie sind. Alles kam genau so, wie ich es erwartet hatte. Außerdem bewies die Universität ihre Dankbarkeit: sie veranstaltete ein Abendessen für die zurücktretenden Institutsvorstände; es gab kurze, rührende Ansprachen, und wir erhielten eine Art von Erinnerungsmedaille, die, wie der Dekan mir zuflüsterte, aus echtem Silber hergestellt war.

Kaufhaus des Wissens

Die moderne amerikanische Universität ist eine rechte Ungeheuerlichkeit geworden. Ich spreche von den geistigen Warenhäusern, wie ich sie in meinem Leben kennen gelernt habe. Dies mag nicht immer so gewesen sein, denn ich nehme an, daß die kleinen »Colleges«, wie sie im letzten Jahrhundert auf dem amerikanischen Kontinent existierten — provinzielle Papiermachémodelle von Oxford und Cambridge — alles in allem recht liebenswerte Anstalten waren, der sogenannten höheren Bildung gewidmet. Möglicherweise war nicht viel Hohes oder Gebildetes an ihnen; dennoch erfüllten sie, besonders vor dem Bürgerkrieg, die Aufgabe, jungen Leuten zu helfen, in die Gesellschaft hineinzuwachsen, in eine Gesellschaft, die noch wußte, was sie wollte, oder wenigstens es zu wissen glaubte. Daß, was sie wollte, den Samen kommenden Unheils in sich trug, scheint niemand vorausgesehen zu haben, obwohl Henry Adams oder etwas später Santayana sich recht treffende Gedanken darüber gemacht haben.

Der schnelle Dehumanisierungsprozeß — eine Art von progressiver Umkehrung des Individuationsvorgangs — der über das Land kam und es in den gegenwärtigen Angsttraum verwandelte, erzeugte paradoxerweise ein Anschwellen der Leere; einen Verlust des Richtungssinnes, selbst wo es keinen Zweifel über die Richtung geben konnte; eine hohle Verzweiflung. Die Auflösung des Kerns, das Verschwinden dessen, was ich aus Mangel an einem besseren Wort individuellen Charakter nennen möchte, wurden vielleicht zuerst im Verfall der Sprache deutlich. (Man braucht nur einen vor, sagen wir, 150 Jahren geschriebenen amerikanischen Text mit einem entsprechenden aus unseren Tagen zu vergleichen, um zu sehen, was ich meine.) Dies war von einem bösartigen Anwachsen aller Institutionen und der dazugehörigen Bürokratien begleitet; von dem Ersatz der Wirklichkeit durch ihr »Image«, d. h. durch die angebliche Spiegelung im trüben Spiegel einer brutal aufgedrängten, jedoch tatsächlich nicht vorhandenen öffentlichen Meinung; von der Verzerrung aller alten Werte, von denen frühere Generationen sich hatten leiten lassen; von der Entdeckung, daß menschliche Bestrebungen und Leistungen am besten mit Bargeld eingelöst werden. »In der Hölle hat alles seinen Preis«, pflegte ich, als ich jung war, zu sagen.*

Die Schulen, und besonders die höheren Lehranstalten, waren natürlich unter den ersten, die von diesen Mißbildungen betroffen wurden. Sie kamen völlig von ihrem eigentlichen Zweck ab, verschlungen vom Strudel einer Verbrauchergesellschaft, in der, was oben hineingeht und unten herauskommt, nicht mehr unterschieden werden kann. Die Entscheidung, ob ein bestimmter Brei Nahrung oder Exkrement war, blieb den sogenannten Erziehungsfachleuten überlassen, und sie änderten ihre Meinung sehr oft. Nach einiger Zeit, da alles schlechter geworden war, machte das auch wenig Unterschied.

Als ich 1928 zuerst an die Yale-Universität kam, hatte sich die Überzeugung, daß Weisheit en gros billiger war, noch nicht durchgesetzt. Obwohl man an dem Klassencharakter der großen Universitäten kaum zweifeln konnte, übten sie ihre Aufgabe, die Jugend der höheren Klassen für eine Karriere im Geschäfts- und Finanzleben vorzubereiten, recht anständig und zurückhaltend aus. Die Yale-Universität war zu jener Zeit viel eher ein College als eine richtige Universität; und die Stu-

---

* Eine Gesellschaft ,die nur aus Sklaven besteht, muß einen Meister erfinden. Dieser Meister kann »Volkswille«, »öffentliche Meinung« oder etwas derartiges genannt werden, aber natürlich gibt es ihn nicht. Da Hirngespinste leicht einschlafen, muß der Meister wach gehalten werden, und dies geschieht mit Hilfe einer fortwährende Manipulation und Propaganda gestattenden Vorrichtung, einer Gehirnwäscherei, mit der die sogenannten Massenmedien betraut sind. Mehr Lügen werden dem Volk an einem Tag erzählt, als Beelzebub während seiner ganzen Geschäftsführung sich hätte ausdenken können. Und alles ohne ein formelles Propagandaministerium; kein Goebbels wird benötigt. Das System funktioniert fast automatisch; also könnte Beelzebub doch daran beteiligt sein, wie an allen Automaten. Die Wege des Teufels liegen so klar zutage, daß wir sie nicht bemerken.

denten der unteren Jahrgänge — stattliche junge Männer mit Babygesichtern — erfüllten die ganze Stadt. Ich nehme an, daß sie damals gerade damit beschäftigt waren, ihren letzten Goldfisch zu verdauen, denn die Periode von »Whoopee«, »Speakeasies« und Waschbärpelzen lief gerade aus, und an ihre Stelle rückte ein grimmiges Amerika, das nie wieder den Lebensgenuß der höhern Stände zurückgewinnen sollte.

Die eigentliche Universität — Herrn von Humboldts »Spirituelles De Luxe Motel« — trat viel weniger in Erscheinung. Seichte Berühmtheiten, wie Prof. William Lyon Phelps, verdankten ihren flüchtigen Ruhm der Geschicklichkeit, mit der sie die Studenten in einem Zustand erhabener Schläfrigkeit erhielten. Die »Graduate School« und die keineswegs zahlreichen Studenten, die an Dissertationen arbeiteten, blieben fast unsichtbar. Die amerikanischen Universitäten waren noch Kolonien eines Europa, das selbst fast aufgehört hatte zu existieren. Dies war nicht der einzige Umstand, der mich an das sterbende Rom erinnerte. Aber die ausgezeichnete Bibliothek versöhnte mich mit vielen Unannehmlichkeiten. Einige Jahre zuvor, als ich manchmal Bücher aus der ehrwürdigen Nationalbibliothek in Wien bezog, war ich überrascht, wenn mir Werke von Pico della Mirandola oder Swedenborg in den Originalausgaben des 16. oder 18. Jahrhunderts übergeben wurden. Das war jedoch nichts im Vergleich mit Yale. Ich hatte freien Zugang zu dem Hauptmagazin der Bibliothek, und ich kam nicht mehr aus dem Staunen heraus über die Schätze, die ich selbst anfassen durfte. Zumindest in dieser Beziehung kann ich behaupten, daß ich auch in Yale erzogen worden bin.

Als ich einige Jahre später in die Vereinigten Staaten zurückkehrte, um mich in der Columbia-Universität zu vergraben, fand ich eine ähnliche, jedoch schäbigere und lebhaftere Anstalt. Die große ökonomische Depression der früheren Dreißigerjahre war noch nicht zu Ende. Tatsächlich haben Depressionen und Rezessionen fast mein ganzes Leben interpunktiert. Wenn nicht das Land, in dem ich lebte, heruntergekommen war, so waren es ich oder meine Familie. Nur meine ersten fünf Jahre waren frei davon gewesen.

Daß Columbia ein lebhafterer Ort war als Yale, hatte viel mit der Tatsache zu tun, daß sich die Universität in New York befand, wo sich eine Menge intellektueller, künstlerischer und anderer Zerstreuungen anbot. Sogar die wirtschaftliche Notlage trug zur Belebung der Universität bei. Die »Graduate School«, viel bedeutender als die der Yale-Universität, war hauptsächlich von Studenten aus vor kurzem eingewanderten Familien bevölkert. Das verheißene Land, auch wenn es wenige seiner anderen Verheißungen erfüllte, gestattete ihren Kindern den Zugang zu der kostenlosen, gründlichen und ausgezeichneten Erziehung im »City College«. Die irischen, italienischen und jüdischen jungen Leute, die als Doktoranden an die Columbia-Universität kamen, waren im ganzen anständig, fleißig und intelligent, und sie fanden viele hervorragende Professoren vor, mit denen sie arbeiten konnten. Ich habe keineswegs die Absicht, mich als Fra Angelico zu verkleiden, wie er das Paradies malt; aber zu jener Zeit war Columbia eine gute Universität: d. h. sie gestattete vielen jungen Leuten, sich selbst zu finden. Was aus Columbia jetzt geworden ist, ist eine andere und traurigere Geschichte; aber es ist auch die Geschichte des ganzen Landes und sogar der ganzen westlichen Welt. Das Gesicht des 21sten Jahrhunderts sieht durch alle Fenster herein.*

Was aber Columbia während meines ganzen Aufenthalts zu einer so bemerkenswert unangenehmen Anstalt machte, ist schwer zu erklären. Daß die Universität sich mitten in einer ungeheueren und rohen Stadt befindet, mag etwas damit zu tun haben. Wenn man die Untergrundbahn verließ und in

* Die Menschen haben sich immer vor der Zukunft gefürchtet, und sie haben immer viel Grund dazu gehabt. Was jedoch unsre Zeit, wenigstens für mich, auszeichnet, ist das völlige Verschwinden des »Prinzips Hoffnung«, besonders bei der Jugend. Die furchterregend überhandnehmende Drogensucht ist sicherlich dadurch verursacht. Die einzige noch vorhandene Hoffnung ist jetzt injektionsbereit.

die Universität eintrat, verspürte man kaum eine Veränderung der Atmosphäre. Aber das kann nicht den seltsamen genius loci erklären, den ich als völlige Abwesenheit von Tradition beschreiben würde. Wir sind alle erzogen worden, Tradition als etwas Lächerliches zu betrachten. Als John Kendrew mir einmal in Cambridge mitteilte, daß nur die »Fellows« von Peterhouse und ihre Gäste das Recht hatten, den College-Rasen zu betreten, mag mir das als einem Bewohner des »Central Park« komisch erschienen sein. Als man mir einmal in Padua den Hof der Universität zeigte, dessen Wände ganz von den schönen Wappenschilden der Studenten aus dem 17. Jahrhundert eingenommen waren, als man mich ehrfürchtig zum Lehrstuhl des Galilei führte oder in das erste anatomische Amphitheater der Welt, so mag mir als Kontrast der gegenwärtige Anblick noch trauriger erschienen sein. Als einmal, vor einer Audienz beim Papst, die Kämmerer schnell eintraten und »Papa, Papa!« ausriefen, hat mich das vielleicht an den letzten Akt des »Rosenkavalier« erinnert; aber es hat noch mehr getan. Tradition ist oft beschwerlich wie ein Mieder aus Stahl; aber wenn der Rücken schmerzt, hilft auch dieses. Traditionstreue ist oft eine trügerische, leere Sache; aber ihr Fehlen in Columbia machte sich bemerkbar.

Ich will mich mit wenigen Beispielen begnügen. Avery, von dessen großer Wirkung auf die moderne Biologie ich bereits gesprochen habe, hatte 1904 das »College of Physicians and Surgeons« der Columbia-Universität absolviert. Ich hatte wiederholt versucht, die Universität dazu zu bringen, in irgendeiner Form dieser denkwürdigen Tatsache zu gedenken, jedoch völlig ohne Erfolg. Ganze Gebäude, Hörsäle oder Laboratorien sind mit den Namen verschiedener Geldsäcke oder, wie sie häufig heißen, Philanthropen verziert, aber für Avery war kein Platz. Schoenheimer, der die moderne Biochemie revolutionierte, war in seinem eigenen Institut so vergessen, daß, als mich vor einigen Jahren ein Historiker der Naturwissenschaften um einige Memorabilien bat, nicht ein Zettel zu finden war und nur unter den größten Schwierigkeiten eine Photographie.

Der Mangel an Kollegialität, der unpersönliche Charakter aller Beziehungen und manches andere wurden jedoch durch eine liebenswerte Eigenschaft teilweise wieder gutgemacht: die Universität war aufs angenehmste unterverwaltet. Man wurde weitgehend in Ruhe gelassen; und ein Professor hätte leicht in seinem Büro sterben und sein Gehalt viele Monate weiterbeziehen können, bevor ominöse Anzeichen die Reinigungsmannschaft dazu veranlaßt hätten, seinem Zimmer einen ihrer seltenen Besuche angedeihen zu lassen. Wie vieles andere, veränderte sich auch das als Folge der »Revolution« des Jahres 1968, von der sich die Universität niemals erholt hat. Um sich vor berechtigten oder grundlosen Angriffen zu schützen, haben sich die Universitäten mit einem dicken Verwaltungsgehäuse umgeben. Gleichzeitig sind sie von einer besonders bösartigen Form des bürokratischen Krebses befallen worden; die zahlreichen neu geschaffenen Verwaltungsposten zeigen keinerlei Kontakthemmung und fahren fort, zusätzliche unproduktive Stellungen zu erzeugen. Aus diesem Grunde hat das sogenannte »overhead« (Betriebskosten), das von den Anstalten den sie unterstützenden Behörden berechnet wird, phantastische Höhen erklommen, in manchen Fällen 100 % oder mehr des eigentlichen Forschungskredits. Die Universitäten haben angefangen, wie wissenschaftliche Durchgangslager auszusehen, in denen man ein Laboratorium oder ein Büro mit Hilfe dieses »overhead« mietet, und wenn man den Kredit verliert, wird man hinausgeschmissen.

Die Funktion der amerikanischen Mittelschulen im vergangenen Jahrhundert und die der amerikanischen Colleges und Universitäten im gegenwärtigen war, so scheint es mir, ein bißchen Zivilisation zu vermitteln. Wenn ich einen von Henry James' frühen Romanen lese, z. B. »Roderick Hudson«, »The Portrait of a Lady«, oder »The Bostonians«, so erhalte ich den Eindruck, daß diese Funktion erfolgreich ausgeübt wurde. Dies ist nicht mehr der Fall; und ich bin nicht einmal gewiß, daß die Universitäten noch die Aufgabe erfüllen, die ich der Wiener Universität in meiner Zeit zugeschrieben hatte, nämlich als

Büros für die Ausgabe von Lizenzen zu dienen. Ein allgemeiner Ekel macht die Runde — und ich glaube, er umfaßt die ganze Welt — ein Abscheu vor Kunst und Wissen, vor Forschen und Denken; eine bleierne Müdigkeit; ein Versinken in ein Miniaturnirwana. Aus Baudelaires künstlichen Paradiesen sind synthetische Höllen geworden.

Schwerer Atem

Vor längerer Zeit erstand ich einmal in einer Auktion die Erstausgabe einer Sammlung von Max Beerbohms Karikaturen. Beerbohm (1872—1956), ein typischer Vertreter der süffisanten Oxfordjugend aus der spätviktorianischen und edwardischen Zeit, ist, wie es typischen Vertretern fast immer zu ergehen pflegt, der Nachwelt nicht lebhaft in Erinnerung geblieben; und doch war er ein origineller Karikaturist und ein witziger Schriftsteller. Das Buch, von dem hier die Rede ist, trägt den Titel »Observations« und ist 1925 erschienen. Da es aus den guten alten Tagen stammt, als man in England ausgezeichnete Bücher herstellte, hat es Zeit, Klima und Verschmutzung fast so gut überstanden wie meine Bücher aus dem 16. oder 17. Jahrhundert. Es enthält einen Abschnitt, der mir immer besonders gut gefallen hat. Er heißt »Das alte und das junge Selbst«, und jede der Zeichnungen illustriert eine Konfrontation: manchmal schweigend, manchmal geschwätzig werden die sehr jungen und die sehr alten Abwandlungen desselben berühmten Mannes einander gegenübergestellt. Da sehen wir z. B., wie ein höchst korpulenter, alter Lloyd George seine Zigarre fallen läßt, denn mit Mißbehagen betrachtet er die vor ihm stehende, ebenso fettleibige Figur des unangenehmen und frechen viktorianischen Schulbuben, der er einmal war. Würdevoll sitzt Joseph Conrad, und sein junges Selbst redet auf ihn ein in einer Sprache, die wie eine Art von Pidgin-Polnisch klingt, und er antwortet ihm auf französisch. Oder Stanley Baldwin, wie er sich selbst, den Urlausbuben, mit der Mitteilung überrascht, jetzt sei er der Prime Minister.

Wie oft habe ich, Narzissus über einem trüben Teich, versucht, die Konfrontation meines jungen und meines alten Selbst herbeizuführen, 17 gegen 71, und ich habe es immer erstaunlich leicht gefunden. Nicht nur sind die Jahre schnell vorübergegangen, wie ein kurzer Atem; sondern je weiter jene Zeit von mir entfernt ist, um so näher ist sie mir. Zwischen der Vergangenheit und der Gegenwart bildet das Leben des Einzelnen eine Brücke, deren Bogen sich mit der Weite festigt. Deshalb hinterläßt der Tod des Einzelnen auch in der Vergangenheit eine Lücke, denn jetzt ist alle Erinnerung ausgelöscht. Die Welt jedoch scheint zu leben vom Schwinden dieser Erinnerungen. Erinnerten wir uns an alles, so wüßten wir nichts.

Ich habe meine Anschauungen, ja meinen Glauben, nicht verändert, obwohl ich es jetzt vielleicht schwerer finde, ihnen Ausdruck zu geben, als in meiner Jugend, da ich noch eine Muttersprache besaß. Ein freundliches Geschick hat mich davor bewahrt, Zugeständnisse machen zu müssen; der absolute Beobachter ist kein Relativist geworden. Ich bin glücklicherweise nicht viel weiser geworden, wenn auch aus der milden Wildheit eine wilde Mildheit geworden ist. Diese Vorahnungen der Identität — der völlige Gegensatz zu der viel zerredeten Identitätskrise — beruhen vielleicht nur auf Einbildung, aber ich glaube es nicht.

Ich habe ein hinreichendes Interesse an meinem Beruf bewahrt, obwohl der Glaube, er sei ein edler, wenn ich ihn jemals hatte, sicherlich 1945 zunichte geworden ist, wie ich es am Anfang dieses Berichtes geschildert habe. Daß mitten in Gemetzel und Vernichtung, umgeben von Zusammenbruch und Barbarei; daß in einer Welt des Verzweifelns und Vergessens, niemals weit vom Rande des einen oder anderen Abgrunds entfernt; daß ich es unter diesen Umständen, sage ich, vermocht habe, zusammen mit meiner Familie zu überleben, langsam einen Satz oder den anderen schreibend, Wort an Wort fügend oder Gedanken an Gedanken — und manchmal auch nur in der Sonne sitzend — könnte auf Vulgarisch als Glückseligkeit beschrieben werden. Ich glaube nicht, daß ich ein besonders brillanter junger Mann gewesen bin, besonders wenn ich an einige denke, die während meiner Jahre als Universitätslehrer meinen Weg kreuzten. Ich bin sicherlich mit dem Alter nicht brillanter geworden. Allerdings trifft es sich, daß ich niemals ein besonderer Bewunderer von Brillanz gewesen bin. Ich habe immer nach völlig andern Eigenschaften Ausschau gehalten, und ich habe sie oft in Menschen angetroffen, die nicht auffallend gescheit waren.

Wollte ich wagen, mich in einem historischen Zusammenhang zu betrachten, so würde ich mich als eine moderne Duodezversion eines Ausonius ansehen oder eines Claudianus, als einen dieser späten römischen Schriftsteller, verzweifelte Kämpfer gegen den Barbarismus, aber selbst barbarisiert, mühsam und in einer verfallenen Sprache ungefügte Distichen aneinanderleimend, nichts hervorbringend, das nicht schon früher besser gesagt worden ist. Gibt es etwas Traurigeres als diesen irisierenden Schimmer des Verfalls, diesen immerwährenden Kampf zwischen »muß« und »kann-nicht«? Das ist ein Fall, wo das Pendel des Lebens zu einem Rammbock wird.

Was mein eigenes Leben während dieser späten Jahre betrifft, so wurde es viel stiller: die Schwingungen des Pendels wurden sichtlich geringer. Ich war in die Nukleinsäureforschung wie in einen Schraubstock geraten. Die verbriefte Anteilnahme an einem wissenschaftlichen Gegenstand komprimiert, indem sie sich verstärkt; sie beschränkt, indem sie sich vertieft. Obwohl ich auch weiter ausgezeichnete Mitarbeiter und einige sehr gute Studenten hatte, kamen sie nicht wie früher zu mir, um über die Chemie der lebenden Zelle zu arbeiten, sondern sie wollten alles über Nukleinsäuren erfahren. Dieses Ziel mag dem naiven Beobachter durchaus erreichbar erscheinen, aber es ist es nicht, denn es gehört zum innersten Wesen der Naturwissenschaften, daß sie immerwährend ihre eigenen Probleme erzeugen. Hat man sich einmal eingeschifft, wird man niemals landen. Nach kurzer Zeit wird man sogar vergessen, daß es so etwas gibt wie Land; unaufhörlich wechselnde, unerreichbare Horizonte locken in das Ungewisse; ein Ungewisses allerdings, das wenige zu wissen begehren. Aber man ist bezahlt zu wissen.

Ich habe den Eindruck, daß in den letzten fünfzehn Jahren die Welt der Naturwissenschaften, oder zumindest jener Teil der Naturwissenschaften, den ich überblicken kann, einer Entstellung, einer Verzerrung erlegen ist, deren Ausmaß ich selbst nur schwer erfassen kann. Der Schwellungsvorgang hat wahrscheinlich schon gegen Ende des zweiten Weltkriegs begonnen, aber erst zehn oder fünfzehn Jahre später — einige Zeit nach dem russischen Sputnik — zeigte er die bösartigen Eigenschaften, die seither so bemerkbar geworden sind. Während früher, wer immer sich mit einer Naturwissenschaft befaßte, d. h. jeder, der grundlegende naturwissenschaftliche Forschung betrieb, niemals sehr weit vom Kern seiner Wissenschaft entfernt war und ihren spezifischen Charakter und »Ehrenkodex« nie aus den Augen verlieren konnte, muß er sich jetzt in den entferntesten Vororten aufhalten, immer weiter weg vom Mittelpunkt. Der Hauptgrund dafür ist die wahrhaft explosive Vervielfältigung der Forschungsbemühungen und Veröffentlichungen. Der völlige Bruch mit der Tradition ist vielleicht am besten an den Bibliographien wissenschaftlicher Arbeiten erkennbar. Als Beispiel will ich zwei meiner eigenen Arbeiten vergleichen, die eine 1946 publiziert, die andere 1976. Das Literaturverzeichnis der älteren Arbeit zitierte 39 Publikationen. Von diesen waren 16 älter als 30 Jahre, und nur vier waren innerhalb der letzten fünf Jahre veröffentlicht worden. Die Arbeit aus dem Jahre 1976 enthält 16 Literaturhinweise, von denen die Hälfte sich auf Arbeiten, die weniger als fünf Jahre zurückliegen, bezieht, und nur zwei der zitierten Publikationen sind etwas älter als zehn Jahre.

Die moderne Naturwissenschaft lebt vom Tag für den Tag; sie ähnelt viel mehr einer Börsenspekulation als einer Suche nach Wahrheit über die Natur: eine Wahrheit, der ich mich, vielleicht irrtümlich, zu widmen glaubte, als ich vor mehr als fünfzig Jahren das Gebiet der Wissenschaft betrat. Unterdessen haben sich die Wissenschaften so aufgebläht, daß niemand mehr in der Lage ist, genug von seinem Gegenstand zu wissen. Das habe ich vor einiger Zeit folgendermaßen formuliert: »Die Wissenschaften, wie alle andern Berufe, können nicht fortdauern, wenn die sie Ausübenden unfähig sind, mehr als einen immer kleiner werdenden Teil dessen zu wissen, was sie wissen müssen, um ihre Aufgabe richtig zu erfüllen.« [1]

Ich fuhr fort, so gut ich konnte: Mitarbeiter, jung und nicht so jung; Arbeiten, Übersichtsartikel, Vorträge, Symposia, Kongresse; und Komitees, Komitees. Wir haben jetzt Professoren, die nichts anderes tun, als in Komitees zu sitzen. Zu diesen gehörte ich nie. Noch anderes ging weiter: die immer gegenwärtige Unzufriedenheit mit mir selbst; das Gefühl, von dem ich nicht glaube, daß es etwas mit Ehrgeiz zu tun hat, daß ich meine Zeit nicht so verwendete, wie ich sollte; daß ich das Wenige an Begabung, was die Natur mir geschenkt haben mag, vergeudete; daß, wann immer »liber scriptus proferetur« mein Name in Scharlachrot erscheinen werde. Doch gab es seltene Augenblicke, und sie wurden immer seltener, da mir war, als wollte ein kühler, klarer, blauer Himmel sich über Manhattan öffnen, obwohl die Tage meistens heiß und grau sind oder kalt und finster.

Etwas möglicherweise Nützliches, womit ich mich beschäftigte, bestand darin, daß ich, zusammen mit J. N. Davidson von der Universität von Glasgow, das große Handbuch »The Nucleic Acids« herausgab.[2] Die ersten zwei Bände dieses Werkes erschienen 1955, der dritte 1960. Das Kapitel über die Chemie der Desoxyribonukleinsäuren, das ich selbst schrieb, stellte die erste moderne Behandlung des Gegenstandes dar. Es ist meiner Meinung nach einer der besten Aufsätze, die ich geschrieben habe; und es hat mir oft leid getan, daß ich keine Gelegenheit hatte, die häufigen allgemeinen Betrachtungen von den Abschnitten zu befreien, die nur aus einer schwerfälligen und mühsamen Komplikation kurzlebiger Tatsachen bestanden. Wie es so oft in den Wissenschaften geschieht, sind es die Tatsachen, die die Gedanken auf den Grund des Vergessenheitsmeeres hinunterziehen.

Ich kann mir nur wenige Leute vorstellen, die mit mir übereinstimmen werden, wenn ich sage, daß in den letzten fünfzehn oder zwanzig Jahren die Naturwissenschaften in eine Richtung und mit einer Geschwindigkeit gewachsen sind, die ihr schließliches Aussterben sehr wahrscheinlich machen: sie haben, so könnte man sagen, sich selbst in einen Winkel gemalt. Wenn ich auf mein eigenes Leben seit etwa 1960 zurückblicke, muß ich gestehen, daß mein Herz nicht mehr darin war, was ich tat. Das erstaunliche Wachstum der Biologie und der Biochemie, der Glanz ihrer jüngsten Leistungen, woran ich vielleicht selbst einen winzigen Anteil hatte, entmutigten und erschreckten mich. Ich sah eine Lawine von Triumphen, zu deren Größe diejenigen, die sie angeblich hervorgebracht hatten, nicht mehr in einem angemessenen Verhältnis standen. Da konnte etwas nicht stimmen, wenn immer kleinere Menschen immer größere Entdeckungen machten. Ich kann mir nicht so etwas wie eine unverdiente geistige Schöpfung vorstellen, ob es sich nun um ein Gedicht, eine Komposition oder ein Gemälde handelt; aber ich bin Zeuge gewesen vieler völlig unverdienter sogenannter »wissenschaftlicher Durchbrüche«. Natürlich könnte man einwenden, daß die Naturwissenschaften eigentlich nicht viel anderes sind als eine Art von Archäologie der Naturerscheinungen. Zum Graben gehört nicht viel Geist, eher Glück und ein offenes Auge; und dazu vielleicht noch eine gewisse Keckheit voreiliger Verallgemeinerung. Tatsächlich — fast hätte ich gesagt, leider — sind die Naturwissenschaften jetzt mit viel mehr beschäftigt als nur mit Ausgrabungen des Verborgenen.

In seinem großen Roman »Der Mann ohne Eigenschaften« bezieht Robert Musil seine Vorahnungen unmittelbar bevorstehender enormer Katastrophen und Zusammenbrüche aus der Tatsache, daß er in einer Zeitung von einem genialen Rennpferd gelesen hatte. Ich begann den Verdacht zu hegen, daß das die Gattung war, welche die auffallendsten Erfolge in der Wissenschaft davontrug, obwohl sogar der Begriff »Erfolg«, soweit er sich auf die Wissenschaft bezieht, ebenso falsch ist wie der Begriff »Genie« mit Bezug auf Rennpferde, olympische Meister oder Nobelpreisträger. Die Naturwissenschaften waren ein Zuschauersport geworden, auch wenn es für diesen Sport keine wirklichen Zuschauer gab. Sie waren, so wollte es mir scheinen, eines der wirksamsten Werkzeuge zur Massenkretinisierung geworden.

Es war jedoch viel zu spät für mich auszubrechen, auch wenn ich gewußt hätte, wohin zu gehen. Freiheit, dieses ungreifbarste aller Ideale, hat nie zu den mir verliehenen Gaben gehört, ich war nicht freier als ein auf einem mächtigen Fluß treibender Baumstamm. So ging denn mein Treiben oder mein Getriebenwerden weiter.

Eines Sommers, im August 1961, auf der Wiese vor der winzigen Hütte in Maine, die wir damals für die Ferien zu mieten pflegten, kam mir der Gedanke, mich endlich des Spitznamens, den ich mir manchmal selbst beilegte, würdig zu zeigen, des eines »vieillard misérable«, und etwas völlig Unplanmäßiges zu schreiben. Der Dialog »Amphisbaena« spielt sich zwischen einem unerträglich allwissenden alten Chemiker und einem unerträglich dummen jungen Molekularbiologen ab; es war mein erster Versuch einer Kritik der Naturwissenschaften in freier Form, d. h. in einem satirisch verzerrten Jargon und ohne die prächtige Perücke von Literaturhinweisen und Zitaten. Die darin vorkommende Definition der Molekularbiologie als »Praxis der Biochemie ohne Lizenz« ist weit bekannt und viel zitiert worden. Dieser Text, zusamen mit anderen Aufsätzen, erschien 1963 als ein Buch mit dem Titel »Essays on Nucleic Acids [3]« Ich bin dem Verlag, Elsevier in Amsterdam, immer dafür dankbar gewesen, daß er sich an eine so unkonventionelle Aufgabe wagte, und eine, die einigen Mut erforderte. Das Dogma der Unfehlbarkeit der Naturwissenschaften ist so mächtig und so allgemein angenommen, daß Exkommunikationsverfahren, in schwächeren Kirchen üblich, nicht einmal in Betracht gezogen zu werden brauchen. Wahrscheinlich aus diesem Grunde ist mir das Schicksal früherer Ketzer erspart geblieben. Die Verweigerung von Forschungsgeldern ist jedenfalls eine wirksamere Form des Interdikts; eine Vergeltungsmaßnahme, von der ich in den letzten paar Jahren keineswegs verschont gewesen bin.

Seit jener Zeit im Jahre 1961, als ich den Dialog schrieb, habe ich noch drei weitere verfaßt, und die ganze Reihe ist unter dem Titel »Voices in the Labyrinth« erschienen.[4] In dieser Arbeit, wie auch in vielen allgemeinen Essays und Vorträgen, setzte ich die kritische Betrachtung unserer Art von Naturwissenschaften fort. Viele Leser dieser Aufsätze und Dialoge haben sie wahrscheinlich nur wegen der wenigen Brocken wissenschaftlicher Information, die sich in ihnen vorfinden, gelesen, und sie müssen enttäuscht gewesen sein. Das ist verständlich, denn wissenschaftliche Arbeiten haben längst dem Anspruch entsagt, mehr zu sein als flinke Lieferanten vorläufigen, aber sofort verfügbaren Wissens. Ich hatte jedoch in diesen Texten etwas ganz anderes angestrebt: ich wollte versuchen, die kritische Betrachtung wissenschaftlicher Fragen auf ein allgemein literarisches Niveau zu erheben. Ich werde darauf noch später zurückkommen, aber ich sollte hier betonen, daß es diese Form einer nicht unbequemen Schizophrenie war, die mir den Verstand bewahrte. In mancher Beziehung ähnelte meine Stellung der eines Prälaten der modernen Kirche, in der man fast alles tun darf, so lange es mit Geschmack und Umsicht geschieht.

Es muß jedoch auch viele unenttäuschte Leser dieser Arbeiten gegeben haben, denn ich erhielt eine beträchtliche Anzahl erstaunlicher Briefe. In Amerika, diesem seltsamen Land, gibt es nämlich von allem etwas, und wahrscheinlich mehr als anderswo. Es gibt also auch viele, die, von dem Geschrei und Gebimmel unseres Wissenschaftsbetriebes angeekelt, für schüchterne Stimmen der Besinnung dankbar sind, besonders wenn sie von einer Seite kommen, von der man Schlechteres erwartet hätte. Ja, es gibt sogar Heilige, aber von diesen können wir definitionsgemäß nichts wissen. Sie müssen es schwer haben, die Armen, denn wenn die Journaille sich ihrer bemächtigte, würden sie gezwungen, heilig zu sein auf dem Fernsehschirm.

Vermehrung der Erkenntnis durch Hin- und Herlaufen

Der Titel dieses Abschnittes stammt aus der schönen englischen Bibel, der »Authorized Version«. Dort lautet Daniel 12, 4: »But thou, O Daniel, shut up the words, and seal the book, even to the time of the end; many shall run to and fro, and knowledge shall be increased.« Der geheimnisvolle Vers aus einem geheimnisvollen Buch schien mir treffend die ratlose Begierde zu schildern, mit der die Forscher unserer Zeit von einem Kongreß zum anderen reisen, um frisches Wissen und neue Erkenntnis aus Quellen zu schöpfen, wo sie gewiß nicht zu finden sind. (Viel eher verdirbt man sich den Magen.) Mich erwartete jedoch eine Enttäuschung, als ich diesen Vers in der Lutherbibel nachlas, um den entsprechenden Titel zu finden: »Und nu Daniel verbirge diese wort / und versiegele diese Schrifft / Bis auff die letzte zeit / So werden viel drüber komen / und grossen verstand finden.« Das Wesentliche, das Hin- und Herlaufen, war verschwunden. Auch die wahrscheinlich textgetreueste, wenn auch für meinen Geschmack etwas zu nibelungische Übersetzung Martin Bubers half nicht; und so bin ich bei meinem englischen, das Folgende besser beschreibenden Titel verblieben.

Hie und da, in jenen alten Zeiten, läutete das Telephon in meinem angenehmen Büro in der Medizinfakultät, und meine Sekretärin — damals die unvergessene Emmy Bloch — teilte mir mit, es seien zwei Herren hier, die mit mir sprechen wollten, und zwar kamen sie entweder vom »Federal Burau of Investigation« oder von der »Central Intelligence Agency«. Nach einiger Zeit hörte diese ominöse Nachricht auf, mich zu überraschen, denn ich wußte schon, was geschehen werde. Zwei heiter rinderartige (F.B.I.) oder zwei verschlagen füchsische Männer (C.I.A.) würden unter Schwingen mannigfaltiger Legitimationen eintreten und mich mit einem einfältigen oder hinterhältigen Grinsen auffordern, ihnen alles über einen Mann zu sagen, der gewöhnlich den Namen Abdul Mur Rahman oder so etwas ähnliches führte. Gleichzeitig würden sie die Photographie eines übertrieben bärtigen Herrn aus der Tasche ziehen, den ich, in einer plötzlichen Erleuchtung, als meinen Großvater väterlicherseits erkennen würde, mir nur aus seinen Porträts bekannt, denn er war zwei Jahre vor meiner Geburt gestorben. Bald lernte ich jedoch, solch hastigem Wiedererkennen zu mißtrauen, denn es war mir klar geworden, daß alle bärtigen und die meisten anderen Gesichter mir völlig gleich aussehend vorkamen. Jedenfalls war mir Herr Rahman oder was immer nicht bekannt, und dies teilte ich auch den Bütteln des Tages mit. Immer hilfreich, fragte ich sie dann gewöhnlich, ob sie mich nicht mit einem Dr. Chaikoff verwechselten, der in Kalifornien arbeitete; und sie, einräumend daß dies möglich sei, entfernten sich.

Das trug sich meistens zu jener unglücklichen Zeit zu, als unter der Führung des Senators Joseph R. McCarthy sich die Forderung durchzusetzen begann, daß es die erste Pflicht eines Bürgers sei, seine Mitbürger zu denunzieren. Nicht alle Anfragen bezogen sich auf Leute, die im Verdacht standen, die »Freie Welt« zu gefährden. Oft wollten die Detektive nur eine Art von Leumundszeugnis einholen, eine Bescheinigung reinster demokratischer Unbedenklichkeit, denn sie vertieften sich in die Vergangenheit von Kandidaten für Stellungen wie die eines Geschirrwäschers in einem Bundeslaboratorium und ähnliche wichtige Positionen. Ältliche Putzfrauen waren radikaler Anwandlungen besonders verdächtig. Einmal jedoch hatte der Besuch einen anderen Zweck.

Anfangs 1957 erhielt ich eine Einladung zu einem Symposium über den Ursprung des Lebens — wahrhaft ein Thema für den Naturwissenschafter, »der alles hat«. Die Zusammenkunft, von der U.S.S.R. Akademie der Wissenschaften organisiert, sollte in Moskau stattfinden. Nur wenige Tage nach Erhalt des Briefes, der mich nach Rußland einlud, bekam ich den Besuch zweier Männer von der C.I.A. Sie gehörten offenbar einer höheren Sorte an als gewöhnlich, wenn nicht geradezu adlerartig, so wenigstens geierhaft. Es war klar, daß sie meinen Brief vor mir gelesen hatten, und sie erkundigten sich, ob ich die Absicht habe, an der Sitzung teilzunehmen. Auf meine Antwort, ich wisse das noch nicht, da die Finanzierungsfrage noch unklar sei, erwiderten sie, sie hofften wirklich, daß ich die Reise unternehmen und meine Augen offen halten werde. Die Augen offen halten? Seit der Zeit, als dem guten Soldaten Schwejk die Leitung des Vereinten Generalstabs angetragen wurde, kann keine passendere Wahl getroffen worden sein. Ich zeigte meine Überraschung; sie erboten sich, meine Reise zu bezahlen. Ich wies das zurück; sie gingen weg. Was zurückblieb, war ein schlechter Geschmack im Mund. Die stumpfe Art, mit der ich das Ganze aufnahm, muß die Edelschergen befremdet haben. Sie konnten nicht wissen, daß ich immer alle von Geheimagenten handelnden Filme gemieden habe und daß an mir Kinohopfen und Fernsehmalz verloren sind.

Das war natürlich nicht das Ende der Angelegenheit. Die Schnüffelgemeinde warf eine weitere Blase, dieses Mal eine Dame, aber keineswegs »la femme fatale«. Nachdem alle Vorbereitungen für meine Reise gemacht waren, erschien plötzlich ein mütterlicher Typ — sollen wir sie Frau Grizzly nennen? — der alles in allem wie eine unterbezahlte Mutter mit einigen schwierigen Kindern aussah. Bei dieser Gelegenheit wurde kein Geld offeriert; alles ging völlig wissenschaftlich vor sich, obwohl die arme Frau sichtlich nicht wußte, wo ihr der Kopf stand. Frau Grizzly bat um Hilfe in schwierigen Problemen, die sie nicht einmal richtig buchstabieren konnte. Es war nicht klar, warum sie gekommen war. Sie atmete angenehme Konfusion und zerstreute Anteilnahme aus, wünschte mir beim Weggehen eine angenehme Reise und fügte leider hinzu »Auf Wiedersehen!«

Das Symposium in Moskau und die anschließende Reise nach Leningrad waren zwar interessant, aber für mich waren sie irgendwie ruiniert durch die Besucher, schwer an Fuß und Hinterteil, die ich zurückgelassen hatte. »Augen offen halten!« zischten die Geier; »Auf Wiedersehen!« flüsterte Frau Grizzly. Natürlich wollte ich meine Augen offen halten, denn ich war ein freundlicher Zuschauer. Meine Frau und ich hatten einige Jahre zuvor Russisch zu lernen begonnen, und, uns selbst überlassen, fühlten wir uns nicht verloren und waren sogar darauf erpicht, unsere Sprachkenntnisse auszuprobieren. Aber ich war mein ganzes Leben ein höchst privater Mann gewesen, auf der Flucht vor lärmenden Berührungen, angeekelt von Schleim, sogar patriotischem Schleim. Die einzige Folge des idiotischen Versuchs, uns zu rekrutieren war, daß ich weniger sah, als ich sonst gesehen hätte, mit weniger Leuten sprach, öfter in die Museen ging. Meine gründliche Kenntnis der schönen Hermitage von Leningrad — einschließlich meiner Unfähigkeit, den Wächtern den Unterschied zwischen Manet und Monet klarzumachen, da ihre russischen Ohren zwischen den beiden Vokalen nicht unterscheiden konnten — ist hauptsächlich auf Frau Grizzly zurückzuführen.

Ich erneuerte meine Bekanntschaft mit mehreren bedeutenden russischen Biochemikern, z. B. Vladimir Engelhardt, Alexander Oparin. Ich traf viele Kollegen, besonders aus Osteuropa, die ich seit Jahren nicht mehr gesehen hatte. Besonders freundete ich mich mit Andrei Belozersky an, einem der sympathischsten Gärtner in unserem gemeinsamen Obstgarten. Abgesehen davon, daß wir auch sonst viel miteinander gemein hatten, entdeckten wir, daß wir genau gleich alt waren.

Als wir von unserem langen Sommer nach New York zurückkehrten, befand sich Frau Grizzly unter den ersten Besuchern. Sie war sogar noch geistesabwesender als vorher und entfernte sich mit Gemurmel. Anstatt diabolischer Arglist begann ich eine milde Form von Gestörtheit zu diagnostizieren. Aber sie kehrte zurück; und dieses Mal hätte sie unmöglich deutlicher sein können: ihre Auftraggeber wollten wissen, ob es den Russen gelungen sei, so etwas wie einen Homunkulus zu produzieren: kleine Leute zwecks Bezwergung ihrer Raumschiffe. (Zu jener Zeit bildeten die Sputniks den Mittelpunkt einer künstlich angeheizten Aufregung.) Endlich, endlich konnte ich ihr die Wahrheit sagen. Das war das Ende der Frau Grizzly.

Von den vielen anderen Reisen, die ich unternahm, zeichnen sich nur diejenigen deutlich ab, die mich in Gegenden führten, welche eine Alternative zu der Gesellschaft zu bieten schienen, in der ich mein Leben verbringen mußte: Japan, Brasilien, der Vatikan. Im allgemeinen gibt es wenig Trostloseres als die Berufsreisen von Naturwissenschaftern. Dies hat mit der Verfachlichung unseres Lebens zu tun und mit dem niemals zugegebenen Kulturimperialismus Amerikas. Wohin immer man auch reisen mag, wird die gleiche Art von Pidgin gesprochen; die gleichen Cocktails, die gleiche unverdauliche Nahrung, die gleichen Zentrifugen, Gradientenmacher, die gleichen Kurven; nichts sticht heraus, wenn man es übereinanderlegt. Nach einiger Zeit fließen alle Vorträge in einen Klecks zusammen; alle Sprecher pfuschen sich durch die gleichen zehn Minuten automatischer Rezitation durch; alle Probleme werden klein zerredet, und dann rinnen sie in ein und dieselbe sinnlose Phrase zusammen, so etwas wie »Struktur und Funktion«. Das brutale Geklapper einer unsinnigen Maschine, die mit der sogenannten Verbreitung wissenschaftlicher Information beschäftigt ist, erdrückt jeden Gedanken, jegliche Einbildungskraft. Diogenes, mit seiner Laterne einen Menschen suchend, wäre in diesen Versammlungen am falschen Ort.

Es war nicht immer so gewesen. Während vieler Jahrhunderte galt das Reisen als eine der hauptsächlichen Formen der Erziehung: es bildete den Menschen. Was wären Goethe oder Stendhal ohne Italien gewesen? Allerdings brauchten sie nicht von Hilton zu Hilton zu fliegen. Da Reisen sehr teuer waren, konnten nur wenige Naturforscher sie sich leisten, es sei denn als Hofmeister junger Adeliger, die ihren »grand tour« machten. Lichtenberg reiste zweimal nach England; sicherlich verbrachte er mehr Zeit in den Theatern Londons als im Observatorium in Oxford, und er lernte mehr von Hogarth und Garrick als von Dr. Priestley; aber am meisten lernte der scharfsinnige, scharfsichtige Beobachter allzuleicht verführbarer Menschheit aus der Betrachtung des Lebens einer Londoner Straße. Sammler von Kuriositäten oder auch nur von seltsamen

Tatsachen, waren die Gelehrten des 18. Jahrhunderts Amateure oder Dilettanten im ursprünglichen Sinne dieser Worte: sie liebten die Natur und waren voll von ehrlicher, uneigennütziger Wißbegierde.

Als Angehöriger einer bereits im Vergehen begriffenen Generation reiste ich noch im alten, wenngleich schon etwas depravierten Stile. Natürlich habe ich an vielen Kongressen teilgenommen und Vorträge an vielen Orten gehalten. Was ich von diesen Reisen profitierte, hatte jedoch weniger mit den Naturwissenschaften zu tun als mit einer Art von Bereicherung, die nicht leicht zu beschreiben ist. Die wunderbaren und geheimnisvollen Tempel und Gärten von Kyoto spiegeln sich lebhafter in meinem Geist als das Proteininstitut von Osaka, das wie alle anderen Proteininstitute auf der Welt aussah. Die Bögen der alten Brücken, die roten Säulen im Meer, die vieldeutigen Muster von Kiesel und Busch, die nach Rangordnung numerierten, offiziellen Aussichten auf den Fuji-Berg, die gezähmten Vulkane und die pünktlichen Geiser; die stilisierten Rezitationen vor dem gemalten Hintergrund eines einzigen hieratischen Baums, die vorgeschriebenen Lobpreisungen des steinalten Gefäßes zu Beginn der Teezeremonie: all das — erniedrigt zum Köder einer der Touristik geweihten Welt, umgeben von der Brutalität eines japanischen Alltags — sprach zu mir mit jahrhundertealter Stimme, und ich hörte mit sprachloser Ehrfurcht zu. Eine andere Lösung als die von der kranken westlichen Welt, in der ich lebte, gewählte erhob sich vor mir; eine Lösung, die für mich ebenso unerreichbar war wie die Tempel von Paestum.

Brasilien: ewig zerbröckelndes Monument des romanischen Kolonialismus; ein Riese, stöhnend in seinem heißen Schlaf; das Grauen von Sao Paulo, einem größeren Chicago ohne den sanitären Komfort, aber weich erhalten durch seine knochenlose Sprache; die ewig schwindende, wehmütige Schönheit eines traumhaften Rio de Janeiro; und mehr als alles andere der Norden — Belem in seiner stumpfen Hitze, dösend im tropischen Geklapper immer wieder steckenbleibender Lüftungsanlagen; das irrsinnige Barock von Recife inmitten der verzweifelten, schweräugigen Unerschütterlichkeit der umliegenden indianischen Dörfer, eine Symphonie in Maisdur.

Oder die Proust-artigen Besuche bei den Päpsten. Zwei davon habe ich in der Nähe gesehen. Gefangene der erstarrten Falten eines unmöglichen Amtes: beides zu sein, Statthalter und Buchhalter Gottes auf Erden, Direktoren einer theokratischen Investmentbank mit unverbaubarer Aussicht auf die Ewigkeit. Ich sah den ersten in Castel Gandolfo, wie er eine Ansprache hielt vor einer Schar hämatologischer Ungläubiger, deren Kameras die wohlklingenden Kadenzen überknipsten: Pius XII, im weißen Gewande ein Monument des Manierismus, mit seinen schönen langfingerigen Händen den Takt einer erhabenen Ermattung schlagend; der eleganteste Heilige, den die Welt je gesehen hat, als hätte ein Zurbaran plötzlich ein Meisterwerk der »bondieuserie« erzeugt. Das muß sich 1958 zugetragen haben. Wie verschieden, drei Jahre später, Johann XXIII, aller Welt, außer der Prälaten, Lieblingspapst. Die Gelegenheit war einem kleinen Symposium über biologische Makromoleküle zu verdanken, das die Päpstliche Akademie der Wissenschaften anläßlich einer ihrer regelmäßigen Zusammenkünfte veranstaltet hatte. Es war ein kleines Treffen, eines der angenehmsten, denen ich beigewohnt habe, denn die spezifisch italienische Haltung gegenüber den Naturwissenschaften zeigte sich von ihrer besten Seite, so als hätten Spallanzani oder Malpighi, Volta oder Galvani den Vorsitz geführt; Hingabe und Freundlichkeit, ganz ohne die Härte unserer Tage: eine leichte, ironische Trauer blickte durch die graziösen Säulen eines Renaissancepavillons. Das »Casino di Pio IV«, Ligorios eklektisches Meisterwerk, in dem die Tagung stattfand, veredelte sogar die rohesten Beiträge; aber noch besser war es, im schönen, ovalen Hof zu stehen, vor dem Säulengang, im blassen Sonnenlicht eines späten Herbsttages. Die Sonne über dem kleinen Haus, weiser als andere Sonnen, hatte alles gesehen, auch die unsterbliche, die Sibylle von Cumae, die sterben wollte.

Einer der Vorträge begann mit einem besonders groben Satz (die Unterstreichung ist von mir): »Das Wesentliche an dem Dogma, *das unserer Zeit so annehmbar erscheint,* kann kurz in dem folgenden wohlbekannten Diagramm zusammengefaßt werden: DNS → RNS → Protein.« (Mir war es nicht annehmbar erschienen; allerdings bin ich nicht von »unserer Zeit«.) Ich erinnere mich noch, wie komisch mir diese Huldigung, von einer Orthodoxie an die andere gerichtet, erschien, mitten im Park des Vatikans; und ich sagte nachher zu irgend jemandem: »Einige ›filioques‹ mehr oder weniger werden keinen Unterschied machen.« Tatsächlich hat sich das bewußte Dogma, worin Freidenker und Gläubige so freudig übereinstimmten, besonders schlecht getragen. Nur einige Jahre später florierten dieselben Trödler, indem sie mit dem umgekehrten Dogma hausierten.

Am Ende der Tagung sollte Johann XXIII die Gäste empfangen, aber er erkrankte und der Empfang wurde abgesagt. Drei Tage später ging es ihm besser, und er ließ die noch in Rom anwesenden Teilnehmer zu sich einladen. Die emsigsten Biber waren jedoch schon zu ihren eifrigen Dämmen und Bauten zurückgeeilt; und so war die Gruppe, die sich im Palast des Vatikans versammelte, recht klein: einige Mitglieder der Akademie und ein paar von uns Minderbemittelten. Ein ganz kleiner Saal mit etwa sechs oder acht Sitzreihen reichte aus; die Mitglieder der Akademie im Frack: Otto Hahn, schon 82 und sehr gebrechlich, Leopold Ruzicka, kniend den päpstlichen Ring küssend, und ein paar andere. Ich saß in der dritten Reihe und konnte mir alles aus der Nähe ansehen. Der untersetzte alte Mann, mit einem ungewöhnlich gutmütigen Gesicht und lustigen Bauernaugen, war kein Schauspieler. Unbefangen das häufig abgleitende weiße Käppchen zurechtrückend, sprach er geläufig Französisch mit starkem italienischen Akzent. Er sagte uns, er wolle keine vorbereitete Rede halten, sondern ziehe es vor, sich seine frühen Tage im »Liceo« zurückzurufen, als er die Naturwissenschaften studierte, und er sprach sich besonders lobend darüber aus, was er »das edle Periodische

System der Elemente« nannte. Es gibt Leute, die verhöhnen, was die Alten erzählen; andere hören ihnen gerne zu, wie sie zu ihrer längst verflossenen Jugend zurückkehren, die Furchen der Zeit und des Verfalls für einen allzu kurzen Augenblick glättend. Ich gehöre zu dieser Art, und die Stimme des alten Papstes, wie er uns von der Zeit erzählte, als er ein Kind und ein Bub war, ist in mir noch nicht verklungen.

Ein Kliometriker* — was für ein Beruf! — der z. B. dadurch bekannt geworden ist, daß er mit Hilfe eines Computer-Modells die Anzahl von Flöhen geschätzt hat, die sich auf dem Rücken eines Hundes befunden haben könnten, der einmal einem zweitrangigen amerikanischen Präsidenten gehört hat, wird von mir erwarten, daß ich seinen Namen kenne, und, o Schande! ich werde ihn kennen; aber meinen hat er niemals gehört. Und warum sollte er ihn auch gehört haben? Die Naturwissenschaft ist eine verborgene, private, hermetische Beschäftigung. Sitzt man in ihr, so vergißt man, daß es eine Außenwelt gibt. Betrachter von der Außenseite können sie jedoch nicht leicht verstehen; und sogar die meisten von denen, die sie praktizieren, könnten nicht sagen, was Naturwissenschaft eigentlich ist.

Der Beruf der Naturwissenschaft? Als ich jung war, gab es die Naturwissenschaft als Beruf fast nicht. Unter den reinen Naturwissenschaften konnte nur die Chemie hinreichende Hoffnung auf Anstellung bieten, wie ich es schon früher in diesem Buch erwähnt habe; aber sogar das spielte sich meistens in den Bereichen ab, die der angewandten Chemie gewidmet waren, also in der Industrie oder in der Verwaltung. Wenn ich an meine Zeitgenossen an der Universität denke, so fallen mir nur drei oder vier ein, von denen man hätte sagen können, daß sie sich einer wissenschaftlichen Laufbahn widmen wollten. Die zahlreichen Absolventen der Medizinfakultät mögen sich selbst als Naturforscher betrachtet haben, aber niemand anders hätte ihnen zugestimmt. Abgesehen von der Chemie war die Nachfrage nach akademisch ausgebildeten Naturforschern

---

* »Cliometrician« ist eine recht neue Spezialität, die in den Vereinigten Staaten einigen Lärm macht. Das Wort beschreibt eine Art von Molekularhistoriker, einen zur wissenschaftlichen Messung historischer Nebensächlichkeiten ausgebildeten Fachmann, dessen Name wahrscheinlich andeuten soll, daß er der Muse der Geschichte ebenso geschickt ihr Kamisölchen anmißt, wie der »Geometriker« die Erde mißt.

gering: nur wenige wurden gebraucht, um die nötige Anzahl von Hochschullehrern in Gebieten wie Zoologie, Botanik, Geologie, Physik oder Astronomie aufrechtzuerhalten. Selbstverständlich war die Zahl der diese Fächer Studierenden gering, und viele von ihnen hofften auf eine Anstellung in Mittelschulen, wie das auch bei den Studenten der Geisteswissenschaften der Fall war.

Die erste Erschütterung dieses ziemlich homöostatischen und eher bescheidenen Zustands wurde durch den Ersten Weltkrieg und die darauf folgenden ökonomischen und politischen Umwälzungen hervorgerufen. Dies machte sich in den geschlagenen Ländern viel mehr bemerkbar als bei den siegreichen Alliierten. Es gab viele Gründe dafür, manche recht klar zutage liegend, aber ich glaube, daß ein Umstand nicht genügend betont worden ist: es war Deutschland gewesen, das, sogar schon vor 1914, mehr als andere Länder dazu übergegangen war, aus den Naturwissenschaften eine Massenbeschäftigung zu machen. Die Vorstellung von Naturwissenschaft als Beruf, der Begriff der von einer großen Anzahl und oft in großen Gruppen ausgeführten wissenschaftlichen Forschung entstand, so glaube ich, im deutschen Kaiserreich, das nur mit großer Verspätung in die Reihe der imperialistischen Mächte eingetreten war. Es gab keine Indien mehr zu erobern, ältere Habgier hatte schon alle profitablen Kolonien geschnappt; was dem Reich übrig blieb, war, seinen kolonialistischen Eifer gegen die Natur zu richten. Die Kaiser-Wilhelm-Institute würden das erreichen, was Kaiser Wilhelm versagt war.

In der zweiten Hälfte des neunzehnten und am Anfang des zwanzigsten Jahrhundert hatten die andern wissenschaftlich führenden Länder — besonders England, aber auch Frankreich — mehrere sehr bedeutende Naturforscher hervorgebracht, aber Grundlagenforschung zu betreiben war in der Hauptsache dem Einzelnen überlassen. Besonders England hatte sich durch eine Reihe wissenschaftlicher Amateure ausgezeichnet, die ohne finanzielle Hilfe, aber auch ungehindert durch amtliche Beschränkung und Vorschrift, wichtige und einflußreiche Entdeckungen gemacht hatten, nicht nur in der Physik und der Geologie, sondern auch in der Chemie und der Biologie. In vielfacher Hinsicht fehlte diesen großen Männern jegliches Aroma des Professionalismus. Sogar die Bezeichnung »Fachmann« hätte sie erstaunt. Verglichen mit diesen Gestalten stellen sogar Liebig und Wöhler frühe Beispiele einer eher grimmigen Spezialisierung vor, wie ihrem interessanten Briefwechsel entnommen werden kann.[5] Und wenn man spätere Zustände untersucht, wie kann sich ein Perkin mit einem Emil Fischer vergleichen?

Als die Zentralmächte 1918 zusammenbrachen, verblieben Deutschland und die Überreste Österreichs mit einer Apparatur zur Erzeugung von Akademikern, und besonders von Naturforschern, die für ihre Erfordernisse viel zu groß war. Ich habe schon früher davon gesprochen. Die Folge, weniger in Österreich als in Deutschland, war die Massenproduktion eines akademischen Proletariats, das, auf eine längst vergangene soziale Stellung Anspruch erhebend, zu einer grüblerischen, vergrämten und böswilligen Arbeitslosigkeit verdammt blieb. Dieser Haufen mißvergnügter Söldner war ein wichtiges Element in der schließlichen faschistischen Bestialisierung Deutschlands. Es ist nicht ausgeschlossen, daß die Anfänge einer ähnlichen Entwicklung gegenwärtig in den Vereinigten Staaten wahrnehmbar sind; allerdings mit dem Vorbehalt, daß hier angesichts der viel niedrigeren sozialen Stellung der Akademiker und ihres geringen Einflusses die Resultate nicht dieselben zu sein brauchen wie in Mitteleuropa.

Insofern Wissenschaft als Beruf die Mithilfe des Kopfes beansprucht und also eine intellektuelle Beschäftigung ist, hat sie immer gewisse anomale Züge aufgewiesen: es liegt etwas Absurdes darin, für das Denken und Suchen ein fixes Salär zu empfangen. Dies trifft natürlich nicht auf den Wissenschafter als Lehrer zu, denn bis vor kurzem waren sich alle Gesellschaften darin einig, den Unterricht als eine sozial notwendige und nützliche Tätigkeit zu betrachten. Aber alles in allem ist die Naturforschung, wenn man sie als geistige Leistung betrachtet, vielleicht die einzige fest besoldete Beschäftigung dieser Art in unseren Breiten. Man wird mir darauf erwidern, daß das nicht wahr ist und daß alle Wissenschafter — Mathematiker, Philosophen, Historiker usw. — sich in derselben Lage befinden. Ich glaube jedoch, daß in diesem Falle, wie in so vielen anderen, Quantität eine neue Qualität hervorgebracht hat. Außerdem hat sich im Falle der Naturwissenschafter in Amerika die Proportion von »Lehre« und »Forschung« derartig zugunsten der letzteren verschoben, daß dieser Beruf viel eher mit dem eines Malers, Schriftstellers oder Komponisten verglichen werden kann als mit dem eines Lehrers. Wenn, um den endgültigen Schluß zu ziehen, Naturwissenschafter genötigt wären, vom Verkauf ihrer Erzeugnisse zu leben, wie es die Künstler tun, würden unsere Wissenschaften zu einem viel glücklicheren Gleichgewicht zurückkehren. Aber würde irgend jemand die Früchte ihres Geistes kaufen?

Natürlich würde niemand es tun; aber mein grotesker Vorschlag unterstreicht eine der Absonderlichkeiten des wissenschaftlichen Berufes: diejenigen, die nicht daran teilnehmen, betrachten ihn mit Scheu oder Abneigung, wenn sie auch das Gefühl haben, er sei notwendig. Fragt man sie, wofür die Naturwissenschaften notwendig sind, so wird man Antworten bekommen, die eine beklagenswerte, obwohl weitverbreitete Unfähigkeit bezeugen, zwischen Naturwissenschaft und Technik zu unterscheiden; denn man wird mir z. B. sagen, daß die Naturwissenschaften für die Erziehung von Ärzten oder Ingenieuren erforderlich sind. Wenn die Naturwissenschaft wirklich nur für die Ausbildung dieser möglicherweise nützlichen Spezialitäten gebraucht würde, wäre der Welt mit einem kleinen Teil der enormen Anzahl von in den letzten dreißig Jahren hervorgebrachten Naturforschern geholfen.

Die Menschen haben noch immer nicht gelernt, daß es unter Umständen notwendig ist, Prometheus auf Halbration zu setzen. Fragte man mich, ob es dringlicher sei, armen Leuten zu besserer Zahnpflege zu verhelfen oder eine Bodenprobe vom Mars zu ergattern, so würde meine ohne Zögern vorgebrachte

Antwort zweifellos alle Marktschreier der Forschungsfreiheit enttäuschen.

Das Paradox, daß zuviel gute Mittel des Zweckes Tod sein können, ist meiner Meinung nach erst bemerkbar geworden, als die Vereinigten Staaten beschlossen — tatsächlich glaube ich nicht, daß es jemals einen bewußten Beschluß gegeben hat — den Schauplatz der wissenschaftlichen Forschung in ihrer bekannt groß angelegten Manier zu betreten. Wenn die nationale Neigung zur Großsprecherei, wenn die Elephantiasis von Anspruch und Erwartung durch Mittel, die eine Zeitlang grenzenlos erschienen, unterstützt werden, so ist viel Unheil zu erwarten. Solange die Naturforscher nur eine winzige Minderheit der gebildeten Bevölkerung ausmachten, wurden sie ebenso wenig nach Absicht und Ziel gefragt wie z. B. ein Linguist oder ein Logiker. In einer entwickelten, weitmaschigen Gesellschaft gab es immer genug Lücken um zu verschwinden; Fragen wurden nicht gestellt, und es war leicht, Mißerfolg oder Leistung zu verbergen. Jetzt aber hat der milde Schild einer lauwarmen und bequemen Unsichtbarkeit seine Schutzfähigkeit eingebüßt.

Ich habe mich oft gefragt, wie wissenschaftliche Berufe heutzutage gewählt werden. Im ersten Teil dieses Berichts habe ich versucht, die gedankenlose Art, in der ich meine Wahl traf, zu schildern. Ich mag ein Esel gewesen sein, aber sicherlich nicht von der Buridanschen Sorte, denn ich hatte niemals eine Wahl. Gab es zwei Bündel von Heu, so gab es zweihundert Bewerber darum. Auch glaube ich nicht, daß irgendeiner meiner Kollegen oder Zeitgenossen klarere Hinweise darauf erhalten hat, daß seine ihm von Gott verliehenen Talente sich in der Richtung des Kaffeeimportes, der Glasfabrikation oder der Börsenspekulation bewegten. Wenn man sagt, daß eines Mannes Charakter sein Schicksal ist, so war es in meiner Generation viel eher der Charaktermangel. Die glücksspielerische Art, in der ich angsterregende Entscheidungen umschiffte, hatte zur Folge, daß ich niemals ein wirklicher Fachmann geworden bin, sondern nur ein seltsamer Gast bei vielen seltsamen

Gelagen, wo man verschiedenfarbige Weine trank, alle gleich schmeckend.

Wenn ich jedoch jetzt die Szene betrachte, bemerke ich, daß sie sich unheildrohend verändert hat. Es wird ohne weiteres angenommen, daß jedermann von seiner lächerlich engen Spezialität besessen ist. Ist man ein Orthopäde, so lebt man der Orthopädie; ist man ein Soziobiologe, so muß man als ein solcher leben und sterben. Tag und Nacht, durch vierzig oder fünfzig Jahre, im Wachen und im Schlaf, alles was man tut, alles was man liest, alles was man denkt, alles worüber man spricht, wird z. B. der Bevölkerungsgenetik gewidmet sein oder der Autoimmunität. So ist es verordnet, so wird man leben, so sterben; und wenn es dann noch Grabsteine gibt, so werden sie, wie es sich gehört, der betreffenden Fachkenntnisse gedenken. Wahrhaftig, absonderlich wird die Schar sein, die sich im Tale Josaphat versammelt (Joel 3, 2)!

Ich habe wahrscheinlich die Entstehung einer größeren Zahl naturwissenschaftlicher Spezialitäten erlebt als zu der Zeit, da ich mich in die Wissenschaft begab, überhaupt vorhanden waren. Auch die Priesterschaft des alten Ägyptens war wahrscheinlich reich gefächert; aber ich weiß nicht, ob nur gewisse Priester mit den Zauberworten, die den Schmerz in einem gegebenen Backenzahn beruhigen konnten, betraut waren und ob sie zu diesem Zwecke ein Beschwörungsdiplom besaßen. Heutzutage wäre es gewiß der Fall. Ein Mann oder zwei beschließen z. B., irgendeinen ausgefallenen Käfer zu studieren. Ob sie es tun, weil das Tier eine Landplage oder eine zoologische Wonne ist, spielt keine Rolle. Finden sie etwas von wissenschaftlichem Interesse, so werden gleich zehn andere oder mehr da sein, die dasselbe tun. Wenn einmal hundert Leute den ausgefallenen Käfer studieren, so bilden sie eine Gesellschaft und veröffentlichen eine Zeitschrift. Eine Gesellschaft erzeugt einen Beruf, und ein Beruf, wenn es ihn einmal gibt, darf nicht aussterben. Es obliegt dem Volke, ihn am Leben zu erhalten. Wenn das Volk dazu überredet werden kann, wird es bald tausend Mitglieder der Gesellschaft zum Studium des Ausgefallenen Käfers geben. Es liegt auf der Hand, daß zu diesem Zeitpunkt der Käfer nicht mehr aussterben darf, denn was würden all diese Fachleute anfangen, die nun möglicherweise zahlreicher sind als die Ausgefallenen Käfer selbst? Jetzt gründet sich eine Stiftung, deren ehrenamtliche Mitglieder — einflußreiche Bankiers, Damen der Gesellschaft — weder wissen, noch auch sich darum kümmern, ob sie bei der Ausrottung oder der Erhaltung der Käfer mithelfen sollen. Was sie wissen ist nur das Eine: sie müssen diejenigen unterstützen, die den Käfer erforschen. Zu diesem Behufe findet dann vielleicht auch ein Ausgefallener Käferball statt. Aber was geschieht, wenn das Tier dennoch ausstirbt? Als verlautete, daß die Kinderlähmung nunmehr der Vergangenheit angehöre, ist die »National Infantile Paralysis Foundation« dem Ärgsten entgangen, indem sie, ihr ursprüngliches Ziel aus ihrem Namen weglassend, sich in »National Foundation« umtaufte und im Wohltätigkeitsgeschäft verblieb. Die »American Cancer Society« wird es vielleicht nicht so leicht haben.

Wenn ich über die seltsame Art nachdachte, in der heutzutage aus wissenschaftlichen Interessen verbriefte Rechte werden, habe ich mich oft gefragt, ob der wahre Anstoß zu dieser Verwandlung nicht von der einfachen und uralten Sehnsucht der Menschheit nach einem sorgenfreien und angenehmen Leben kommt. Schließlich muß es sogar in längst vergangenen Zeiten ein paar Leute gegeben haben, die, natürlich gegen ein kleines Entgelt, bereit waren, die Sonne für ihre im Schweiße der Ehrlichkeit schuftenden Mitneanderthaler auszulegen.

Ich habe oft über diese Dinge gesprochen, meistens mit jüngeren Leuten, und natürlich nicht mit meinen Kollegen, denn es hat wenig Sinn, sich bei den Aussätzigen über die Lepra zu beschweren. Aus einigen dieser Vorträge wurden Aufsätze, die, was sie an Glattheit gewannen, an Unmittelbarkeit verloren. Ein Beispiel einer solchen, weder veredelten noch umgeschriebenen Ansprache könnte vielleicht einiges Interesse beanspruchen. Das folgende Kapitel bringt im Rohzustand die

Wiedergabe eines Vortrags, den ich vor den Studenten der University of Wisconsin in Madison am 14. April 1975 gehalten habe.

Über das große Dilemma der Wissenschaften vom Leben

Ich bin nicht sicher, daß das Wort »Dilemma« die richtige Beschreibung der Schwierigkeiten darstellt, in denen sich die biologischen Wissenschaften befinden. Diese Schwierigkeiten, glaube ich, gelten für die ganze Welt, sind aber sicherlich durch die bedauernswerte Tatsache verschärft worden, daß, wenn man die Dinge richtig betrachtet, aus den Naturwissenschaften hauptsächlich amerikanische Naturwissenschaften geworden sind. Lassen Sie mich in wenigen Worten sagen, was ich im Sinne habe. Für diejenigen unter Ihnen, die ihr Leben der Naturwissenschaft, der wissenschaftlichen Forschung zu widmen beschlossen haben, ist es wichtig herauszufinden, worauf Sie sich einlassen, und ob der Beruf, den Sie wählen, wirklich der ist, den Sie zu wählen glauben.

Die Bezeichnung »Wissenschaften vom Leben« ist, wie sie gewöhnlich gebraucht wird, einfach ein feinerer Name für die Biologie; aber sie schließt auch die verschiedenen Hilfswissenschaften ein, wie die Biochemie, die Biophysik usw. Es gibt sogar einige verwirrte Leute, die glauben, daß, was jetzt »Molekularbiologie« genannt wird, alle Wissenschaften vom Leben umfaßt. Aber das trifft nicht zu, außer in dem oberflächlichen Sinne, daß alles, was wir in unserer Welt sehen können, irgendwie aus Molekülen zusammengesetzt ist. Aber ist das alles? Können wir die Musik beschreiben, indem wir sagen, daß alle Instrumente aus Holz, Blech usw. bestehen, und dabei die Töne auslassen? Sie werden mir alle darin recht geben, daß die Musik mehr als das umfaßt, denn im Gehirn des Komponisten, und sogar der meisten Musiker, existiert eine Musik ganz ohne das Blech und Holz. Dann wird einer mit Recht einwenden, daß auch unser Gehirn aus Molekülen besteht. Und ich werde auf meine verträumte Art erwidern: »Besteht unser Gehirn wirklich nur daraus?«, und damit werden wir schon in den dummen Streit zwischen den Reduktionisten und den Nichtreduktionisten hineingeraten sein. Dieser Kampf wird schon seit fast 2500 Jahren ausgetragen, und er ist noch immer nicht zu Ende. Des Menschen Lage scheint einfach so zu sein, daß Übereinstimmung nur in den trivialsten Dingen zu haben ist. Möglicherweise sind die Katzen alle einer Meinung über Mäuse, aber sogar das bezweifle ich.

Das Dilemma meines Titels, d. i. die Entscheidung zwischen Alternativen, die dem einen oder andern höchst unschmackhaft erscheinen, besteht darin, daß die Biologie wird entscheiden müssen, ob sie wieder klein werden kann, ob sie zu menschlichen Ausmaßen in Forschung und Geldbedarf zurückfindet, oder ob sie, ihren gegenwärtigen Weg fortsetzend, sich zu einer enormen Technik auswachsen soll, immer kostspieliger und schwerfälliger, immer mehr und mehr dem Volke, das dafür zahlen muß, entfremdet, und immer mehr von riesenhaften und notwendigerweise unerfüllbaren Versprechungen lebend.

Soeben habe ich den Ausdruck »menschliche Ausmaße« verwendet. Er setzt voraus, daß es eine richtige Größe für alles auf der Welt gibt, daß es ein Maß gibt, das nicht überschritten werden darf. Niemand wußte es besser als die Griechen mit ihrem berühmten μηδεν ἄγαν — »von nichts zuviel« oder »alles mit Maß«. Wir haben diesen Sinn für Maß, für Zurückhaltung, für das Bewußtsein unsrer Grenzen völlig eingebüßt. Und doch ist der Mensch nur stark, wenn er sich seiner eigenen Schwäche bewußt ist. Sonst werden die Adler des Himmels seine Leber fressen, wie es Prometheus seinerzeit ergangen ist. Jetzt gibt es keine Himmelsadler mehr, keinen Prometheus: jetzt bekommt man anstelle dessen Krebs — die hauptsächliche Krankheit entwickelter Zivilisationen.

Berufsmäßige Naturwissenschafter besitzen notwendigerweise ein beschränktes Sehvermögen. Es sollte ihnen nicht gestattet sein, frei über die Menschheit einherzufahren; denn während ihre Augen auf das Höchste geheftet sind, müssen sie mit dem Nächsten zusammenstoßen. Das bedeutet nicht, daß die professionellen Nichtwissenschafter, die dieses Land regieren, besser sind; sie sind nur verschieden. Ich habe immer versucht, kein professioneller Wissenschafter zu sein, da ich berufsmäßige Berufsmäßige nicht leiden kann; aber im gegenwärtigen Zusammenhang hat das keine Bedeutung. Jedenfalls bin ich im Laufe von fast fünfzig Jahren jeden Morgen ins Laboratorium gefahren und bin jeden Abend nach Hause gekommen. Dieses eintönige Hin und Her zwischen Untergrundbahnfahrt, Brotarbeit und Ruhe ist niemals besser beschrieben worden, als es die Pariser zu meiner Zeit taten: »métro, boulot, dodo«. Aber sogar in einem so beschränkten und verkürzten Leben, wie es das eines Forschers und Lehrers ist, kann man nicht umhin, Veränderungen festzustellen, riesenhafte Veränderungen, die in unserem Leben und in unserer täglichen Umgebung stattgefunden haben.

Wie ich mich so umschaue, sind, was ich »menschliche Wesen« zu nennen pflegte, seltener geworden. Es gab einmal eine Zeit — nun, sie ist längst vorbei —, da St. Augustinus sagen konnte: »Das Herz spricht zum Herzen.« Jetzt aber sprechen nur Rechenmaschinen zueinander. Die meisten Leute, denen ich in meiner Universität oder in andern begegne, sehen wie Ausschußware aus den Mistkörben von IBM aus. In der Tat, mit ihnen kann man nur in dreifacher Ausfertigung reden. Sklaven oder Gefangene von NIH oder NSF, von Xerox und Beckman* — sie stellen wirklich die engste, die ödeste Art von Experten oder Fachleuten vor; im wesentlichen sind sie so etwas wie molekulare Fußspezialisten; Leute, die alles über den 15ten Fuß des Tausendfüßlers wissen. Daß das ein Beruf ist, der einmal durch einen Kepler oder Faraday, durch einen Mendel oder Avery vertreten war, ist schwer zu glauben.

Daß wir in korrupten Zeiten leben, bedarf keines Arguments. Zu erklären, was sie so gemacht hat, dazu besitze ich keine Lizenz. Sogar die großen Doktoren unserer Zeit erscheinen mir, wenn ich sie durch meine Gläser betrachte, als Quacksalber. Es ist durchaus möglich, daß die Welt für menschliche

---

* NIH, »National Institutes of Health« und NSF, »National Science Foundation«, sind die hauptsächlichen Geldgeber der amerikanischen Forschung; die beiden andern Namen stehen für die Art von Firmen, mit denen der amerikanische Naturforscher täglich in Berührung ist.

Wesen wirklich zu kompliziert geworden ist, und daß es niemanden gibt, der sie überhaupt noch verstehen kann, geschweige denn reformieren. Vielleicht haben wir alle zuviel Blei in unsere Gehirne gekriegt.

Jedenfalls ist es nicht verwunderlich, daß die Beschäftigung mit den Naturwissenschaften, die gebrechlichste, die verletztlichste aller Tätigkeiten, durch unser Jahrhundert betroffen und beschädigt worden ist. Im folgenden will ich mich hauptsächlich mit drei Themen befassen: 1) Was ist Naturwissenschaft?; 2) Wie wird die Wissenschaft in unsern Tagen betrieben?; 3) Was sind einige der Hauptprobleme, die sich für die Wissenschaft vom Leben ergeben?

Was ist Naturwissenschaft? Wahrlich eine gewichtige Frage, über die umfangreiche Bücher geschrieben worden sind, die ich nur mit der größten Schwierigkeit lesen kann. Ich werde eine einfache Antwort geben. Naturwissenschaft ist der Versuch, die Wahrheit über diejenigen Teile der Natur, die erforschbar sind, zu erfahren. Naturwissenschaft ist daher nicht eine Vorrichtung, um das Unerforschliche zu erforschen; und es ist z. B. nicht ihre Sache, über die Existenz oder die Nichtexistenz Gottes zu entscheiden oder das Gewicht einer Seele zu ermitteln. Es ist bedauerlich, daß die Naturwissenschaften überaus arrogant geworden sind — dies begann zur Zeit Darwins, wird aber immer ärger —, und daß die Naturforscher Anspruch auf ein besonderes Recht erheben, sich auf laute und oft überaus dumme Weise über fast jeden Gegenstand auszusprechen. So ist z. B. die »National Academy of Sciences« eigentlich nur eine wissenschaftliche Handelskammer, deren Mitglieder von sehr wechselnder Qualität sind; aber sie wird weithin als ein wahrer Hort der Weisheit angesehen. Wenn einer jedoch sein Leben damit verbringt, sagen wir, eine Nebelkammer zu beobachten, Bläschen zu zählen oder Cäsiumchloridgradienten herzustellen, so ist er vielleicht ein fachmännischer Sprudler oder Gradientenmacher geworden, aber daß er auf diese Weise viel Weisheit erlangt hat, ist unwahrscheinlich. Solche Fachleute sind viel eher dazu prädestiniert, stumpfe

Gesellen zu werden, die ihr Leben damit vergeuden, mit ihren Konkurrenten, zehn andern stumpfen Gesellen, wettzurennen.

Ich habe soeben gesagt, daß Naturwissenschaft den Versuch darstellt, die teilweise Wahrheit der Natur zu erkennen; und da ergibt sich natürlich die Hoffnung, daß mit der Wahrheit auch das Verstehen kommen wird. Nun ist die Natur viel zu ungeheuer, als daß der Geist des Menschen sie im Ganzen umfassen und verstehen könnte. Deshalb muß sie in viele verschiedene Disziplinen untergeteilt werden, deren jede leider ihren eigenen Kodex entwickelt hat. Wenn die verschiedenen Wissenschaften überhaupt miteinander reden, so geschieht dies mit Hilfe einer Art von Esperanto, nämlich der Mathematik; und die Mathematik ist eine schöne, aber sehr trockene Sprache. In allen andern Belangen sind die Naturwissenschaften sehr weit auseinandergewachsen; und wenn ich zuhöre, wie die Vertreter verschiedener Gebiete miteinander reden, so handelt es sich meistens um Automobile und den Benzinpreis, manchmal auch um chinesische Restaurants.

Wenn man einen Laien über die Naturwissenschaft fragt, so wird er vielleicht sagen, daß sie in der vernunftgemäßen und kritischen Sammlung beweis- oder widerlegbarer Tatsachen besteht. Fragt man ihn, was eine Tatsache ist, so wird er antworten, daß sie das ist, was die Naturforscher sammeln. Erwidert man jedoch, daß Erwachsene Tautologien vermeiden sollen und daß es keinen Sinn hat, die Quadratur eines Circulus vitiosus zu unternehmen, so wird er jenen leeren Ausdruck annehmen, der uns aus den Photographien unserer führenden Staatsmänner so vertraut geworden ist; aber mit dem Gespräch wird es zu Ende sein. Denn nie zuvor ist die Naturwissenschaft dem einfachen Mann so entfremdet worden; nie hat er ihr so viel Mißtrauen entgegengebracht.

Wenn wir alle Naturwissenschaften von Astronomie bis Zoologie überblicken könnten, würden wir bemerken, daß einige mit Hilfe der Mathematik miteinander verkehren können, während andere dazu nicht fähig sind. Und wir würden auch bemerken, daß die Wissenschaften in der Art, wie sie ihre Tatsachen sammeln, voneinander sehr verschieden sind. Die Chemie z. B. beruht auf Experimenten und ist auf sie angewiesen, und das Ergebnis dieser Experimente ist immer wiederholbar, solange die Versuchsbedingungen konstant bleiben. Eine organische Verbindung, deren Synthese beschrieben worden ist, muß bei genauer Einhaltung des veröffentlichten Verfahrens immer wieder synthetisiert werden können. Sie wird denselben Schmelz- oder Siedepunkt haben, dasselbe Spektrum usw. Hier haben wir also den idealen Vertreter einer exakten Wissenschaft. Dasselbe gilt für große Teile der Physik. Aber betrachten wir andererseits die Astronomie. Sie ist sicherlich in der Hauptsache eine exakte Wissenschaft, aber sie ist nicht eine experimentelle Wissenschaft im Sinne der Physik und der Chemie. Wenn Kepler die Richtigkeit seiner Berechnungen nachprüfen wollte, konnte er natürlich seine Messungen wiederholen oder sogar verfeinern. Aber weder eine zweite Sonne noch ein zweiter Planetensatz standen zu seiner Verfügung. Die gleichen oder sogar noch weiter reichende Einschränkungen gelten z. B. für die Geologie oder die Paläontologie. Der Erfolg der exakten Wissenschaften und die von diesem ausgehende Anziehung waren jedoch so groß, daß heutzutage andere, solcher Methodik nicht zugängliche Wissenschaften angefangen haben, sie zu imitieren, und dies keineswegs zu ihrem Nutzen. Denn Wägen und Messen mögen für die eine Wissenschaft das Brot des Lebens sein, andere machen sich dadurch nur lächerlich.

Wenn wir uns der Biologie zuwenden, treffen wir einen eigenartigen Zustand an. Denn die Biologie ist die Wissenschaft vom Leben, und Leben ist etwas, bei dem sich die exakten Wissenschaften nicht recht wohl fühlen. Sogar die anderen, die »nicht-exakten« Wissenschaften wissen nicht recht was damit anfangen. Aus diesem Grunde umfaßt die Bezeichnung »Biologie« eine ganze Landschaft voll von Variationen. Einerseits gibt es Fächer, die versuchen so auszusehen, als wären sie exakt, wie die Biochemie und die Biophysik. Andererseits gibt es Wissenschaften, die hauptsächlich deskriptiv oder sogar historisch vorgehen. Es ist ganz klar, daß jemand, der versucht, einen Stoffwechselzyklus zu ergründen oder markierte Moleküle in das Aktivitätszentrum eines Enzyms einzuführen, nur wenig mit denen gemeinsam haben kann, die etwa die Lebensgewohnheiten der Möwe erforschen oder einen ganzen Schädel aus einem vorzeitlichen Kiefer zu rekonstruieren versuchen.

Ich will am Ende meines Vortrags auf diese Frage zurückkommen und möchte mich jetzt dem zweiten meiner drei Themen zuwenden.

Wie wird Wissenschaft heutzutage betrieben? Hier muß ich sofort unterscheiden zwischen der Naturwissenschaft als Beruf und der Naturwissenschaft als Ausdruck gewisser geistigen Fähigkeiten. Die beiden hängen nicht unbedingt miteinander zusammen. Wenn jemand mir sagt: »Ich bin ein Berufswissenschafter«, so bedeutet das nicht ohne weiteres, daß er ein Wissenschafter ist. Die Unterscheidung, die ich hier vorschlage, hat nichts mit der Frage der Begabung zu tun. Es hat immer mehr oder weniger begabte Wissenschafter gegeben, und einige davon, sehr wenige, waren vielleicht Genies. Aber was ich betonen möchte, ist, daß die Naturwissenschaft, als Beruf betrachtet, einer der jüngsten ist. Als ich mein Studium begann, gab es ihn fast noch nicht. Die Chemie bildete vielleicht die einzige Ausnahme, obwohl, wenn man sich als Berufschemiker bezeichnete, die Leute ohne weiteres annahmen, daß man in der chemischen Industrie tätig war. Das war fast das einzige geräumige Betätigungsfeld naturwissenschaftlicher Akademiker. Es war keineswegs zufällig, daß, als die naturwissenschaftlichen Institute der Universitäten anzuschwellen und sich auszudehnen begannen, das chemische Institut immer an der Spitze lag; wie denn auch Liebigs chemisches Laboratorium in Gießen vielleicht die erste moderne Lehr- und Forschungsstätte an einer Universität gewesen ist.

Im übrigen fing man eine naturwissenschaftliche Karriere ebenso an, wie man es etwa in der Geschichte oder Philosophie tat, indem man versuchte, als Lehrer an einer höheren Lehranstalt oder an einer Mittelschule unterzukommen. Es gab nur wenige Stellungen, und fast keine brachte genug ein, um davon leben zu können, mit der einzigen Ausnahme der ordentlichen Professur, wovon es gewöhnlich nur eine für jedes Fach gab. Daher kommt das ehrwürdige Studentenwort, es gebe nur zwei Wege zu einer Universitätskarriere: »per anum« oder »per vaginam«. Man mußte versuchen, entweder des Professors Liebling zu werden oder seine Tochter zu heiraten. Selbstverständlich schränkte das die Auswahl ein: einige Professoren waren sehr ekelhaft; einige Töchter waren sehr häßlich. Studentinnen konnten da überhaupt nicht mitmachen, aber davon gab es nur sehr wenige.

Sie werden mit Recht schließen, daß es ein höchst unangenehmes System war. Aber es hatte einen Vorzug; es fungierte als ein Sieb, indem es nur die wenigen durchließ, die nicht anders konnten. Indem es gleichsam das Gelübde der Armut vorschrieb, hielt es die ferne, welche — um ein widerwärtiges Wort zu gebrauchen — nicht »höchst motiviert« waren. Es erzeugte eine etwas kleinere Anzahl, aber wahrscheinlich eine viel größere Dichte, guter Naturforscher, als es unser gegenwärtiges System tut.

Ich möchte keinewegs den Eindruck hinterlassen, daß ich mich zugunsten des alten Systems ausspreche. Es war abscheulich. Andrerseits kann ich mich auch ganz und gar nicht für die Art erwärmen, in der die Dinge jetzt gemacht werden; denn ich bin davon überzeugt, daß mit unserer gegenwärtigen Methode, die Wissenschaft zu organisieren und zu finanzieren, wir sie tatsächlich umzubringen im Begriffe sind. Wir sind dabei, das gesamte Konzept der Naturwissenschaft, wie es sich im Laufe von Jahrhunderten entwickelt hat, zu zerstören.

Meine Worte kommen Ihnen vielleicht zu apokalyptisch vor, und ich sollte versuchen, mich etwas klarer auszudrücken. Ich werde es mit Hilfe der folgenden vier Themen tun: Was haben die Naturwissenschaften unsern Universitäten angetan? Was haben die Universitäten den Naturwissenschaften angetan? Was haben die Naturwissenschaften dem Land angetan? Was hat das Land den Naturwissenschaften angetan?

Diese Wechselwirkungen beziehen sich auf die Naturwissenschaft als Beruf. Aber Sie werden sich erinnern, daß ich eine Unterscheidung zwischen diesem Aspekt und dem der Wissenschaft als eines Produktes des menschlichen Geistes gemacht habe. In dieser Beziehung — nämlich als die Suche nach der Wahrheit über die Natur — begannen die Naturwissenschaften als ein Zweig der Philosophie, und soweit ich in Betracht komme, ist diese Verbindung niemals gebrochen worden. Die Naturwissenschaft ist ein bewundernswertes Erzeugnis menschlicher Denkkraft, ebenso bewundernswert und erstaunlich wie die Musik, die Dichtung oder die Kunst. Frühere Generationen haben dies sehr klar verstanden. So bin ich z. B. Mitglied der »American Academy of *Arts and Sciences*« und bis zu meinem Rücktritt von der Universität gehörte ich zur »Graduate Faculty of *Arts and Sciences*«.

Als eine geistige Beschäftigung, als ein Erzeugnis des menschlichen Geistes, können die Naturwissenschaften zeitlich nicht befristet werden. Genauso wenig, wie man Mozart hätte sagen können, wie viele Opern er schreiben solle, kann es einen Fünfjahrplan für die Naturwissenschaften geben. Alles kommt wie es kommt, es geht wie es geht. Soll man alle Schmelzpunkte um 10 % erhöhen? Sind sechs Gesetze der Thermodynamik besser als drei? Als aber Amerika beschloß, sich in das Naturwissenschaftsgeschäft in einem großen Maßstab einzulassen — und das ereignete sich erst innerhalb der letzten dreißig oder vierzig Jahre — tat es dies auf eine wahnwitzige Weise. Das Land hat immer die Neigung gehabt, jeden Ballon aufzublasen, bis er platzte; und es hat das auch mit den Naturwissenschaften getan.

Was die Naturwissenschaften den Universitäten angetan haben, ist, daß sie sie aufgeblasen und verunstaltet haben; sie sind bankrotter zurückgeblieben als sie vorher waren. Die großen privaten Universitäten sind riesenhafte Konzerne geworden, deren einziges Geschäft darin besteht, Geld zu verlieren. Es gibt Ausnahmen, aber im allgemeinen sind sie von machthungrigen, hohlköpfigen Entrepreneuren übernommen worden. Die einzige und wirkliche Funktion einer Universität ist verschüttet worden. Diese besteht nämlich darin, jungen Leuten zu helfen, sich selbst zu finden, indem ihnen das gesammelte Gedächtnis der Menschheit nahegebracht wird. Der alte und durch Überbetonung zu einem Gemeinplatz gewordene Begriff der Einheit von Forschung und Lehre ist mißverstanden und zu einem einfachen Lehrmittel erniedrigt worden, zu einem höchst kostspieligen und verdummenden Mittel, welches, indem es jeden Studenten zwingt, ein Forscher zu werden, das Ziel der wissenschaftlichen Forschung trivialisiert hat. Tausende sinnloser und kostspieliger Experimente werden ausgeführt, um die Jugend davon zu überzeugen, daß Wasser bei 100° kocht. Wir zahlen jetzt die Strafe für unsere übertriebene Verehrung des Wertes induktiven Denkens.

Jetzt zu meiner zweiten Frage: Was haben die Universitäten der Naturwissenschaft angetan? Erstens sind sie dazu getrieben worden, die Wissenschaften rücksichtslos zu schröpfen: bei der Vergütung ihrer sogenannten Unkosten kommen die Universitäten auf weit mehr als ihre Kosten. Obendrein haben sie die Naturwissenschaften herabgewürdigt und bis zur Unkenntlichkeit vulgarisiert; in Zusammenarbeit mit der brutalen Meinungsindustrie haben sie aus ihnen einen Werbetrick gemacht. Wenn die Produkte dieser Art von Erziehung oft noch so gut sind, so beweist das nur die Elastizität junger Köpfe. Viele werden jedoch unwiederbringlich geschädigt.

Was hat die Naturwissenschaft dem Land angetan? Sichtlich viel Gutes und viel Böses. Wäre die von Plato erträumte Republik zustande gekommen, d. h. eine Diktatur weisester Philosophen, so hätten die Naturwissenschaften dem Staate wahrscheinlich nicht viel Böses antun können. (Allerdings möchte ich in Klammern sagen, daß mir dieses platonische Ideal niemals Jubelrufe entlockt hat, denn ich fürchte, daß sogar der weiseste Philosoph, läßt er sich einmal verlocken, Staatsmann zu sein, wie alle diese zu einem Esel oder einem Verbrecher wird werden müssen.) Und wie viele weise Männer werden Sie in Ihrem zukünftigen, hoffentlich langen Leben treffen?

Wenn ich unsere führenden Staatsmänner betrachte, entsinne ich mich der unsterblichen Worte, die der Herzog von Wellington einmal über seine Generäle gesprochen hat. »Den Feind erschrecken sie wahrscheinlich nicht, aber, bei Gott, sie erschrecken mich!« Die gedankenlose, fast automatische Verwendung der Naturwissenschaften als Samenkorn der Technik hat ein furchtbares moralisches Durcheinander erzeugt. Der Ruf, daß immer mehr und mehr Naturwissenschaft das einzige Medikament zur Heilung dessen ist, was die Naturwissenschaften angerichtet haben, hat, soweit ich in Betracht komme, jede Überzeugungskraft verloren. Das Kapitol wird nicht durch Gänse gerettet werden, nicht einmal durch Gänse mit dem Dr. phil.

Was hat das Land der Naturwissenschaft angetan? Eigentlich habe ich diese Frage schon beantwortet. Wenn man sein ganzes Leben ein Naturforscher gewesen ist, jeden Tag im Laboratorium und immer von seinesgleichen umgeben, kann man sich nur schwer vorstellen, daß es in diesem Lande noch andere Leute als Naturforscher gibt, obwohl eine vor ein paar Jahren gemachte optimistische Voraussage mir versprach, daß es in weniger als hundert Jahren mehr Naturwissenschafter als Menschen in den Vereinigten Staaten geben werde. Dann wird jeder Amerikaner eineinachtel Naturforscher sein. Unterdessen blicken jedoch, wie ich schon erwähnt habe, große Teile der Bevölkerung mit dem höchsten Mißtrauen auf die Naturwissenschaften, und oft mit Abneigung; und der Regen des Mißtrauens fällt gleicherweise auf die Schuldigen und die Gerechten. Ich will mich nicht in die langweiligen Diskussionen über Beschmutzung und DDT und alles übrige einlassen, noch auch will ich mich in Erwägungen darüber ergehen, ob es nötig war, wie es vor kurzem geschah, zehn Millionen Amseln mittels Tergitol umzubringen. Die Vögel hatten vielleicht vor Gott und der Natur ebensoviel Anrecht auf Existenz wie der Harvardprofessor, dessen unschuldiger Zeitvertreib, Napalm, so viel chemisches Unglück gebracht hat.

Unsere Art von Wissenschaft ist von öffentlicher Unterstützung so abhängig geworden, daß niemand mehr ohne eine milde Gabe fähig zu sein scheint, Forschung zu betreiben. Wenn ihre Gesuche abgelehnt werden, hören sogar die jüngsten und kräftigsten Assistenzprofessoren auf, irgendeine Arbeit zu verrichten, und verbringen den Rest ihrer elenden Tage mit der Abfassung weiterer Gesuche, die gleich den Gesichtern der Bittsteller immer länger werden. Das fortwährende Zu- und Aufdrehen der Geldhähne erzeugt in den Opfern bedingte Reflexe und eine allgemeine Neurasthenie, die mit der Zeit der Wissenschaft unwiederbringlichen Schaden zufügen müssen. Es wäre viel besser gewesen, sie wäre nicht so reich geworden, bevor sie so arm wurde, denn unterdessen sind viele junge Leute in eine Laufbahn gelockt worden, die sich möglicherweise nie verwirklichen wird.

Nun zu meinem letzten Punkt: Was sind die speziellen Probleme, denen die Wissenschaften vom Leben gegenüberstehen? Wenn ich von der Biologie spreche, will ich die angewandten Wissenschaften, wie Agronomie oder Medizin, außer Betracht lassen. Aus diesem Grunde werden Sie von mir kein Wort über solche Dinge hören wie die ethischen Probleme der Organverpflanzung und ähnliches, obwohl man eine Menge darüber sagen könnte.

Die besonderen Probleme, die ich im Sinne habe, sind sowohl allgemeiner Art — man könnte sie philosophische Probleme nennen — als auch spezifischer Art. Fangen wir damit an, daß keine andre Wissenschaft so grenzenlos, so weit offen ist wie die Biologie. Keine andre Wissenschaft bezieht sich selbst in ihrem Namen auf einen Gegenstand, den sie nicht definieren kann. In keiner andern Wissenschaft ist die Spanne zwischen dem, was man verstehen sollte und dem, was man verstehen kann, so weit. Selbst das Konzept von »Methoden« und deren Anwendung hat völlig verschiedene Folgen, wenn man, sagen wir, die Chemie mit der Zoologie vergleicht. Es kann sehr wohl Methoden, Verfahren geben, um den Eisengehalt eines Minerals zu bestimmen, aber es gibt keine Methode, um das Leben zu erforschen. Allerdings gibt es allerhand Tricks und Abkürzungen, von denen behauptet wird, daß sie das zustande bringen. Aber gerade die große Anzahl und Vielfalt von Methoden — zusammen mit der Starrheit des Begriffs davon, was möglich ist — haben zu einer derartigen Fragmentierung geführt, daß ein einheitliches Bild von der lebenden Natur unmöglich geworden ist, obwohl in alten Zeiten Aristoteles geglaubt haben mag, er sei nicht weit davon. Die unerhörte Fülle von Information, die uns mit unerwarteter Raschheit überfallen hat, hat mehr Verwirrung als Erleuchtung gebracht.

Das steht mit dem Verlust menschlicher Proportionen in den Naturwissenschaften, von dem ich schon gesprochen habe, in direktem Zusammenhang. Wissenschaft — zumindest wie ich sie betrachte — ist eine geistige Tätigkeit, etwas viel mehr mit dem Kopf als mit den Händen Gemachtes. Das menschliche Gehirn hat eine enorme Fähigkeit, Kenntnisse aufzubewahren und zurückzurufen; aber sogar diese Fähigkeit ist, wie ich annehmen will, nicht unbegrenzt. Um es naiv zu sagen: je mehr Telephonnummern ich auswendig lernen muß, umso geringer die Wahrscheinlichkeit, daß ich gleichzeitig das gesamte »Verlorene Paradies« meinem Gedächtnis einprägen kann. Darauf könnten Sie natürlich erwidern, daß keine Notwendigkeit für mich besteht, den ganzen Milton auswendig zu lernen, da es ja ein Buch gibt, auf dessen Rücken »Milton« gedruckt ist und ich jederzeit darin nachsehen kann. Richtig; aber schöpferische Wissenschaft funktioniert nicht auf diese Art. Hier benötigen wir ein Minimum immer parater Information, ohne das fruchtbare Analogieschlüsse, geschweige denn völlig originelle Einfälle unmöglich sind. Nun ist dieses Minimum mit wahrhaft schreckenerregender Schnelligkeit größer geworden. Gleichzeitig werden wir aber mit immer mehr Telephonnummern und ähnlichen trivialen Mitteilungen bombardiert, und unser armes Gehirn kann nicht mehr zwischen dem, was es braucht, und dem, was nutzlos ist, unterscheiden. So erreichen wir einen Zustand, von dem gilt, was ich früher in einem andern Zusammenhang zu sagen pflegte: »Je mehr wir wissen, desto weniger wissen wir.«

Außerdem ist es kein Trost, wenn man mir sagt, es werde immer einen Computer geben, um mir zu helfen. Ganz abgesehen von der Wahrscheinlichkeit, daß es nicht immer einen Computer geben wird, denn wir gehen in unsichere und dunkle Zeiten, wäre dieses schöne Instrument für mich völlig nutzlos: des Idioten bester Freund ist selbst ein Idiot. Was der Naturforscher braucht, ist ein selektives und nicht ein automatisches Gedächtnis; und noch viel mehr braucht er, was ich als leere Räume zwischen den Erinnerungen bezeichnen möchte, denn er arbeitet wie in einem Traum der Vernunft. Große wissenschaftliche Ideen besitzen oft eine völlig nichtinduktive, traumhafte Eigenschaft. Was der Naturforscher daher mehr als irgend etwas anderes braucht, ist die Fähigkeit, diese leeren Räume zu bewahren, sowohl um sich selbst als auch innerhalb seiner selbst. Unsere gesamte Lehreinrichtung ist jedoch gegen dieses Bedürfnis gerichtet. Da wir selber dieser Verbindung mit dem Mittelpunkt der Wissenschaft beraubt worden sind, stopfen wir unsere Studenten voll mit dem Allerneuesten: verlorene Seelen, welche die Jugend lehren, ihre eigene zu verlieren.

Es ist mir selbst klar, daß ich begonnen habe, wie ein apokrypher kleiner Prophet zu klingen, und trotzdem ist es vielleicht nicht unangebracht, daß ich noch ein bißchen länger in dieser Richtung fortfahre, bevor ich auf festen Boden zurückkehre. Worüber ich zu Ihnen sprechen wollte, hat mit der »Nützlichkeit« solcher menschlichen Tätigkeiten, wie es die wissenschaftliche Forschung ist, zu tun. Das ist ein sehr heikler Gegenstand, besonders wenn man ihn mit waschechten Pragmatikern bespricht, wie es die Amerikaner angeblich sind.

Selbstverständlich gibt es eine beschränkte Zahl — keine sehr große — grundlegender menschlicher Tätigkeiten, die man als notwendig für das Überleben betrachten kann, wie z. B. das Pflanzen, das Bauen, das Weben. Die Erzeugung von Nahrung, Unterkunft und Kleidung gehört dazu. Die meisten Menschen, nicht alle, würden wahrscheinlich das Lehren zu diesen lebenswichtigen und infolgedessen nützlichen Tätigkeiten rechnen. Dann gibt es andere Tätigkeiten, die wirklich nutzlos sind, aber infolge der besonderen sozialen und ökonomischen Bedingungen der Menschen, unter denen sie ausgeübt werden, Anspruch auf Nützlichkeit erheben: z. B. das Rechts- oder das Bankwesen, die Reklame oder der Journalismus. Ich bin nicht sicher, wo ich die Medizin einreihen würde. Ein gewisser Anteil ist wahrscheinlich nützlich oder sogar notwendig, das meiste ist ein Unfug. Wenn ich die an uns gerichteten Ermahnungen höre, mehr Ärzte zu produzieren, so schaudere ich; denn ich frage mich: wird das Volk in der Lage sein, genug Kranke zu erzeugen, um allen diesen Doktoren das Komfortniveau zu garantieren, zu dem sie sich aus unbekannten Gründen berechtigt glauben? Aber keine Angst, eines meiner alten hausgemachten Sprichworte lautet: »Ärzte machen Kranke«. Ich glaube nicht, daß diese alte Regel abgeschafft ist.

Jetzt muß ich jedoch ein Geständnis machen: dieses ganze Gerede über Nützlichkeit und Nutzlosigkeit beunruhigt mich überhaupt nicht. Das sind Kategorien, auf die ich mich gar nicht einlassen will. Gemäß den strikten Grundsätzen der Kostenberechnung sind einige der schönsten Berufe auf der Welt völlig unnütz, und doch sind sie seit den frühesten Zeiten mit uns gewesen. Ich denke an die Kunst in allen ihren Formen. Was wären wir ohne sie?

Einige unter Ihnen werden schon erkannt haben, worauf ich hinauswill. Für meine unbewehrten und vielleicht auch unbewährten Augen unterscheiden sich die Wissenschaften im wesentlichen nicht von den Künsten. Ich wollte nur, sie wären ebenso »unnütz« geblieben. Lassen Sie mich etwas aus einem vor kurzem erschienenen Aufsatz von mir zitieren: »Wissenschaftliche Induktion ist tatsächlich die Resultante eines Parallelogramms rationaler und irrationaler Kräfte. Aus diesem Grunde ist in vielfacher Beziehung Naturwissenschaft nicht eine Wissenschaft; sie ist eine Kunst.« Ich würde sagen, daß unvorhersagbare Assoziationen und das freie Spiel der Phantasie in der Wissenschaft, das ist in der wahren Wissenschaft, nicht weniger wichtig sind als in der Dichtung.

Doch gibt es zwei wichtige Unterschiede. Der eine ist, daß die Künste ihre eigene Wahrheit erschaffen, während man von den Naturwissenschaften sagt, daß sie die in der Natur verborgene Wahrheit enthüllen. Stellt es sich heraus, daß die Behauptung, etwas entdeckt zu haben, erlogen ist, so spricht man von einem Schwindel, und der entlarvte Forscher ist, gewöhnlich lebenslänglich, diskreditiert; denn der Naturwissenschafter muß wie eine Vestalin aussehen, auch wenn er jetzt mit einem Vollbart geschmückt ist. Irren ist menschlich, aber unsere Naturwissenschaften sind es nicht, und sie sind ohne Gnade. Ihre Wahrheit ändert sich zwar alle dreißig Jahre, aber während sie herrscht, ist sie ein eifervoller Autokrat. Auch in der Kunst gibt es etwas, was man schwindeln nennen könnte; aber das ist etwas ganz anderes, und ich habe keine Zeit dafür. Der andere Unterschied besteht in der Art, in der die verschiedenen Berufe unterstützt oder, wenn Sie es vorziehen, finanziert werden — und das bringt mich mit einem lauten Plumps zur Erde zurück.

Denn ich möchte sagen, daß unsere Epoche überaus zwiespältig ist, wenn es um die Unterstützung der wissenschaftlichen Forschung geht. »Zwiespältig« ist vielleicht nicht das richtige Wort — ich sollte von »nullspältig« sprechen, denn angesichts der Naturwissenschaften fühlen sich die Menschen völlig verloren. Sie wissen nicht, ob man sie unterstützen soll, wie man sie unterstützen soll, noch auch was man unterstützen soll. Dies hat uns in die Klemme gebracht, in der wir uns gegenwärtig befinden. Je weniger das Volk willig ist, um so mehr Versprechungen müssen gemacht werden. Eine Schnellmethode zur Langlebigkeit, Freiheit von allen Krankheiten, eine Krebskur — bald vielleicht die Abschaffung des Todes — und was noch? Während keine Sängerin mir jemals versprechen mußte, aus mir einen bessern Menschen zu machen, wenn ich nur ihren Trillern lauschte.

Vielleicht wird mir jetzt jemand erwidern, das komme daher, daß aus den Naturwissenschaften wenig Freude zu beziehen ist, außer für diejenigen, die selbst an der Forschung beteiligt sind. Vielleicht hat er recht. Und das bringt mich zu dem »Dilemma« meines Titels zurück. Entweder werden Sie sich damit begnügen müssen, in riesigen Laboratoriumsfabriken zu schuften, um für den Impresario, der Sie angestellt hat, das Lebenselixier zu destillieren und es ihm überlassen, dieses an andere Impresarios weiterzuverkaufen, oder unsere Wissenschaft wird wieder klein werden müssen: eine Tätigkeit weniger, ausgesuchter und hingebungsvoller Menschen. Die Aufschrift über der Tür des Laboratoriums lautet: »Es hat keine Eile; es hat niemals Eile!«

Die Wissenschaft hat uns gelehrt, daß der Mensch ein Tier ist; ein Gesichtspunkt, den sich diejenigen oft zu eigen machen, die eine Entschuldigung für die von ihnen begangenen Bestialitäten suchen. Irgendwie habe ich mich daran nie gewöhnen können. Wenn ich als Kind in den Zoo genommen wurde, die »Menagerie« im Schloß Schönbrunn, zeigte man mir natürlich meinen nächsten Verwandten, den Affen; aber ich schaute ihn bestürzt, ja geradezu entsetzt an. Er erinnerte mich bedrohlich an entsetzliche Gestalten, die mir in meinen Träumen erschienen waren: ererbte Urbilder, bis zur Vertreibung aus dem Paradies zurückgehende Archetypen. Dies sollte mir nicht als Tierfeindschaft angekreidet werden; ganz im Gegenteil: einige meiner besten Freunde waren Tiere. Nur mit tiefer Trauer kann ich an meine liebe Minka denken, die Katze meiner Gymnasialjahre, die eines so schrecklichen Tods gestorben ist. Und wenn ich je einen Ritter getroffen habe, kühn und wagemutig, sanft und schnell, so war es der Freund meiner späteren Zeiten, Terry der irische Terrier, er, der ein ewiges Loch in meinem Herzen wie in meinem Teppich hinterlassen hat. Jedenfalls bedurften die Tiere meiner Bekanntschaft keiner Überredung, daß ihre Tierheit sich der Mühe lohnte; sie waren, wie sie waren. In dieser Hinsicht, wie auch in mancher andern, waren sie ganz verschieden von jenen andern Freunden meiner späteren Jahre, den Studenten. Diese, früh gereift und früh verfault, brauchten ständige Versicherungen, daß ihre Existenz nicht völlig sinnlos sei. Der Professor als Balsam für junge, wunde Seelen ist eine neue Erscheinung. Meine Professoren wären erstaunt gewesen, wenn ich etwas anderes vor ihnen geöffnet hätte als mein Inskriptionsbüchlein.

Nirgends hat die Naturwissenschaft so ihre Nackheit enthüllt wie in den fruchtlosen Versuchen, den Geist, ob nun des Menschen oder des Tiers, zu erforschen. Von mir aus war Terry der Hund zu grenzenloser Phantasie und zu tiefem Denken fähig; aber Anzeichen davon zeigte er nicht. Diese Merkmale — grenzenlose Phantasie, tiefes Denken — sind tatsächlich die Eigenschaften, die den Menschen aus den Fesseln der Stofflichkeit, den Ketten des Fleisches befreien. Sie sind es, die ihn zum Menschen machen, die ihn ewig aus dem fahlen Meer des Nichtseins herausheben. Dies waren sicherlich die Gaben, welche die Anfänge der Menschheit begleiteten, und es ist ihnen zuzuschreiben, daß der Mensch gezwungen und befähigt war, über die Natur, in die er sich hineingeworfen fand, nachzudenken. Aber bald muß sich da ein seltsamer Widerspruch entwickelt haben: je weiter tiefes Nachdenken über die Natur fortschreitet, um so größer die Gefahr, daß es der Phantasie Abbruch tut. Tatsächlich bedurfte es einer langen Zeit, bis diese Gefahr deutlich wurde, denn es gibt einen riesigen Abstand zwischen dem Nachdenken selbst und dem Beschluß, seine Gültigkeit zu überprüfen und seine Früchte zu verwerten. Der erste dieser Beschlüsse muß früh erfolgt sein, aber Tausende von Jahren sollten vergehen, bevor es zum zweiten kam.

Die Logik, der die Kriterien korrekten Urteilens betreffende Zweig der Philosophie, hat natürlich im Laufe der Geschichte, seit den Zeiten des Aristoteles und der Stoa, viele Veränderungen durchgemacht, aber seit langem hat sie, sozusagen als Wächter, die Denkvorgänge des Menschen begleitet. Zur Bewertung naturwissenschaftlicher Folgerungen reicht die Logik jedoch nicht aus, denn wenn sich die Forschungen auf die Materie oder im allgemeinen auf meß- und wägbare Phänomene beziehen, müssen weitere Kriterien zur Überprüfung der Gültigkeit naturwissenschaftlicher Feststellungen herangezogen werden. Die hauptsächlichen Themen, zumindest in den mir vertrauten Wissenschaften, können aufgezählt werden. Sie sind a) das Experiment, b) die Methode, c) das Modell. Jeder dieser Prozesse hat zur »Polytomie«, zur bedauerlichen Fragmentierung unserer Vorstellungen von der Natur beigetragen, zu den Aufspaltungen, mit denen der Naturforscher täglich konfrontiert wird. Ein jedes dieser Verfahren hat die Kluft zwischen menschlicher Einbildungskraft und naturwissenschaftlichem Denken erweitert und damit die immer mehr zunehmende Trennung zwischen dem Naturforscher und dem Rest der Menschheit verschärft. Gleichzeitig jedoch haben Experimentieren und Methodik die eindrucksvolle Vermehrung unseres Wissens von der Natur — aber eines ganz eigenartigen Wissens — ermöglicht, obwohl man sich fragen möchte, ob es wirklich die Art von Wissen ist, deren die Menschheit bedarf.

Erst in den letzten 350 Jahren hat die Übermacht des Experimentierens die verschiedenen experimentellen Wissenschaften hervorgebracht; ein Vorgang, der gewöhnlich dem überschätzten Philosophen Francis Bacon gutgeschrieben wird, nach meiner Meinung mit Unrecht. Während das Wort »experimentum« im alten Lateinisch so etwas wie Drangsal oder Leiden bedeutet und Goethe von der »Folter der Natur« spricht, erschien das Wort »Experiment« selbst, mehr oder weniger in seiner gegenwärtigen Bedeutung, in den europäischen Sprachen um das Jahr 1300, obwohl natürlich das, was man Versuche nennen würde, gelegentlich auch im Altertum vorgenommen wurde. Auch in der chinesischen Kultur geht eine ganz besondere Art von experimenteller Fragestellung auf sehr frühe Anfänge zurück. Aber wenn man auch Fragen an die Natur stellte, so glaube ich nicht, daß die erhaltenen Antworten zur Errichtung eines Wissenssystems dienten, außer vielleicht in der Astronomie und der Geographie; noch auch handelte es sich meistens um jene Art von Frage, die man jetzt ein Experiment nennen würde. Je beschränkter und enger umschrieben die Frage ist, um so wahrscheinlicher, daß man eine entschiedene und verständliche Antwort erhält, d. i. eine, die in ein früher aufgestelltes System oder Modell hineinpaßt und es sogar noch bereichert. In beschränkten Wissenschaften, wie der Physik oder der Chemie, die, man könnte sagen, aus Grenzen bestehen, hat die Vielfalt einander oft teilweise überdeckender Antworten, die sich im Laufe von Jahrhunderten angesammelt haben, einen weiten Bereich des Verstehens hervorgebracht, obwohl sogar da vieles noch dunkel bleibt.

Aber die Biologie ist grenzenlos, und unsere Experimente sind nur Tropfen aus einem Ozean, der mit jedem Wellenschlag seine Form verändert. Weil die von uns gestellten Fragen sich an unserer abgründigen Unwissenheit über die Natur des Lebens entlangtasten müssen, können die uns gegebenen Antworten nur eine Verzerrung der Wahrheit sein; noch dazu einer Wahrheit, die vielleicht zu einem solchen Grade einen Plural darstellt, daß wir sie nie erfassen können. Die Art und Weise, in der man Fragen stellt, d. h. Experimente plant, ist entweder völlig dem Zufall überlassen oder sie wird durch unsere Vorstellungen von einer prästabilisierten Harmonie bestimmt, einer Harmonie, die, wie wir nur selten erkennen, ein Kontrakt mit Gott ist, den Er niemals unterschrieben hat.

Man könnte vielleicht sagen, daß der Glaube an einen geordneten Kosmos zu den Existenzbedingungen des Menschen gehört. Viele fein empfindende Geister müssen John Donnes Klage über den Verlust des festen ptolemäischen Weltbildes geteilt haben. Dennoch bin ich nicht gewiß, ob der Mensch — ebenso wie er ein fast instinktives Gefühl für Symmetrie besitzt — auch von einem entsprechend elementaren Wunsch nach Einfachheit beseelt ist. Aber Ludwig Wittgenstein schreibt am 19. September 1916 in seinem Tagebuch: »Die Menschheit hat immer nach einer Wissenschaft gesucht, in welcher simplex sigillum veri ist.« Diese Sehnsucht nach Vereinfachung ist in der Tat eine der intellektuellen Kräfte gewesen, die die moderne Naturwissenschaft vorangetrieben haben. Der Versuch, Symmetrie und Einfachheit im lebenden Gewebe der Welt zu finden, hat jedoch oft zu falschen Folgerungen und zu anthropomorphen Verzerrungen geführt. Die Welt ist auf viele Arten gebaut: einfach für den einfach Gesinnten, tief für den tief Denkenden. Unsere Zeit ist eher schwachsinnig*; aber die Wissenschaften werden immer kom-

---

* Man vergleiche etwa das Dekameron oder das Heptameron mit einem unserer gegenwärtigen Bestseller; oder auch, wenn man will, Jean Paul — diese herrliche Alternative zur deutschen Klassik — mit einer unserer preis-

plizierter, indem manche Leute immer mehr und mehr über weniger und weniger wissen. Der Idealzustand, dem wir uns asymptotisch nähern, ist alles über nichts zu wissen.

Das Gebäude der belebten Welt ruht, so könnte man sagen, auf zwei Pfeilern: der eine ist die Einheit der Natur, der andere ihre Mannigfaltigkeit. Indem wir, wie das gewöhnlich geschieht, unsere Aufmerksamkeit nur auf die Einheit richten, werden unsere Naturvorstellungen völlig verzerrt und wir sind zu der Art von Analogieforschung verurteilt, von der unsere Zeitschriften voll sind. Wer könnte die Musik aus einer Analyse der Zusammensetzung der Orchesterinstrumente begreifen? Die Neuigkeit, alle Posaunen bestünden aus Blech, ist banal, wenn man sie gegen die Unermeßlichkeit des musikalischen Universums hält. Möglicherweise hat die heilige Cäcilia sehr süß auf einer Glastrompete geblasen.

Die Unzulänglichkeit alles biologischen Experimentierens, wenn man es an der Weite des Lebens mißt, soll, so hört man oft, durch Zuflucht zu einer festen Methodik gutgemacht werden. Aber scharf umrissene Verfahren setzen sehr beschränkte Objekte voraus; und die Allmacht der »Methode« hat dazu geführt, was man mit einem ausgezeichneten neudeutschen Ausdruck die Kleinkariertheit der gegenwärtigen biologischen Forschung nennen kann. Die Verfügbarkeit einer großen Anzahl allgemein anerkannter Methoden dient tatsächlich in der modernen Wissenschaft oft als ein Denkersatz. Viele Forscher verwenden jetzt Methoden, mit deren Grundprinzipien sie nicht vertraut sind.

Für den Experimentator ist eine wohlüberprüfte Methode gleichsam ein sehr scharfes Werkzeug, mit dessen Hilfe er winzige und regelmäßige Streifen aus dem Fleische der Natur schneiden kann. Was er erfährt, gilt für das betreffende Fragment, aber nicht für die angrenzenden Bereiche. Diese können auf ähnliche Weise wieder mit Hilfe anderer Methoden unter-

---

gekrönten Literaturgrößen. Die Fähigkeit, hart zu lesen, ist verschwunden; jetzt kann nur mehr die weichste Literatur aufgenommen werden.

sucht werden. Man hofft, daß diese ganze zersprengte Welt des Wissens schließlich zu einem Gesamtbild zusammenfließen wird, aber das ist niemals geschehen, noch auch ist es wahrscheinlich, daß es in der Zukunft stattfinden wird, denn je mehr wir unterteilen, um so weniger können wir zusammenschließen. (Sogar ein Kind lernt schließlich, daß eine ganze Puppe zusammen mit der Einbildung, es handle sich um ein wirkliches Baby, mehr wert ist als eine Menge Splitter.)

Vor einigen Jahren versuchte ich, einige der Folgen zu schildern[6]:

> Die Mode unserer Zeit neigt zu Dogmen. Da ein Dogma etwas ist, was jedermann annehmen soll, ist es zu der unglaublichen Eintönigkeit unserer Zeitschriften gekommen. Sehr oft brauche ich nicht mehr als den Titel einer Arbeit zu lesen, um ihre Zusammenfassung und sogar einige der Kurvenbilder rekonstruieren zu können. Die meisten Arbeiten sind höchst fachmännisch; sie verwenden die gleichen Methoden und erhalten die gleichen Resultate. Das nennt man dann die Bestätigung einer wissenschaftlichen Tatsache. Alle paar Jahre verändern sich die Methoden; und dann wird ein jeder die neuen Methoden anwenden und eine neue Reihe von Tatsachen bestätigen. Das nennt sich der Fortschritt der Wissenschaft. Wenn etwas originell ist, muß es sich in den Ritzen eines allumfassenden konventionellen Notbehelfs verbergen: eines riesigen prähistorischen Misthaufens, worin die aufeinanderfolgenden Schichten wissenschaftlicher Wohntätigkeit leicht datiert werden können, und zwar mit Hilfe der verschiedenen Apparaturen, Vorrichtungen und Tricks, und sogar noch mehr mit Hilfe der verschiedenen Konzepte, Fachausdrücke und Schlagwörter, die in einem bestimmten Augenblick modern waren.

Die Rolle der Moden in der Wissenschaft ist ein sehr interessanter Gegenstand, den ich in einem 1976 zuerst veröffentlichten Aufsatz ausführlicher behandelt habe[7]. Ihr Einfluß macht sich in allen Wissenschaften fühlbar, aber besonders in der biologischen Forschung; denn hier steht die Richtung, in der die Natur — oder was man in der Biologie als Natur betrachtet — untersucht wird, ebenso sehr unter dem Einfluß der Moden wie die Auswahl der Methoden und Modelle. Modelle mögen in vielen Arten deduktiven Denkens eine Rolle gespielt haben, aber sie waren gewöhnlich unter festerer Kontrolle als zu meiner Zeit. Besonders die sogenannte Molekularbiologie war zu ihrem Beginn von einer Orgie von Modellkonstruktionen begleitet, davon viele von einer leicht durchschaubaren Stupidität. Die Zeitschriften quollen von Modellen über, die gleich nach der Publikation oder schon vorher wieder aufgegeben werden mußten. Leider war das ein Gebiet, wo blinder Eifer Nutzen brachte. Schon damals predigte ich Mäßigung, was zu meinem Ruf als einer »umstrittenen Persönlichkeit« beitrug. So sagte ich 1956 in meinem Harvey-Vortrag: »Mein Rat ist zuzuwarten. Modelle — im Gegensatz zu denen, die für Renoir saßen — werden mit dem Alter besser.«[8]

Eine der tückischsten und unheilvollsten Eigenschaften wissenschaftlicher Modelle ist ihre Fähigkeit, die Wirklichkeit zu schlagen und sich an ihre Stelle zu setzen. Oft dienen sie als Scheuklappen, indem sie die Aufmerksamkeit auf einen übertrieben engen Bereich beschränken. Keine Anwendung der Logik kann ein Modell als wahr beweisen, obwohl seine Unwahrscheinlichkeit oft leicht gezeigt werden kann. Das übertriebene Vertrauen zu Modellen hat viel zu dem gekünstelten und unechten Charakter großer Teile der gegenwärtigen Naturforschung beigetragen.*

Die Hilflosigkeit der Naturwissenschaften vor dem Leben hat jedoch meines Erachtens tiefere Gründe. Es ist wahrscheinlich kein Zufall, daß es unter allen Wissenschaften die Biologie ist, die ihren eigentlichen Gegenstand nicht zu definieren vermag: wir besitzen keine wissenschaftliche Definition des

* Der Ausruf »Zurück zur Natur!« würde unsere gegenwärtigen Naturforscher mit Recht überraschen, denn dort waren sie nie gewesen.

Lebens. In der Tat werden die genauesten Untersuchungen an toten Zellen und Geweben vorgenommen. Ich sage es nur zögernd und furchtsam, aber es ist nicht ausgeschlossen, daß wir hier einer Art von Ausschließungsprinzip gegenüberstehen: unsere Unfähigkeit, das Leben in seiner Wirklichkeit zu erfassen, mag der Tatsache zuzuschreiben sein, daß wir selbst am Leben sind. Wäre dies so, dann könnten nur die Toten das Leben verstehen; aber sie publizieren in andern Zeitschriften.

Die Erscheinung und das Wachstum der Naturwissenschaften in ihrer gegenwärtigen Form erfolgten fast gleichzeitig mit der Entstehung und dem Aufstieg der Bourgeoisie; und es ist nicht ein Zufall, daß, wenn man ein historisches Ereignis nennen könnte, das den Anfang der modernen Wissenschaft bezeichnet, es die Französische Revolution ist. Der »tiers état«, der keinen guten Ruf unter den schöpferischen Geistern, die unter ihm litten, erworben hat — ich glaube nicht, daß es jemals ein bourgeoises Genie gab — hat immer auf das Aufblühen der Naturwissenschaften und der Technik als seinen größten Triumph hinweisen können. Da wir jetzt dem Anfang vom Ende dieser fortschrittstrunkenen Epoche beiwohnen, ist zu erwarten, daß eine neue geschichtliche Ära eine völlig verschiedene Art von Naturwissenschaft hervorbringen wird; eine Wissenschaft, die wir, durch das Gitter unserer Begriffe hinausblickend, kaum als solche erkennen könnten. Ob es eine bessere Art von Naturwissenschaft sein wird, wagt der Berufspessimist nicht zu sagen.

Mittlerweile haben jedoch die großen Erfolge — manche würden sie vielleicht Triumphe nennen — der Experimentalwissenschaften, besonders der Physik und der Chemie, eine seltsame Wirkung auf die wissenschaftlichen Fächer ausgeübt, die man gewöhnlich als die Geisteswissenschaften bezeichnet; eine Wirkung, die noch viel deutlicher geworden ist, seit jene wohlbekannten Pragmatiker, die Amerikaner, den Schauplatz der Wissenschaften betraten. Beim Versuch, ihre erfolgreichen Brüder nachzuahmen — mit allen ihren Logarithmentafeln, Rechenschiebern, Rechenmaschinen, mit ihren Millimeterpapieren und den vielfachen statistischen Verschleierungsverfahren; mit andern Worten, mit ihrer ganzen triumphierenden Dezimalisierung der Natur — haben auch die Geisteswissenschaften begonnen zu naturwissenschafteln. Die Ausbreitung des Szientismus auf Geschichte und Ökonomie, Psychologie und Linguistik, Soziologie, Philosophie und Philologie ist im Begriffe, diese Wissenschaften aufs groteskste zu verunstalten. Aber gerade die Leichtigkeit, womit geistige Dinge trivial werden können, indem sie sich Mathematik zuziehen, hat auch gezeigt, daß, was gut ist für Judith, möglicherweise nicht gut ist für Holofernes. Denn es gibt gewisse Erscheinungen, die an Faßlichkeit gewinnen, wenn man sie wägt und mißt, und andere, die das nicht tun. Ich benötige keine statistische Wortanalyse, um mir zu beweisen, daß der frühere Präsident Ford nicht der Verfasser des »König Lear« sein kann; wie oft per Woche der heitere Sklave auf der Plantage vor Glückseligkeit Lachkrämpfe bekam, interessiert mich nicht; noch auch benötige ich ein tiefenpsychologisches Persönlichkeitsprofil der Kleopatra oder des Jan Hus. Das unglaubliche Geschwätz, das von all diesen computerisierten Humanisten auf uns losgelassen wird, ist wahrscheinlich nicht ärger als das der Naturwissenschafter; aber da jene erst angefangen haben, einen Koteriejargon oder eine eigene Tiersprache zu entwikkeln, müssen sie noch immer mehr oder weniger verständliche Wörter verwenden, und diese entlarven sie.

Das Zittern der Waage

Ein Leser dieses Buchs mag den Eindruck erhalten haben — den irrigen, aber nicht völlig ungerechtfertigten Eindruck — daß es von einem Manne geschrieben ist, der etwas rechts von Iwan dem Schrecklichen oder Dschingis-Khan steht. Man hätte denken können, daß es die Erfahrungen eines langen Lebens und die sich daraus herleitenden Überlegungen waren, die mich in diese unerwünschte Lage gebracht haben. In Wirklichkeit war ich hingegen, so weit zurück ich mich erinnern kann, niemals ferne von ihr. Ich entsinne mich genau, daß ich einmal in sehr jungen Jahren, mit sechzehn oder siebzehn, in einer Schularbeit mich als einen »roten Reaktionär« beschrieb. Das war natürlich eine Gymnasiastenübertreibung, und es wäre wahrscheinlich richtiger gewesen, hätte ich mich einen radikalen Konservativen genannt. Allerdings muß ich sagen, daß ich unterdessen solcher Etiketten so müde geworden bin, daß ich zögern würde, einen Kakerlaken mit zwei Wörtern zu charakterisieren. Im Gegensatz zu den von mir vorher erwähnten erlauchten Missetätern und ohne meinem verehrten Georges Sorel nahezutreten, bin ich immer gegen die Gewalttätigkeit gewesen, und das lyrische Universum, in dem mein Geist aufwuchs, bezog seinen Sinn aus seinem Reim.

Aber wir leben in einer Welt, in der Reime unmöglich geworden sind, und der Sinn hat sich zum Trübsinn bekehrt.* Unsere Welt ist in Wahrheit eine Zwielichtwelt, in der seelenlose Marionetten blutrote Schatten auf den Schirm augenblicklicher Vergessenheit werfen. Sie kommen und gehen mit einer Geschwindigkeit, die Jahrhunderte zu Tagen zusammenzieht, ihre Namen sind vergessen, bevor sie noch Zeit haben, auf den ihren ewigen Ruhm verkündenden Transparenten zu erschei-

* Ist es wirklich ein Zufall, daß es in unserer Zeit gewesen ist, und fast gleichzeitig, daß Reim und Vers aus der Dichtung verschwanden, die Melodie aus der Musik, und die erkennbare Form aus der Malerei und der Skulptur?

nen. Was ihnen ihre Seele weggenommen hat, weiß ich nicht. Sogar das Wort »Seele« selbst ist heutzutage ebenso absurd geworden, wie es Shakespeares oder Popes Reime wären. Der Mensch scheint in einen biologisch verdaulichen Kunststoff verwandelt worden zu sein.

Sogar als Kind, als sehr unkindliches Kind, muß ich mir dessen bewußt gewesen sein, daß ich in einem Riß zwischen den Zeiten geboren war, denn ich wuchs in einer Wolke von Trauer auf. Obwohl unser gräßliches Jahrhundert erst in seinen Anfängen war, waren die Andeutungen kommender abscheulicher Ereignisse unausweichlich — ebenso unabwendbar wie mein Gefühl, daß ich nichts dagegen tun konnte, außer Zeugnis zu geben von meinem Abscheu. Als Sicherheitsventil gegen dieses niederdrückende Gefühl der Hilflosigkeit halfen manchmal Witz und Ironie: eine Flucht in die unwandelbare, sich ewig verwandelnde Landschaft der Sprache und der Phantasie; eine Landschaft, die dem mit den Spiegelbildern der Materie kämpfenden Forscher auf ewig zu entschwinden droht. Die unerschöpflichen Quellen der Dichtung und später auch der Musik erfrischten den Verzagenden, und sie verstärkten seinen Glauben an Mächte, die über unser Elend hinausreichen. Sogar jetzt, wenn ich eine Seite Goethes, Hölderlins oder Stifters lese, fällt ein bißchen Licht in den trüben Zwinger meiner Jahre. Die Überzeugung des »non omnis moriar« — Worte, die mir so oft in der Stille der Nacht erklungen sind — hatte weniger mit diesem Ausruf eines ruhmestrunkenen Horaz und seinem Monument aus rostfreiem Stahl zu tun als damit, was der schöne Klang der skandierten Vokale, ó-o-í-o-i-á, versprach; und die wahre Bekräftigung der Verheißung kam von einer ganz andern Seite, von der aus dem Innern des Herzens leuchtenden Lieblichkeit von Mozarts Musik.

Drei Historiker, keiner ganz zur Zunft gehörend, sind von Einfluß gewesen: Machiavelli, Gibbon und besonders Jacob Burckhardt, ein ebenso klarsichtig nüchterner Kopf wie La Rochefoucauld. Er lehrte mich, daß nur ein Pessimist ein guter Prophet sein kann. Allerdings habe ich mir nie gewünscht,

Weissagungsfachmann zu sein, wohl wissend, daß sogar in Jesajas Zeiten die Diener Gottes verachtet waren.

Lebend in verlogenen, vollgesogenen Zeiten, da die herrschenden Winde alle von der Seite der Heuchelei, der schäbigen Verstellung und des unehrlichen Augenrollens wehen; lebend in einem Land, wo man nicht stirbt, sondern dahinscheidet, wo die bittere Schokolade »halbsüß« heißen muß, aber ein Mann eine Million Dollar »wert sein« kann; lebend in einer Stadt, die auf Detroit neidisch ist, weil dieses vor kurzem seinen ersten mordfreien Tag seit 1928 gefeiert hat — mit andern Worten, lebend in der Gosse, in die sich die Säfte einer faulenden Zeit entleeren, finde ich es schwierig zu erklären, daß die von mir am höchsten gepriesene Gabe neben der Aufrichtigkeit die Intensität ist. Diese Eigenschaft, besonders insofern sie sich auf den schöpferischen Geist bezieht, ist sehr selten geworden; man darf sie nicht mit Angriffslust oder Aufdringlichkeit verwechseln, Eigenschaften, die bei Handlungsreisenden oder Naturwissenschaftern so häufig anzutreffen sind. Für mich bedeutet dieses Wort die Fähigkeit des Einzelnen, seine Einbildungs- und Leistungskraft so zu konzentrieren, daß ein überwältigender Eindruck von blendender Wirklichkeit zustandekommt. Einige Beispiele dafür, was ich unter Intensität verstehe, dieser geheimnisvollen, brennglasartigen Gabe des menschlichen Geistes, können angeführt werden: Shakespeare und Donne, Goethe und Claudius, Racine und Rimbaud besitzen sie; Milton und Shelley, Heine und Lenau, Lamartine und Victor Hugo besitzen wenig davon. Wenn ich Kleist mit Schiller, Stendhal mit Balzac, Heinrich mit Thomas Mann vergleiche, bezweifle ich nicht den für meinen Geschmack höhern Intensitätswert der zuerst Genannten. Je schlaffer ein Dichter, desto leichter kann er in andere Sprachen übersetzt werden. Ähnlich steht es mit der Musik oder der Malerei. Obwohl mein Leben eher wortversponnen war, habe ich meine trostreichsten Freuden aus den Werken J. S. Bachs, Mozarts und Haydns bezogen. Vor den Wissenschaften versagt mein Prüfstein, denn mein Begriff von Intensität darf nicht mit der Fähigkeit, einen Riesenlärm zu machen, verwechselt werden. Sicherlich gibt es auch in ihnen etwas diesem Begriff Entsprechendes, aber ich bin nicht in der Lage, Denkstile abzuschätzen. Wohl aber Schreibstile: gewiß ist Schopenhauer ein besserer Schriftsteller als, sagen wir, Hegel*; aber das hat ihn nicht davor bewahrt, einen niedrigeren Platz auf der Skala der Philosophie einzunehmen. Allerdings ist die »vox populi« angesichts der Wissenschaften noch leichter irregeführt als bei andern geistigen Tätigkeiten.

Zwei große religiöse Schriftsteller haben mich zeitlebens begleitet: Pascal und Kierkegaard. Besonders Pascals »Pensées« die durch ihre verworrene Überlieferung so viel an Tiefe gewonnen haben, habe ich nie aufgehört zu lesen. Was Pascal mir besonders denkwürdig machte, war, daß es hier einem großen Physiker gelungen war, aus dem Labyrinth der Naturwissenschaft zu entkommen, gleichsam von seinem eigenen Herzschlag geleitet; »ein Moses, der das Verheißene Land verfluchen mußte«, wie ich ihn einmal genannt habe[9]. Den dritten großen Schriftsteller, der einen ganz besondern Einfluß ausübte, Karl Kraus, habe ich schon früher erwähnt.

In Ländern, die anglosächsische Standards imitieren — ich habe es immer schwer gefunden, zwischen Vornehmheit und Vornehmtun zu unterscheiden — wird man oft nach seinem »Hobby« gefragt; eine Frage, die einen italienischen Steinmetz oder einen französischen Bauern überraschen würde. Darauf wird eine originelle Antwort erwartet: man sammelt parthische Münzen oder man züchtet Windhunde. Wäre ich geneigt, auf dumme Fragen zu antworten, so würde ich wahrscheinlich sagen, mein Hobby sei die Biochemie, aber was ich wirklich tue, gehe niemanden etwas an. Was ich allerdings zeit meines Lebens getan habe, ist Sprachen zu lernen. Im Laufe der Jahre habe ich mich mit vielen Sprachen befaßt, wenigstens so weit, daß ich sie lesen konnte. Übersetzungen zu lesen habe ich schon

---

* Allerdings dringt manchmal bei Hegel aus der grauen Kruste verkrampfter Prosa wahre Lava empor.

lange aufgehört; aber es vergeht selten ein Tag, an dem ich nicht einige Seiten in drei oder vier verschiedenen Sprachen gelesen habe. Sogar der kürzeste Text von einigem Wert ist unübersetzbar: ein weiteres Beispiel der wunderbaren Mannigfaltigkeit des Lebendigen. Wenn zwei Sprachen dasselbe tun, ist es nicht dasselbe.

Vor kurzem, als ich Lichtenbergs entzückende Briefe las, echte Vertreter meines Lieblingsjahrhunderts, tat es mir leid zu entdecken, daß er meine Meinung über die Wichtigkeit des Sprachstudiums keineswegs teilte. So schrieb er am 13. August 1773 einen langen Brief an einen seiner älteren Brüder, und es ist von einem Neffen die Rede:

> Etwas habe ich an ihm bemerckt, ... nemlich eine grose Neigung zu Sprachen, und auch eine Überzeugung, daß es nützlich sey, viele Sprachen zu lernen. Dieses muß er ja nicht thun, wenigstens werde ich ihm nie dazu rathen. Es ist der gradeste Weg zu dem *ex omnibus aliquid,* der nur genommen werden kan ... Etwas zur Erquickung von den Haupt Sprachen zu erlernen, und was man, wenn der Verstand erst seine Form hat, leicht zu einem Grad von Vollkommenheit erweitert, die der SprachGeck nie erreicht, ist allerdings nützlich. ... Wenn man seine Muttersprache, latein und französisch versteht, so lernen sich, wenn zu mal ein etwas philosophischer Geist dazu komt, die andern gewöhnlichen Sprachen unglaublich bald, ohne über den *verbis irregularibus* und deren Conjugation die beste Zeit zu verliehren.

Lichtenberg war einer der schärfsten und witzigsten Köpfe eines an solchen besonders reichen Jahrhunderts. Er war ein großer Schriftsteller, gewiß der bedeutendste Aphoristiker der deutschen Literatur, und auch ein bekannter Physiker. Wie man sieht, sind seine Mindestansprüche — Muttersprache, Lateinisch, Französisch — weit über dem, was unsere Schulen jetzt zu liefern vermögen. Die Barbarisierung der Gegenwart ist nirgendwo so deutlich wie in der trägen Stumpfheit gegenüber der Sprache, ob es nun ihre eigene oder die anderer Völker ist. Es gibt viele Gründe dafür, und ich habe sie oft besprochen, von Apokalypse bis Zoologie, aber die Naturwissenschaften und die Fächer, die versuchen, sie nachzuäffen, tragen eine schwere Schuld. Vor nicht langem sprach ich mit einem bedeutenden Linguisten, der mir versicherte, er finde Englisch und Jiddisch für seine Zwecke völlig hinreichend. Aber natürlich hatte er einen cartesianischen Geist, und er könnte mit Recht behauptet haben: »Scribo, ergo cogito«. Außerdem hätte ich wissen sollen, daß die Linguistik ebenso viel mit den Sprachen zu tun hat wie die Naturwissenschaft mit der Natur.

Eine Zeit und ein Land, die so fröhlich über Maschinenübersetzung daherplappern, werden nicht verstehen können, wovon ich rede. Nausikaa, wie sie zum Ufer hinabsteigt — die griechische Sprache, erwachend aus dem Morgennebel mykenischer Schauder, oder die französische zu ihnen zurückkehrend: »La fille de Minos et de Pasiphaé« — ein Vers, der Jahrhunderte französischer Dichtung zur Euphonie verurteilt hat.

Der Mord an meiner Mutter und an meiner Muttersprache gehören zusammen: sie zerfielen zu der gleichen Asche. Sprache jedoch kann wieder auferstehen, und sie wird es zweifellos tun, wenn das metaphysische Blut, das alle wachsenden Fasern der Sprache befleckt und lähmt, gebleicht ist. Nur mit Hilfe großer Schriftsteller kann diese Läuterung, diese Wiedergeburt erfolgen.* Unterdessen verbleiben jedoch als die bedeutendsten deutschen Schriftsteller meiner Zeit — alle seltsamerweise aus dem alten Österreich — Kraus, Kafka, Trakl. Trunken, wie ich es schon als Kind war, vom Klang der Wörter, vom Sinn der Worte, worin die Phantasie des Knaben und die Ideen des Mannes wie in einer Umarmung von Liebenden eins wurden, versuchte ich natürlich mit aller Kraft, die Ver-

* Manche, die immer da gewesen sind, werden einwenden, daß es hier nichts zu läutern gibt; daß eine nie unterbrochene Linie von Goethe zu Grass, von Brentano zu Böll geht; daß die phönixhafte Natur der Sprache durch das Herumliegen von so viel noch heißer Asche gerade bewiesen wird. Ich bin aber anderer Meinung.

bindung aufrechtzuerhalten. Ich fuhr fort, auf deutsch zu schreiben und auch, obgleich nur selten, zu veröffentlichen; aber als Antäus war ich ein Leichtgewicht. Ich hatte keinen Boden zum Stehen, und so war ich kein Prophet in vielen Vaterländern. Daher war es nicht ohne Rührung, daß ich den folgenden Angstschrei in einem Brief Franz Kafkas an seinen Freund Max Brod (Juni 1921) fand. Er spricht von der verzweifelten Lage der in Prag lebenden deutsch-jüdischen Schriftsteller: schreibend in einer Sprache, die nicht ganz ihre eigene ist, und von einer noch fremdern umgeben; und dabei denkt er an sich selbst. Das von einem der reinsten Meister deutscher Prosa:

> Zunächst konnte das, worin sich ihre Verzweiflung entlud, nicht deutsche Literatur sein, die es äußerlich zu sein schien. Sie lebten zwischen drei Unmöglichkeiten ...: der Unmöglichkeit, nicht zu schreiben, der Unmöglichkeit deutsch zu schreiben, der Unmöglichkeit, anders zu schreiben, fast könnte man eine vierte Unmöglichkeit hinzufügen, die Unmöglichkeit zu schreiben ... also war es eine von allen Seiten unmögliche Literatur, eine Zigeunerliteratur, die das deutsche Kind aus der Wiege gestohlen und in großer Eile irgendwie zugerichtet hatte, weil doch irgend jemand auf dem Seil tanzen muß.

Eine Waage, die nicht zittert, kann nicht wägen. Ein Mensch, der nicht zittert, kann nicht leben. Man denkt, man träumt, und dann denkt man wieder; aber die beiden Funktionen müssen getrennt gehalten werden. Goya schrieb unter seinem 43sten Capricho: »El sueño de la razon produce monstruos« (Der Traum der Vernunft erzeugt Scheusale).

Aus den Karikaturen der Vergangenheit werden die Porträts der Gegenwart. Die Teufel, welche die alten Meister an die Wände gemalt hatten, haben sich losgelöst und gehen unter uns. Satan, Spender von Wonnen für Faust und von Schaudern für Iwan Karamasow, hofft jetzt auf eine Daueranstellung. Er, wie wir alle, ist in der Welt heruntergekommen, denn wir leben in schäbigen Zeiten. Aber wir dürfen den Irrtum Iwans, der den Teufel dumm fand, nicht wiederholen. Entdeckung und Erfindung, unserer Großeltern teuerste Idole, mögen viel von ihrer Heilkraft und sicherlich den Hauptteil ihres ambrosischen Duftes verloren haben; aber lebe ich nicht mitten unter Leuten, die mir versichern, daß der einzige Weg, den von den Wissenschaften angerichteten Schaden wiedergutzumachen, in noch mehr Wissenschaft besteht? *

So bin ich, einatmend und ausatmend, plötzlich ein alter Mann geworden, und ich verbringe meine Zeit damit, die Vierzigjährigen zu trösten, wenn sie sich über ihr Alter beklagen. Es war erst gestern, da ich mit meinen Eltern und meiner Schwester in das vom Krieg erschütterte Wien kam — das Wien von 1914 — wo es Leute gab, die in den Badewannen schlafen mußten, weil die Zimmer mit Flüchtlingen überfüllt waren. Ich muß Gott danken, daß, wenn auch die Waagschalen sich hoben und senkten, der Balken feststand. Der Wechsel zwischen wissenschaftlicher Handarbeit und Dingen des Denkens und der Sprache, die ewige Systole und Diastole des Herzens und des Geistes machten es mir möglich, inmitten einer fürchterlichen Welt bei Besinnung zu bleiben.

---

* Ich möchte hier eine bescheidene Stele errichten, gewidmet dem Gedenken an Sir Arthur Helps (1813—1875), einen Sekretär und Vertrauten der Königin Viktoria. Er war es wahrscheinlich, der das wunderbar nützliche Verbum »to disinvent« (entfinden) erfunden hat. Das einzige Beispiel für das Wort im »Oxford English Dictionary« (Band III) ist ein Zitat von Helps aus dem Jahre 1868: »I would disinvent telegraphic communication.« Wie gerne würde ich, wäre ich jünger, den Zudecker- und Entfinderklub gründen!

Der Mop der Frau Partington oder die dritte Seite der Münze

Reverend Sydney Smith war ein sehr witziger Mann, den ich gerne kennen gelernt hätte; genauso wie ich gerne Bekanntschaft gemacht hätte mit Lichtenberg, Chamfort, Rivarol, Peacock oder, aus andern Gründen, mit dem liebenswertesten unter den deutschen Schriftstellern, mit Theodor Fontane. Am 12. Oktober 1831 brachte der »Taunton Courier« eine von Smith gehaltene politische Ansprache. Ich zitiere eine Stelle daraus:

> Ich habe nicht die Absicht, respektlos zu erscheinen, aber der Versuch der Lords, den Fortschritt der Reform aufzuhalten, erinnert mich aufs eindringlichste an den großen Sturm von Sidmouth und an das Verhalten der ausgezeichneten Frau Partington bei dieser Gelegenheit. Im Winter 1824 wurde die Stadt von einem Hochwasser überfallen — die Flut stieg zu einer unglaublichen Höhe an —, die Wellen bestürmten die Häuser und alles war von Zerstörung bedroht. Mitten in diesem erhabenen und fürchterlichen Sturm konnte man Frau Partington, die am Strande lebte, an der Tür ihres Hauses sehen, mit Mop und Pantinen, damit beschäftigt, ihren Schrubber zu trudeln, das Meerwasser auszuquetschen und den Atlantischen Ozean kräftig zurückzustoßen. Der Atlantik wütete. Frau Partingtons Energie war auf ihrem Höhepunkt; aber ich brauche Ihnen nicht zu sagen, daß es sich um einen ungleichen Kampf handelte. Der Atlantische Ozean besiegte Frau Partington. Pfützen und Lachen gegenüber war sie hervorragend, aber sie hätte sich nicht mit einem Unwetter einlassen sollen. Meine Herren, bitte bleiben Sie ruhig, seien Sie still und fest. Sie werden Frau Partington schlagen.

Da ich einmal, im Gegensatz zum Fundbüro, das Verlustbüro gründen wollte, muß ich früh eingesehen haben, daß es nicht genug solcher Personen wie Frau Partington gibt. Die meisten

Leute sind weise und loben das Unvermeidliche; aber ich bin, aus unerfindlichen Gründen, gerne auf der Seite der Verlierer. Unter Julianus Apostata hätte ich mich gewiß freiwillig gemeldet; ich bin der geborene Albigenser; ich bewundere Thomas Müntzer. Mit andern Worten, ich bin ein unverbesserlicher Catoniker: »Victrix causa deis placuit, sed victa Catoni« (Die gewinnende Sache gefiel den Göttern, aber die verlorene dem Cato — Lucans »Pharsalia«.) Ich bin sicher, daß Cato seine guten Gründe gehabt hat, und das gilt auch für mich. Wenn wir annehmen, daß die Münze zwei Seiten besitzt, die eine vom strengen Cato vorgezogen, die andere von den leichtfertigen Göttern, und daß sie in einer Welt des reinen Zufalls geworfen wird, dann müßten nach einer hinreichenden Anzahl von Würfen die Götter und Cato in gleicher Weise zufriedengestellt sein. Jedoch gibt es hier mehr als ein »Aber«: 1) Gewinnen und Verlieren sind nicht dasselbe wie Gut und Schlecht; 2) möglicherweise gefällt die Sache den Göttern nicht, weil sie siegreich ist, sondern die Sache siegt, weil sie den Göttern gefällt; 3) unsere Welt ist nicht eine Welt des reinen Zufalls*, und 4) wir haben oft mit einer sozusagen dreiseitigen Münze zu tun, von der nur zwei Seiten, beide böse, für uns sichtbar sind und nur eine obenauf liegen kann. Ich könnte fast mein Leben kurz beschreiben, indem ich sage, daß ich immer auf der Suche nach der dritten Seite der Münze gewesen bin. Wir scheinen oft zwischen zwei Teufeln zu schwanken, während der eine Engel aufs taktvollste unsichtbar bleibt. Auch bin ich überzeugt, daß in dieser unvollkommenen Welt die gute Seite niemals gewinnen kann, denn wenn sie gewinnt, bleibt sie nicht lange gut. Was ich Actons Korruptionsprinzip nennen möchte, wird zu wirken beginnen, und die absolute Macht wird absolut korrumpieren. Worauf der Brahmane dem Manichäer versichern wird, daß er nicht überrascht ist. »Mache«, so könnte er

* Ich war sehr zufrieden, als ich vor kurzem in einer Schrift eines der bewundernswertesten Vertreter eines bewundernswerten Jahrhunderts, in David Humes »Dialogues concerning Natural Religion« (Abteilung IX), las: »Zufall ist ein Wort ohne Bedeutung«.

sagen, »auch nur den kleinsten Riß im Schleier der Maja, und du wirst nichts als grinsende Schädel erblicken.«

Diese Mahnung an die Nichtigkeit der Welt gibt mir den Mut, etwas schändlich Naives zu sagen. Meiner Meinung nach kann nichts Getanes oder Gedachtes jemals verloren gehen. Hat es einmal existiert, so fährt es fort zu existieren. Die verlorenen Tragödien des Äschylus oder Sophokles; Heinrich Schütz' einzige Oper »Dafne« oder Monteverdis »Arianna«, Kleists »Die Geschichte meiner Seele«, dieses nach dem Selbstmord verschollene Manuskript; die Fresken des Giorgione in Venedig oder die verlorengegangenen Bücher des Livius; die unzähligen Gebäude, Gemälde, Skulpturen, Schrift- oder Musikwerke, die unrettbar untergegangen sind — sie mögen für uns verloren sein, aber in einem höheren Sinne sind sie nicht verloren: sie sind in das »corpus mysticum« eingegangen, darin alles enthalten ist, jeder Atemhauch, der je geatmet wurde, jede Tat, die je getan wurde. In diesem Sinne ist keine Sache jemals verloren, keine Schlacht jemals gewonnen.

Jedenfalls habe ich in Kämpfen gestritten, die ich verlor, denn wie Frau Partington neigte ich dazu, mich mit Stürmen einzulassen. Von einer ausgesprochen wissenschaftlichen Schlacht, der Frage der biologischen Bedeutung der Nukleinsäuren, könnte man sagen, daß ich sie gewonnen habe, aber es war ein komischer Sieg: die siegreiche Armee beschloß, auf ein anderes Schlachtfeld zu übersiedeln. Dies geschah, so sagte man mir, weil ich meine Entdeckung zurückhaltend »Basenkomplementarität« genannt hatte, während die anderen es vorzogen, von »Paarung« zu sprechen. Es ist wahr, ich war besonders wenig begierig, und auch sehr ungeeignet, eine neue wissenschaftliche Religion zu gründen.

Wichtigere Kämpfe waren nicht wirklich verloren — erst die Nachwelt ruft viel später die Sieger aus — aber sie führten zu nichts. In erster Linie ist da mein donquichottischer Versuch, Naturwissenschaft mit einem menschlichen Gesicht zu bewahren. Das bedeutet kleine Wissenschaft, eine Wissenschaft, für die der Einzelne einstehen, in der eine Menschenstimme noch gehört werden kann. Das bedeutet auch eine Wissenschaft, die von menschlichem, und nicht bloß von wissenschaftlichem Gewissen gelenkt wird. Das wissenschaftliche Gewissen beschränkt sich auf die Ermahnung, Entdeckungen wahrheitsgetreu zu berichten, weil man sonst entlarvt werden und, neben anderen unangenehmen Folgen, seinen Ruf verlieren könnte, der anstatt weltlicherer Güter das Einzige ist, was der Wissenschafter anhäufen kann.

Kleine Wissenschaft war tatsächlich die Art von Wissenschaft, in der ich aufgewachsen war, wie ich schon früher erzählt habe. Sie veränderte ihren Charakter mit ziemlicher Plötzlichkeit während des Zweiten Weltkriegs. Am Ende des Krieges standen wir mit einem aufgeblähten Unternehmen da, in dem der Keim zu einem weiteren unkontrollierbaren, bösartigen Wachstum enthalten war. Hunderte, ja Tausende »reiner Wissenschafter« hatten sich gewöhnt, in wissenschaftlichen Konzentrationslagern wie dem »Manhattan-Projekt« zu arbeiten. Diese straff organisierten Höllenküchen befaßten sich mit der einfallsreichen Verarbeitung höchst esoterischer experimenteller Beobachtungen, und ihre Erfolge werden ewig leben, wenn »leben« das richtige Wort für die Erzeugung der Atombombe ist. Die Vorstellung vom zerstreuten Professor — die nie auf die experimentellen Wissenschaften zutraf, denn in ihnen hätte Geistesabwesenheit bald zur Selbstverbrennung geführt — hat jedoch die glückliche Stunde überlebt, in der derselbe Gelehrte eifrig an der Vervollkommnung der Wasserstoffbombe arbeitete.

Zwei verhängnisvolle und in ihrer endgültigen Wirkung noch nicht abzuschätzende wissenschaftliche Entdeckungen haben mein Leben gezeichnet: 1) die Spaltung des Atoms, 2) die Aufklärung der Chemie der Vererbung und deren darauf folgende Manipulation. In beiden Fällen handelt es sich um die Mißhandlung eines Kerns: des Atomkerns, des Zellkerns. In beiden Fällen habe ich das Gefühl, daß die Wissenschaft eine Schranke überschritten hat, die sie hätte scheuen sollen. Wie es oft in der Naturwissenschaft geschieht, waren die grundlegenden Entdeckungen durchaus bewundernswerten Leuten zu verdanken, aber der Haufen, der ihnen unmittelbar folgte, hatte schon einen mefitischeren Duft. »Gott kann das nicht gewollt haben!« soll Otto Hahn ausgerufen haben. Hat er Ihn vorher gefragt, hat Er geschwiegen? Ich habe den Eindruck, daß Gott es vorzieht, in diese Diskussionen nicht einbezogen zu werden.

Die Wirkung, welche die Entdeckung, die blutbefleckte Entdeckung, der Kernenergie auf mich hatte, habe ich in den ersten Seiten dieses Berichtes zu beschreiben versucht. Seit jener Zeit hat des Teufels Karneval nie wieder aufgehört. In dem Maße, wie die Tänze immer frenetischer wurden, wurde die Luft dünner und schwerer zu atmen. Daß die Naturwissenschaft, der Beruf, dem ich mein Leben gewidmet hatte — und ein Leben ist der gewichtigste Einsatz, dessen ein Mensch fähig ist —, daß die Naturwissenschaft sich auf derartige Missetaten eingelassen hatte, war mehr als ich ertragen konnte. Ich war gezwungen, es klar herauszusagen, denn ich mußte mich fragen: ist das noch dieselbe Art von Wissenschaft, in die ich vor mehr als fünfzig Jahren einzutreten glaubte? Und ich mußte erwidern: sie ist es nicht.

Dieser Verzerrung des Bildes der Wissenschaft habe ich in den letzten Jahren eine ganze Reihe von Aufsätzen gewidmet. Sie erschienen zuerst in Zeitschriften und später als Buch[10]; dennoch glaube ich, daß einige Worte hier nicht fehl am Platze sind. Als ich begann, bildeten die Naturwissenschaften, deren Verfassung, wie es bei den besten Verfassungen der Fall ist, nicht schriftlich festgelegt war, eine internationale Gemeinschaft von Gelehrten, welche die Wege der Natur zu erforschen bestrebt waren. (Bis zum 18. Jahrhundert hätte man vielleicht von »den Wegen Gottes in der Natur« gesprochen.) Es war — und ich habe das schon vorher erwähnt — eine sehr kleine Gemeinschaft; sogar der Anfänger hatte es nicht schwer, seinen Weg zu beginnen. Die meisten Grundsätze waren festgelegt; es gab eine Menge von Axiomen, Theorien und Hypothesen; da jedoch die Anzahl der Forscher klein war, ging alles in mäßigem Tempo vor sich. Unendlich schien eine sonnige Ebene sich vor unseren Augen auszubreiten, und sogar des Nachts konnte man in Sicherheit und mit der dem Einzelnen angemessenen Geschwindigkeit weiterwandern. Der Zweck erschien nicht fragwürdig: es war ein gutes Ding, mehr von der Welt, in der wir lebten, zu verstehen. Von unmittelbaren Zielen praktischer oder konzeptioneller Art konnte man nicht reden; der Gral war unerreichbar, keiner von uns würde jemals Montsalwatsch erklimmen. Die Materie bestand aus Molekülen, deren Mehrzahl noch zu erforschen war; die Moleküle bestanden aus Atomen, alle wohl bekannt und in guter Ordnung; Atome konnten, wie schon ihr Name verkündet, nicht gespalten werden. Hätte jemand mich, den Anfänger in der Chemie, befragt, so hätte ich hinzugefügt: Atome dürfen nicht gespalten werden; denn ich war ein törichter junger Mann, in großer Verehrung für die Natur aufgewachsen.

Wie weit meine Torheit reichte, geht daraus hervor, daß ich selbst Radioaktivität an der Wiener Universität, die eines der ersten wichtigen Radiuminstitute besaß, studiert hatte. Ich hätte mich auch an den paranoischen Verdacht und fast Haß — aber die Paranoia eines Genies ist oft prophetisch — erinnern sollen, die August Strindberg gegenüber dem Paar der Curies empfand. Ich war ein begeisterter Leser der bemerkenswerten Tagebücher, der »Blaubücher« Strindbergs gewesen, und ich wußte wohl, daß die Angstträume eines Genies die Kraft haben, die Reiter der Apokalypse hervorzubringen. Aber obwohl ich vom Radium und seinem Zerfall wußte, war die große Revolution in der Physik des Atomkerns irgendwie an mir vorbeigegangen, ohne meine unmittelbare Aufmerksamkeit zu erwecken. Erst als die Arbeiten der Joliot-Curies und der Fermi-Gruppe auf mich hereinbrachen — gerade als ich selbst mit der Verwendung des radioaktiven Phosphorisotops ^{32}P begann —, und als bald darauf die unheilvolle Entdeckung der Kernenergie folgte, fing ich an, die schreckensvollen Ausmaße dieses bestürzendsten aller wissenschaftlichen Umstürze zu begreifen. Es schien mir, als begänne der unaufhörlich gequälte Atomkern sich an der Menschheit zu rächen. Ich mußte an einen Ausspruch Goethes denken, der mich immer gerührt hatte: »Die Natur verstummt auf der Folter; ihre treue Antwort auf redliche Frage ist: Ja! ja! Nein! nein! Alles Übrige ist vom Übel«. (Maximen und Reflexionen, Nr. 115.) Wenn die gequälte Natur stumm blieb, wurden die Schreie der Opfer dieser erstaunlichen »in mortuo« Experimente umso lauter. Würde Goethe noch immer den Mangel an verfallenen Schlössern und Basalten preisen, der ihm Amerika so lieb machte?

Die Öffentlichkeit, wenn es so etwas gibt, hatte keine Gelegenheit zu Diskussionen und Überlegungen über die Entwicklung und Anwendung der Atombombe gehabt. Alles war ein überaus wohl bewahrtes Kriegsgeheimnis gewesen. Aber hätten freie Debatten einen Unterschied gemacht, hätten sie die wahrhaft unerbittliche Weiterentwicklung zum Halten gebracht? Natürlich hätte es eine Menge Geschwätz und ödes Gestikulieren gegeben, aber die Bewegung, ein Trieb ohne Antrieb, ein Fall ohne Schwerkraft, wäre weitergegangen. Frage die Lava, wohin sie fließt. Sie würde damit antworten, was ich die Teufelsdoktrin genannt habe: »Was sich machen läßt, muß gemacht werden[1].« Und eine Menge läßt sich machen!

Im Falle der Atomspaltung und ihrer Folgeerscheinungen waren wir, so könnte man sagen, mit einer »atrocité accomplie« mit einem vollendeten Greuel konfrontiert. Das zweite, von mir vorher erwähnte Beispiel — die Ausnützung der Entdekkung, daß die erblichen Eigenschaften der Zelle in ihrer Desoxyribonukleinsäure verschlüsselt sind — ist vielleicht lehrreicher, denn hier können wir die Missetat »im Begriffe hier zu sein« untersuchen.

Die Richtung, wohin es geht, ist klar, aber die einzelnen Schritte sind so winzig, daß man sie gar nicht bemerkt. Auf die herrliche Entdeckung der genetischen Funktion der DNS folgte eine Unzahl von Induktionen, Deduktionen, Grenzüberschreitungen und Mißbräuchen. Zuerst kam die Erkenntnis, daß die für die Bildung von Enzymen und anderen Proteinen verantwortlichen Gene Stücke von DNS vorstellen; dann begann man ihre Wirkungsweise zu verstehen und es wurde möglich, die Lage der einzelnen Gene im Genom gleichsam kartographisch festzulegen. Die Entdeckung überaus spezifischer Enzyme, welche eine DNS-Kette an bestimmten Stellen von bekannter Nukleotidzusammensetzung auseinanderbrechen, machte es möglich, an die Isolierung von DNS-Fragmenten, die nur ein einziges Gen oder einige Gene enthielten, zu denken. Dann fanden sich Methoden — ich will die lästigen Details nicht im einzelnen erörtern — solche Fragmente lebenden Bakterien *(Escherichia coli)* einzuverleiben. Und nun besteht die Hoffnung — oder die Angst — daß die neu eingeführten DNS-Stücke und die in ihnen programmierten Produkte sich weiter vervielfältigen. Dies kommt einer Erzeugung neuer Lebensformen gleich; Formen, denen die lebende Natur in ihrer langen Geschichte wahrscheinlich niemals begegnet ist.

Wenn Neuigkeiten von Greueln in winzigen homöopathischen Dosen verabreicht werden, gewöhnt sich der normale Menschengeist an sie, denn er ist unfähig, die Art von sofortiger Zusammenfassung vorzunehmen, aus der die Missetat in ihrer vollen abscheulichen Fleischlichkeit hervorgehen könnte. Dazu braucht es die Flamme eines Jesaja oder ein religiöses Genie von der Intensität Kierkegaards, über den ich einmal das Folgende schrieb[4]:

> Es ist das Vorrecht des großen religiösen Denkers, den drohenden Märtyrertod der Zehntausend, den künftigen Mord an Millionen Unschuldiger vorauszusagen, nachdem er irgendeinen Zeitungsklatsch darüber gelesen hatte, was Fräulein Gusta kürzlich in der Loge der Kommerzienrätin Waller gesagt hatte.

Biblische Propheten sind heutzutage allerdings schwer zu finden, doch kann man sich mit dem Lesen solcher Schriftsteller wie Kierkegaard, Kraus, Kafka oder Bernanos behelfen; natürlich wenn man sie ernst nimmt, was unserer leichtherzigen Zeit schwerzufallen scheint. Jedenfalls sagte ich mir: »Heute das Bakteriunkulum, morgen der Homunkulus. Heute die Heilung genetischer Krankheiten, morgen die experimentelle Verbesserung des menschlichen Charakters. ›Erimus sicut dei‹, wie es einmal meiner Urahnin versprochen wurde. Die arme Närrin kaufte sich anstatt dessen den Tod.« Und dabei mußte ich denken, daß Adam und Eva noch immer im Paradies leben könnten, genetisch völlig unverbessert, und vor dem Schlafengehen könnten sie vielleicht anstelle einer Detektivgeschichte das letzte Heft des »Journal of Molecular Biology« lesen.

Wenn laut Mallarmé Gedichte mit Wörtern gemacht werden, so bestehen wissenschaftliche Arbeiten hauptsächlich aus Akronymen. Im hier folgenden Brief an den Herausgeber von »Science« war ich jedoch alles andere als kryptisch:[11]

Über die Gefahr genetischer Herumpfuscherei

Der vor kurzem unternommene Versuch, die genetischen Bastelkünste der Öffentlichkeit schmackhaft zu machen, wirft ein bizarres Problem auf. Die NIH (»National Institutes of Health«) haben sich — wahrscheinlich weil sie um die Aufstellung von »Richtlinien« gebeten worden sind — in eine Kontroverse hineinziehen lassen, in der sie eigentlich nichts zu suchen haben. Ein solches Verlangen hätte vielleicht an das Justizdepartement gerichtet werden sollen. Ich zweifle jedoch, daß dieses sich auf Probleme der fahrlässigen Molekularbiologie hätte einlassen wollen. Obwohl ich nicht glaube, daß eine terroristische Organisation jemals die Bundespolizei ersucht hat, Richtlinien bezüglich der korrekten Ausführung von Bombenexperimenten zu erlassen, zweifle ich nicht, was die Antwort gewesen wäre, nämlich daß sie alle gesetzeswidrigen Handlungen unterlassen sollen. Das trifft auch auf den Fall zu, den ich hier besprechen will: kein Nebelvorhang und auch keine Sicherheitslaboratorien des P3- oder P4-Typs können den Forscher von Schuld befreien, wenn er einen Mitmenschen geschädigt hat. Ich muß meine Hoffnung auf die Putzfrauen setzen und auf die Tierwärter, die in den mit »neukombinierten Nukleinsäuren« herumspielenden Laboratorien angestellt sind, auf den Juristenstand, der die Verfolgung biologischer Kunstfehler als eine goldene Gelegenheit erkennen muß, und auf die Geschworenengerichte, die jede Art von Doktoren verabscheuen.

In der Ausführung meines quichottischen Unternehmens — eines Kampfs gegen Windmühlen mit einem Dr. med. Titel — will ich mit der Hauptnarrheit beginnen, nämlich der Wahl von *Escherichia coli als Wirt.* In diesem Zusammenhang möchte ich aus einem angesehenen Lehrbuch der Mikrobiologie zitieren: *»E. coli* wird als der ›Dickdarm-Bazillus‹ bezeichnet, weil er die dort vorherrschende Spezies ist.« Tatsächlich beherbergen wir viele hunderte verschiedener Varianten dieses nützlichen Mikroorganismus. Er ist für wenige Infektionen, aber wahrscheinlich für mehr wissenschaftliche Arbeiten verantwortlich als irgend ein anderer lebender Organismus. Wenn unsere Zeit sich berufen fühlt, neue Arten von lebenden Zellen zu erzeugen — Arten, die die Welt wahrscheinlich seit ihrem Beginn nicht gesehen hat —, warum eine Mikrobe wählen, die mit uns seit sehr langem mehr oder weniger glücklich zusammen gelebt hat? Die Antwort ist, daß wir so viel mehr vom *E. coli* wissen als von irgendwas anderem, uns selbst eingeschlossen. Aber ist das eine gültige Antwort? Lasset euch Zeit, forschet fleißig, und ihr werdet schließlich sehr viel über Organismen herausbekommen, die in Mensch und Tier nicht leben können. Es hat keine Eile, es hat überhaupt keine Eile.

Hier werden mich viele Kollegen unterbrechen und mir versichern, daß sie nicht mehr länger warten können; daß sie in einer unglaublichen Eile sind, der leidenden Menschheit zu helfen. Ohne die Reinheit ihrer Motive zu bezweifeln, muß ich doch sagen, daß meines Wissens niemand einen klaren Plan vorgelegt hat, wie er nun alles, von Alkaptonurie bis Zenkers Degeneration, zu heilen beabsichtige; gar nicht zu reden davon, wie er unsere Gene ausbessern und umtauschen wolle. Aber Geschrei und leere Versprechungen erfüllen die Luft. »Wollen Sie am Ende kein billiges Insulin? Würden Sie es nicht gerne sehen, wenn das Getreide jetzt seinen Stickstoff aus der Luft bezöge? Und wäre es nicht schön, wenn die grüne Menschheit ihre Nahrung durch Photosynthese bereiten könnte: zehn Minuten in der Sonne zum Frühstück, dreißig Minuten zum Mittagessen und eine Stunde für das Abendessen?« Nun, vielleicht Ja, vielleicht Nein.

Wenn es wirklich notwendig ist, daß Dr. Frankenstein mit der Erzeugung seiner kleinen biologischen Monstren fortfährt — und ich verneine die Dringlichkeit und sogar den Zwang — muß es *E. coli* sein, das den Mutterschoß abgibt? Das ist ein Gebiet, auf dem fast jedes Experiment ein Schuß ins Geratewohl ist; und wer kann wissen, was nicht alles in die DNS der Plasmide, die der Bazillus dann bis an das Ende der Zeit vermehren wird, miteingepflanzt worden sein mag? Und schließlich und endlich wird das Zeug doch in Mensch und Tier geraten, trotz allen Sicherheitsvorkehrungen. Zwischen innerhalb und außerhalb ist kein wirklicher Unterschied. Dann kommt allerdings die Versicherung, daß die Arbeiten mit abgeschwächten Lambdaviren und mit modifizierten defekten *E. coli*-Stämmen, die im Darm nicht leben können, ausgeführt werden sollen. Aber wie steht es mit dem Austausch von genetischem Material im Darm? Wie können wir sicher sein, was geschehen wird, wenn die kleinen Bestien einmal aus dem Laboratorium entwichen sind? Hier ein weiteres Zitat aus dem angesehenen Lehrbuch: »Tatsächlich kann die Möglichkeit nicht außeracht gelassen werden, daß vermittelst genetischer Rekombination im Darmtrakt sogar harmlose Intestinalbazillen gelegentlich virulent werden können.« Ich denke jedoch an etwas viel Ärgeres als Virulenz. Wir spielen mit heißeren Flammen.

Es ist nicht überraschend, aber bedauerlich, daß die Gruppen, die sich selbst mit der Aufstellung von »Richtlinien« betrauten, wie auch die verschiedenen Beratungskommittees, ausschließlich oder fast ausschließlich aus Fürsprechern dieser Art genetischen Experimentierens bestanden. Was man anscheinend völlig außeracht gelassen hat, ist, daß wir es hier viel mehr mit einem ethischen als mit einem hygienischen Problem zu tun haben, und daß die in erster Linie zu beantwortende Frage die ist, ob wir das Recht haben, eine weitere furchterregende Last auf noch nicht geborene Generationen zu legen. Ich verwende das Adjektiv »weiter« angesichts des ungelösten und ebenso furchterregenden Problems, das sich aus der Frage der Beseitigung des Nuklearmülls ergibt. Unsere Zeit ist dazu verflucht, daß schwache, als Fachmänner verkleidete Leute Entschlüsse von enormer Reichweite zu machen gezwungen sind. Gibt es etwas weiter reichendes als die Schöpfung neuer Lebensformen?

Da es mir klar ist, daß die »National Institutes of Health« zur Entscheidung eines Dilemmas von solcher Wichtigkeit nicht geeignet sind, kann ich nur, wenn auch in völliger Hoffnungslosigkeit, auf eine Handlung seitens des Parlamentes hoffen. Zum Beispiel könnten die folgenden Schritte erwogen werden: 1) ein vollkommenes Verbot der Verwendung von im Menschen einheimischen Bakterienwirten; 2) die Gründung einer die Bevölkerung dieses Landes wirklich vertretenden Behörde, die Forschungen über weniger zu beanstandende Wirte und Verfahren genehmigen und unterstützen würde; 3) alle Formen von »genetic engineering« bleiben ein Monopol des Bundes; 4) die gesamte Forschungsarbeit wird an einem Ort konzentriert, wie z. B. Fort Detrick. Selbstverständlich wird in irgendeiner Form ein Moratorium bis zur Aufstellung gesetzlicher Sicherheitsmaßnahmen nötig sein.

Aber weit über all das hinausgehend erhebt sich vor uns ein allgemeines Problem von höchster Bedeutung, nämlich die schreckenerregende Unwiderruflichkeit des Vorhabens. Man kann mit der Atomspaltung aufhören; man kann die Mondbesuche beenden; man kann sich der Verwendung von

Aerosolen enthalten; sogar der Entschluß ist denkbar, nicht mehr ganze Bevölkerungen mit Hilfe von einigen Bomben zu töten. Aber neue Lebensformen können nicht zurückgerufen werden. Eine neu konstruierte, lebensfähige *E. coli*-Zelle, die eine Plasmid-DNS mit einem Stück transplantierter eukaryotischer DNS mit sich führt, wird uns und unsere Kinder und unsere Kindeskinder überleben. Eine irreversible Attacke auf die Biosphäre ist etwas so Unerhörtes und wäre früheren Generationen so undenkbar erschienen, daß ich mir nur hätte wünschen können, daß unsere Generation sich dessen nicht schuldig gemacht hätte. Die Bastardierung von Prometheus und Herostratus muß böse Resultate ergeben.

Tatsächlich sind die meisten der bis jetzt auf diesem Gebiet veröffentlichten experimentellen Resultate wenig überzeugend. Wir verstehen sehr wenig von der eukaryotischen DNS. Die Bedeutung der Unterbrechungen und der häufig wiederholten Sequenzen in der DNS und die Funktion des Heterochromatins sind noch nicht völlig verständlich. Man gewinnt den Eindruck, daß die Kombinationsversuche, in denen ein Stück tierischer DNS der DNS eines Mikrobenplasmids einverleibt worden ist, ohne eine volle Einsicht in das, was vor sich geht, ausgeführt worden sind. Ist der Ort, an dem sich ein bestimmtes Gen mit Bezug auf die ihm benachbarten Nukleotidsequenzen in der DNS befindet, dem Zufall überlassen oder handelt es sich da um gegenseitige Kontrolle und Regulierung? Können wir gewiß sein — um nur eine phantastische Unwahrscheinlichkeit zu erwähnen — daß das Gen für ein bestimmtes Eiweißhormon, das nur in gewissen spezialisierten Zellen funktioniert, nicht karzinogen wird, wenn es gleichsam nackt in den Darm eingeführt wird? Ist es klug zu vermischen, was die Natur von einander getrennt erhalten hat, nämlich die Genome eukaryotischer und prokaryotischer Zellen?

Das Ärgste daran ist, daß wir es niemals wissen werden. Was den Menschen anbetrifft, haben Bakterien und Viren

immer einer höchst wirksamen biologischen Untergrundbewegung angehört. Unser Verständnis des Guerillakriegs, mit dessen Hilfe sie auf höhere Formen des Lebens einwirken, ist sehr lückenhaft. Indem wir diesem Arsenal unberechenbare Lebenskonstruktionen hinzufügen — Prokaryoten, die eukaryotische Gene vervielfältigen — werfen wir einen Schleier der Ungewißheit über das Leben künftiger Generationen. Haben wir das Recht, unwiderruflich der evolutionären Weisheit von Jahrmillionen entgegenzuwirken, um den Ehrgeiz und die Neugierde einiger Wissenschafter zu befriedigen?
Diese Welt ist uns nur geliehen. Wir kommen und wir gehen; und nach einiger Zeit hinterlassen wir Erde und Luft und Wasser anderen, die nach uns kommen. Meine Generation — oder vielleicht die der meinen vorhergehende — hat als erste, unter der Führung der exakten Naturwissenschaften, einen vernichtenden Kolonialkrieg gegen die Natur unternommen. Die Zukunft wird uns deshalb verfluchen.

André Gide, ein Schriftsteller, der sich oft wiederholt, schrieb an verschiedenen Stellen, daß mit schönen Gefühlen schlechte Literatur gemacht wird. Ich bin nicht sicher, daß er recht hat: nichts ist so abgeschmackt wie abgestandene Leichtfertigkeit, und die Frivolitäten vergangener Jahre werden leicht muffig. Jedenfalls ist jetzt die englische Sprache jeder Art von Pathetik abgeneigt; sie ist nicht mehr eine Sprache der Verherrlichung, wie sie es in Shakespeares oder Drydens Zeiten war, und wie es Französisch und Italienisch noch immer sind. Verfallen dem Wahn einer kühlen Unbeteiligtheit kann sie nicht mehr aus dem Herzen sprechen, obwohl einmal noch ein Dichter kommen mag, der es wieder trifft. So wurde der armselige letzte Absatz meines soeben zitierten Briefes in einer Zeitung angeführt, mit dem Lob oder dem Tadel, er sei ja geradezu poetisch. Es ist wahr, dieser Absatz kam aus meinem Herzen: ich hoffe, daß der Rest der Zuschrift aus meinem Kopfe kam.

In Europa hätte ich sie wahrscheinlich gar nicht unterbringen können. In Amerika konnte ich es; vielleicht, weil, wer die Freiheit beansprucht, als Narr angesehen wird, und daher Narrenfreiheit genießt.

Meine Einsendung wurde viel gelesen und kommentiert, und ich erhielt eine recht große Anzahl von Briefen. Gleich der berühmten Fischpredigt des hl. Antonius von Padua war die Wirkung jedoch nur vorübergehend. Höchstens trug sie dazu bei, mich als »controversial« zu etablieren: das Ärgste was einem in Amerika geschehen kann; denn man soll nur in Chören singen. Ähnliches haben wahrscheinlich die Hechte vom Antonius gesagt.

Ich betrachte den Versuch, in die Homöostase der Natur einzugreifen, als ein unvorstellbares Verbrechen. Haben denn diese Menschen in die Schöpfung geguckt und sie fehlerhaft gefunden? Wir besitzen noch nicht eine Pathologie der naturwissenschaftlichen Vorstellungskraft; aber der Drang, die Biosphäre unwiderruflich zu verändern, könnte einen ausgezeichneten Gegenstand für solche Untersuchungen abgeben, sogar einen besseren als es die Begierde ist, auf dem Mond herumzuhopsen. Wenn, wie gesagt wird, ein Fisch von seinem Kopfe aus zu stinken anfängt, könnte man sagen, daß der Mensch von seinem Herzen aus zu stinken beginnt.

Nun versichern mir die Experten, daß nichts Unangenehmes geschehen kann. Woher wissen sie das? Haben sie dem Gespinst der Ewigkeit zugesehen, wie es seine endlosen Maschen öffnet und schließt? Ist ihre Voraussicht jetzt zuverlässiger als sie es vor ein paar Wochen war, da ich ihnen zuletzt begegnete? Das amerikanische Ideal eines Fachmanns ist, daß er kaltschnäuzig sein soll. Was eine kalte Schnauze bei einem Hund bedeutete, pflegte ich zu wissen; aber bei einem Fachmann?

In meinem Protest war ich nicht allein; ich bin gewiß, daß alle diese Warnungen unbeachtet bleiben werden, um so mehr, als der unwiderrufliche Vorgang schon begonnen hatte, bevor es auch nur Gelegenheit zum Alarm gab. So weit ich in Betracht komme, ist das voraussichtlich das Ende meiner Laufbahn als

Frau Partington. Aber sie hatte es leichter gehabt. Der Atlantische Ozean verfügt über keine Werbebüros, und die Fische, die ihn bewohnen, sind wahrscheinlich weitblickender als unsere wissenschaftlichen Experten. Da die Menschheit niemals auf eine Warnung gehört hat, wie sollte sie — und wie konnte sie — es in diesem Falle tun? Alles, was geschehen kann, wird geschehen; und eine lange Zeit wird vergehen müssen, bis es klar wird, ob ich recht oder unrecht gehabt habe.

In Staub zerfallend

In jenem Wunder von einem Oratorium, Haydns »Die Schöpfung«, einem seiner zahlreichen »größten Werke«, habe ich immer drei Stellen besonders ergreifend gefunden: das Chaos des Anfangs, das Erscheinen der Sonne und die Erschaffung des ersten Menschen. Nicht alles, was einen glücklichen Anfang hat, hat ein glückliches Ende, aber in diesem Werk Haydns ist das der Fall, denn es hört kurz vor dem Erscheinen der Schlange auf: ein weiterer Beweis der wohlbekannten Tatsache, daß jeder historische Bericht durch die passende Wahl des Schlußpunktes in Wonne und in Ordnung enden kann. Die meisten Historiker, und darunter auch ich, weisen jedoch diese leichte Lösung zurück.

Der ursprüngliche englische Text, der Miltons Einfluß zeigt, war Händel zugedacht, aber der große Komponist setzte ihn nicht in Musik. Viele Jahre später wurde das Buch Haydn angeboten, auf dessen Wunsch van Swieten die deutsche Fassung herstellte, und zu diesen Worten wird jetzt die unsterbliche Musik gesungen.

Nach der Hervorbringung des unseligen Paars machen die Erzengel einige Bemerkungen.

Gabriel, Uriel:
Zu dir, o Herr, blickt alles auf,
um Speise fleht dich alles an.
Du öffnest deine Hand,
gesättigt werden sie.
Raphael:
Du wendest ab dein Angesicht,
da bebet alles und erstarrt.
Du nimmst den Atem weg,
in Staub zerfallen sie.

Und dann vereinigen sich die drei Engel und singen aufs süßeste zusammen. Zur Zeit der Handlung des Oratoriums war der Tod noch nicht erfunden; aber viele Zuhörer, Raphaels tiefer Stimme lauschend, müssen an ihn gedacht haben. Mich jedoch erinnerten die Worte an meinen Rücktritt. Der Zeitpunkt meines Zerfalls in professionellen Staub kam schnell näher. Der Historiker kann leider bei dem allgemeinen Jubel nicht verweilen, und das wirkliche Ende ist selten glücklich.

Neben vielen anderen Dingen bin ich auch manchmal trübsinnig genannt worden. Das mag zutreffen, obwohl ein großer Teil meines Trübsinns in Wirklichkeit von der Betrachtung der Leute kommt, die mich trübsinnig nennen. Da ich mich mit einem düsteren Gegenstand befasse, habe ich das Gefühl, daß ich dem Leser versichern sollte, daß mein Ton so leichtherzig sein wird wie der eines Bodenspekulanten in Florida, wenn er die lieben Alterchen einlädt, in seinen Salon zu spazieren. Gläser werden nur halbvoll sein; Galle wird schön schmecken, denn die Bitterkeit heißt bittersüß; die Menschen werden nicht sterben, sondern dahinscheiden; Gehenna wird desodorisiert. Vor allem aber werde ich nicht von mir selbst sprechen, außer am Schluß des Kapitels.

Aus einer Biographie Arnold Schönbergs[12] erfahre ich, daß der bedeutende Komponist nach seinem Rücktritt von der University of Southern California im Jahre 1944 eine monatliche Pension von 38 Dollar erhielt. (Derselben Quelle entnehme ich die interessante Tatsache, daß zur gleichen Zeit das Ansuchen Schönbergs um eine »Guggenheim Fellowship« abgelehnt wurde.) Als alter Bewunderer der amerikanischen Mythologie pflegte ich meinen Studenten, wenn sie sich über verschiedene Schwierigkeiten beklagten, immer zu sagen: »Das wird sich in Ihrer Biographie gut machen.« Aber sogar für jemanden, der stärker als ich an das protestantische Arbeitsethos glaubt, an das Profitmotiv und die freie Wirtschaft, kann die Schilderung der letzten Jahre dieses »in Österreich geborenen amerikanischen Komponisten«, wie ihn die Lexika nennen, keine erfreuliche Lektüre abgegeben haben. Es macht sich nicht gut in der Biographie.

Die Schwierigkeit, über die sich Juvenal beschwerte, ist fragwürdig. Wenn es etwas Schwereres gibt als keine Satire zu schreiben, so ist es, eine zu schreiben. Ich will es nicht einmal versuchen. Wahrscheinlich weil ich kein Fernsehgerät besitze, ist meine Sammlung von Greueln recht altmodisch, und es sollte möglich sein, eine bitterere Galle zu finden. Ich will hingegen zugeben, daß die Einstellung unserer Zeit gegenüber Alter, Ruhestand und Tod eine eindringlichere und schärfere Behandlung verdient, als ich ihr zuteil werden lassen kann. Sobald ich zwecks flüchtiger Überlegung das am wenigsten metaphysische der drei Übel wähle, den Ruhestand, werde ich einer seltsamen Veränderung des vorherrschenden Klimas gewahr. Als ich jung war, wurde ich dazu angehalten, vor dem Alter auf die Knie zu fallen. Jetzt da ich alt bin, werde ich aufgefordert, die Jugend zu verehren und mich zu schämen, weil ich ihr nicht schon längst Platz gemacht habe. Trotzdem beschwere ich mich nicht darüber, daß mir der Fußfall, auf den ich so lange habe warten müssen, entgangen ist. Nur möchte ich betonen, daß der Begriff des Rücktritts im Zusammenhang mit der neu erstandenen Verehrung von Jugend und Kraft seine Bedeutung verändert hat. Aus einem Vorgang, dazu bestimmt, alte Leute von Lasten, die sie nicht länger tragen können, zu befreien, ist der Rücktritt zu einem tarpejischen Verfahren des »ôte-toi que je m'y mette« geworden. Aber das macht nichts: ebenso wie es jetzt der einzige Zweck der Natur zu sein scheint, den Naturforscher zu erhalten, ist das Leben eine Maschine geworden, um am Leben zu bleiben.

Jedenfalls möchte ich einige Worte über die Frage des Rücktritts, wie er dem Universitätslehrer erscheint, sagen. Dies ist keineswegs als eine Kritik der Vorstellung vom Rücktritt gedacht, denn, wäre er nicht durch Gebrauch oder Gesetz vorgesehen, würde ihn die Natur selbst früher oder später durchsetzen. Wie man es auch nimmt, kann der Unterschied nur wenige Jahre ausmachen.

Wie einer seiner Präsidenten so geistreich festgestellt hat, ist Amerikas Geschäft das Geschäft. Angesichts einer verhältnismäßig stabilen Währung und in der Abwesenheit heftiger ökonomischer Umstürze konnte ein aus Geschäftsleuten bestehendes und für sie gemachtes Volk es nicht schwer finden, weder begriffsmäßig noch praktisch, Vorkehrungen für das Alter aus den Erträgnissen des täglichen Geschäftsganges zu bestreiten. Ein großer Teil des Volkes besaß eigene Wohnstätten, in die es sich zurückziehen konnte. Die rasche Industrialisierung erzeugte eine riesige Nachfrage nach billiger Arbeitskraft, und dieser konnte durch die Einfuhr und die Einwanderung der ausnützbaren und kräftig ausgenützten Armen Europas entsprochen werden. Diesen gelang es, nach blutigen und herzzerreißenden Kämpfen sich in Gewerkschaften zu organisieren, welche, wenigstens am Anfang wahrscheinlich ehrlich, mit der Zeit Pensionsfonds von unterschiedlicher Tauglichkeit errichteten. Zusammen mit dem Sozialversicherungssystem des Bundes, kam auf diese Weise für viele Arbeitnehmer ein hinreichender Grad von Stabilität zustande. Das Ruhestandseinkommen der Bundes-, Staats- und Stadtbeamten hat im allgemeinen auch eine angemessene Höhe erreicht, wenn eine Vergütung von etwa 60 % des Arbeitseinkommens als das Minimum angenommen wird.

Die große Ausnahme von diesem zumindest erträglichen, wenn auch nicht völlig zufriedenstellenden Zustand bilden die Angestellten der Privatunternehmen; dazu gehören auch, als wichtiger, wenngleich chronisch zahlungsunfähiger Bestandteil, die privaten Universitäten und Colleges. Die Geringschätzung, mit der Erziehung vom Volk betrachtet wird, hat mich, seit ich zuerst nach Amerika kam, erstaunt. Die liebe alte Schulmeisterin im kleinen roten Schulhaus mag sich als Staffage politischer Reden gut machen, aber niemand kümmert sich darum, wie sie lebt, oder vielmehr, wie sie verhungert. Als ich zuerst über diese Dinge nachzudenken begann, kam ich zu dem Schlusse, daß der Zivilisationsgrad eines Landes aus drei Dingen bestimmt werden kann: wie die Leute sich gegenüber ihren Kindern, ihren alten Leuten und ihren Lehrern verhalten. Amerika versagt in allen drei Punkten; und zum Beispiel die Türken scheinen mir eine viel höhere Stufe zu repräsentieren, trotz minderwertigeren Waschgelegenheiten und geringerer Fähigkeit zur Automobilreparatur.

Die meisten privaten Universitäten gehören einem Pensionsplan an, der von der sogenannten »Teachers Insurance and Annuity Association« verwaltet wird — einer Institution, deren Arbeitsweise einem jeden, der sich in Kafkas Schloß zurechtfindet, völlig klar sein wird. Jeden Monat wird ein gewisser Bruchteil des Professorengehaltes abgezogen, und die Universtät trägt den gleichen Betrag oder sogar das Doppelte zu dem schließlichen Ruhegehalt bei. (Da wir es hier mit einem offenen, allen Winden preisgegebenen Land zu tun haben, gibt es eine Menge eleganter Unterschiede zwischen den verschiedenen Universitäten.) Einmal im Jahr erhält der Professor einen Zettel, auf dem verschiedene geheimnisvolle und höchst provisorische Ziffern ihm eine keineswegs rosige Zukunft andeuten. Er ist nur 48 oder 50, und die Zukunft erscheint ihm weit weg. Aber plötzlich, in einem Blitz, ist er 65 oder 68 oder 70, was immer die vorgeschriebene Altersgrenze sein mag; und es ist Zeit für ihn, im Schatten eines Baumes zu sitzen und sich der goldenen Jahre zu erfreuen. Die Vergoldung ist tatsächlich sehr dünn, und wahrscheinlich ist es nicht einmal Gold, aber es gibt noch viele andere Dinge, die er zur gleichen Zeit entdeckt. Zum Beispiel entdeckt er, daß das Ruhegeld, welches die wenig aufschlußreichen farbigen Jahreszettel ihm vorgespiegelt hatten, einer völlig unrealistischen Option entsprach, die aus verschiedenen Gründen für ihn nicht geeignet ist, und daß die ihm schließlich ausgezahlte Pension viel geringer ausfällt, als er gedacht hatte. Der jäh gefoppte Gelehrte entdeckt auch — oder sein scharfer wissenschaftlicher Geist hat es schon vorher erkannt — daß mittlerweile der Dollar auf ein Fünftel des Wertes gefallen ist, den er besaß, als er den Hauptteil seiner Beiträge einzahlte; und so kommt er vielleicht zu dem paradoxen Schluß, daß er, je länger er bezahlt hat, desto weniger erhalten werde. Da überdies die Universitätsgehälter bis in die späten Fünfzigerjahre meistens unglaublich niedrig waren, mußten — und falls Gott sie erhalten hat, müssen — ältere Kollegen, die zehn Jahre vor mir zurücktraten, sich mit einem noch kümmerlicheren Groschen begnügen.

Was ich hier bespreche, geht weit über meinen eigenen Fall hinaus. Sobald ich mit anderen darüber redete, nahmen ihre Gesichter oft einen leeren glasigen Ausdruck an, wie es geschieht, wenn die Leute philosophisch zu werden versuchen, und sie sagten mir: »Na ja, Sie wissen doch, es ist die Philosophie Amerikas, daß ein jeder für sich selbst sorgt. Niemand lebt gerne von Almosen.« Und dann fiel mir ein, wie verblüfft ich gewesen war, als ich bei meinem ersten Aufenthalt in Amerika bemerkte, daß die Armut anscheinend als eine Schande, ja, als ein Verbrechen angesehen wurde. Ich sagte zu mir selbst, »was für eine schäbige Philosophie!« Meine jugendliche Lektüre der großen Schriftsteller der Vergangenheit — Dostojewski, Tolstoi, Hamsun — hatte mir andere Werte beigebracht.

Jedenfalls werden es wenige Universitätsprofessoren leicht finden, genug Geld zu sparen, um ihre schändlich kleinen Pensionen aufzubessern. So wird ein Professor des Chinesischen, dessen reguläres Einkommen vielleicht ein Viertel von dem eines viertrangigen Pathologen gewesen ist, kaum in der Lage sein, »für sich selbst zu sorgen«; noch auch wird er während der ersten und schwersten Jahre nach dem Rücktritt mit seiner Altersversicherung rechnen können, wenn er durch gelegentliche Arbeit etwas dazuzuverdienen sucht. Nichtsdestoweniger betrachte ich den Ruhestand als eine notwendige soziale Einrichtung; nur sollte es sich ermöglichen lassen, ihn auf eine anständigere und menschlichere Art zu gestalten, insbesondere zur Zeit wirtschaftlicher Krisen, ohne die der Kapitalismus anscheinend nicht auskommen kann. Die Schäbigkeit der Lehrerpensionen bleibt eine der Schanden Amerikas.

Die Probleme haben natürlich nicht nur mit Geld zu tun. Wenn wir uns auf Universitätsleute, Professoren oder Forscher, beschränken, so können in der Art, in der einerseits ein experimenteller Forscher und andererseits ein Historiker oder ein Philologe ihren Rücktritt erleben, große Unterschiede gesehen werden. Wenn diese ihre Büros behalten oder ihre Arbeit zu Hause fortsetzen können, brauchen sie nicht mit einer jähen Unterbrechung ihrer Arbeit zu rechnen. Wie verschieden ist da der Fall eines Laboratoriumswissenschafters — eines Physikers, Chemikers, Genetikers oder, um bei dem Fach zu bleiben, das mir am nächsten liegt, eines Biochemikers. Den seltenen Fall ausgenommen, daß wir auf den bescheidenen und glücklichen Mann stoßen, der immer zufrieden ist mit seinem einfachen Kolorimeter, seinem Kjeldahl-Apparat oder Phasenmikroskop, stehen wir vor einer Masse kostspieliger, umfangreicher, schwerer und komplizierter Maschinen und Vorrichtungen, alle dazu neigend, ganz ohne Warnung den Dienst aufzugeben, alle einen ganzen Stab von Assistenten erfordernd, und beide — die Maschinen und die Assistenten — nicht leicht bei gutem Humor zu erhalten. Viel Platz wird da gebraucht, viel Hilfe und viel Geld. Mit dem Rücktritt verschwinden alle drei, und das mit explosiver Schnelligkeit.

Das ist nicht alles. Wie er älter wird, beginnt der Forscher in seinem vertrauten Laboratorium sich einsamer zu fühlen, als man glauben würde. Eine Wand von Eis ist zwischen ihm und den Jüngeren um ihn herum gewachsen. Ihre Sprache ist nicht mehr die seine, aber es ist die einzige Sprache, die er hört. Ihre Maßstäbe sind verschieden, aber sie sind es, nach denen auch er beurteilt werden wird. Die Herausgeber der wissenschaftlichen Zeitschriften und deren Gewährsmänner sind die Studenten seiner Studenten; und das gilt auch für die sogenannten Ebenbürtigen, die »peers«, die über sein Ansuchen um Forschungsbeihilfe zu Gericht sitzen werden.* Die Unbeständigkeit, der Umschwung oder, wie ihn die Optimisten nennen werden, der Fortschritt haben den alten Wissenschafter über-

* In der geschichtslosen Zeit, in der ich lebe, wird kein Kredit gegeben: jeder Tag fängt von neuem an. Nichts ist herzzerreißender als den Wettlauf anzusehen, der immer wieder die atemlosen alten Großen und die verbissen ehrgeizigen Jungen auf derselben Arena versammelt. Es ist lehrreich, in Robert Musils Briefen zu lesen, was der große Schriftsteller auszustehen hatte, als er sich kurz vor seinem Tode vergeblich um ein amerikanisches Stipendium bemühte. Alles wird klein gemahlen in den Mühlen unserer Zeit, und Staub wetteifert mit Staub.

holt. Was ihn noch aufrecht erhält — die jungen Stimmen, die alten Räume, die tägliche Reise ins Laboratorium und Büro, die Briefe, die er erhält, die Zeitschriften, die er liest, die Aussicht aus seinem Fenster, sogar der Staub auf seinem Fensterbrett — all das hat ein Gerüst von Gewohnheit und Wiederkehr gebildet, ein Gerippe, das er mit dem Fleisch seiner eigenen langen Jahre, seiner Sorgen und Freuden behängt hat: und dann, plötzlich und grausam, bricht alles zusammen. Von einem Tag zum nächsten, sagt man ihm, muß er Platz machen, wegfliegen, tun, als wäre nichts geschehen, vergehen. Und so ist er gegangen.

Das ist, mehr oder weniger, und ohne Mißbrauch der dichterischen Freiheit, meine eigene Geschichte gewesen. Ich geriet in diese Lage, wie es immer in meinem Leben geschehen ist, ohne etwas von meiner Seite getan zu haben, oder eher, weil ich nichts getan hatte. Ursprünglich hatte ich gehofft, die Universität 1970 verlassen zu können, mit 65 Jahren, und nach Europa zu übersiedeln. Das Leben in New York war sehr unangenehm geworden, und der abscheuliche Vietnamkrieg legte symbolische Trennung nahe. An einigen Orten war sogar ein nebelhaftes Interesse für mich bekundet worden: Bordeaux, Montpellier, Lausanne, Neapel. Aber der Zusammenbruch des Dollars, die Inflation und die damit einhergehende Verringerung meiner Ersparnisse und der zu erwartenden Pension machten einen solchen Schritt unmöglich. Und so, immer ein Verehrer des taoistischen Grundsatzes »wu wei« (tue nichts), verblieb ich.

Da man mir oft gesagt hatte, daß ich sofort nach Ablauf meines Forschungskredits mich werde entfernen müssen, hatte ich während meiner letzten tätigen Jahre keine Studenten mehr angenommen, denn ich wollte die jungen Leute in meinen Verfall und Untergang nicht mitreißen. Obwohl der Rücktritt auch einige komische Züge aufweist, war ich über die Entdeckung betrübt, daß meine Pension weniger als 30 % meines letzten regulären Gehalts ausmachen werde. Was das eher lächerliche Ritual des Rücktrittsbegängnisses anbetrifft, mit dem man ein Professor Emeritus wird, so ist es offensichtlich von jemandem entworfen worden, dem die alten, die Degradierung des Hauptmanns Dreyfus beschreibenden Filme besonders gut gefallen hatten. Allerdings waren die gedämpften Trommeln kaum hörbar, Epauletten wurden keine abgerissen, noch auch Degen gebrochen. Aber der Geist und besonders die Heuchelei waren die gleichen. Der plötzliche Übergang bringt noch etwas anderes mit sich: an einem Tag ist man in der Mitte von fast zuviel Geschäftigkeit und es herrscht ein großer Lärm; am nächsten Tag wird es so still, daß man den Dollar fallen hören kann.

Ich hatte ein sehr gut ausgestattetes Laboratorium, eine große wissenschaftliche Bibliothek und einen riesigen Papierhaufen: Arbeiten, Briefe, Manuskripte, und was sich alles noch in mehr als vierzig Jahren anhäuft. Außerdem kann Forschung nicht wie ein Hahn abgedreht werden; es gab noch ziemlich viel wissenschaftliche Tätigkeit und eine Menge von halbgeschriebenen und ungeschriebenen Aufsätzen. Meine Papiere sandte ich an die Bibliothek der »American Philosophical Society« in Philadelphia; die meisten meiner Bücher schenkte ich der Medizinischen Bibliothek der Columbia-Universität. Mit dem Rest mußte ich in unglaublicher Hast in ein Spital in einem andern Stadtteil New Yorks übersiedeln, wo es etwas Platz gab.

Am 20. November 1975 kamen die Packer. Manche Sachen mußten zuerst zurückbleiben, denn sie erforderten spezielle Aufmerksamkeit, besonders ein Schrank voll meiner eigenen alten Präparate. Als wir zurückkehrten, konnten wir nicht mehr in unsere Laboratorien. Irgendwer, so sagte man uns, hatte den Auftrag gegeben, alle Schlösser zu ersetzen.

Die empfindsame Reise durch mein Leben schien zu Ende zu gehen, zumindest der hauptsächliche Teil, in dem die Empfindung noch nicht von der Erinnerung übertönt wird. Da ich jedoch ein Angehöriger eines wenig gefühlvollen Zeitalters bin, überwog das sardonische Vergnügen, alles genau so verlaufen zu sehen, wie ich es vorausgesagt hatte. Ich habe immer ein Gefühl für die Angemessenheit der Dinge gehabt. Und da in Columbia die eine linke Hand niemals weiß, was die andere tut, war es ganz gemäß, daß weniger als sechs Monate, nachdem sie an der Medizinschule meine Türschlösser vorsichtshalber ausgewechselt hatten, dieselbe Universität mir ein Ehrendoktorat verlieh.

Während der Spediteur sich zu tun machte, blieb ich zu Haus und blätterte in Büchern. Mein Auge fiel auf eine Seite des Heraklit, und da sagte er: »Der Weg hinauf und hinab ist ein und derselbe.« Ich beschloß, daß Heraklit unrecht gehabt hat.

»EC«, sagte die Tonlose Stimme*, »würde es dir was ausmachen mir zu sagen, was du als deine größte Sünde ansiehst.«

»TS«, sagte EC, »Ich bin erstaunt. Werden wirklich Bekenntnisse von mir erwartet? Schließlich bin ich nicht Jean-Jacques; und sogar wenn es eine Madame de Warens gegeben hätte, was nicht der Fall war, hätte sie keinen Platz in diesem Buch gefunden. Und was den andern betrifft, den größten Verfasser von Bekenntnissen, Monikas Sohn, wo hätte er jetzt einen Verleger finden können, mit all dem Zeug über die Seele, die sich nach Gott sehnt? Zur Zeit des Augustinus war Dr. Freuds Flohzirkus noch nicht eröffnet. Nichts hätte er herzeigen können,nicht einmal eine gute Identitätskrise oder wenigstens einen Ödipuskomplex. Wer hat denn überhaupt eine Seele? Jetzt haben wir Psychen, und die sind krank, aber analysierbar.«

TS: Bitte sei so freundlich und anworte auf meine Frage.

EC: Ich wollte nur Zeit gewinnen, um meine Gedanken zu sammeln. Ich hatte nicht begriffen, daß das ernst war. Naturwissenschafter sind nicht gewöhnt, sich mit Sünden oder mit Tugenden abzugeben. Sie sammeln Einzelheiten, und wenn sie einmal genug Einzelheiten haben, machen sie Tatsachen daraus; wenn sie genug Tatsachen haben, bringen sie sie in ein System. Wenn sie genug Systeme haben, lassen sie das ganze sein und fangen wieder von vorne an.

TS: Du redest zu viel. Bitte antworte auf meine Frage.

EC: Trägheit ist meine größte Sünde gewesen. Als ich begann, schenkte mir die Natur — —

TS: Bitte das richtige Wort zu verwenden. Wer schenkte dir?

---

* In der englischen Fassung dieses Buches hieß die Erscheinung »Voiceless Voice« und wurde als »VV« abgekürzt. Die sich für »voiceless« anbietenden Wörter »stumm, sprachlos, stimmlos« hätten eine aus einleuchtenden Gründen nicht verwendbare Abkürzung bedingt. Daher »Tonlose Stimme«.

EC: Ist in Ordnung — schenkte mir das Leben —

TS: Ich werde es für dich sagen müssen. Gott schenkte dir —

EC: ... schenkte mir einige Gaben, nicht viele, aber ein paar; und zeitlebens habe ich das Gefühl gehabt, daß ich keinen guten Gebrauch davon machte. Möglicherweise war ich, was man jetzt mittelmäßig nennt, obwohl ich diese Art, die Menschheit einzuschätzen, nicht gerne habe. Für mich sind alle Menschen die besten; ich glaube noch an die Menschenwürde. Aber während meines ganzen Lebens habe ich versucht zu rufen: »Wacht auf, wacht auf!«

TS: Hast du Erfolg gehabt?

EC: Nein. Ich habe meine Erstgeburt um ein Schaumgericht verträumt. Ich war niemals einer von denen, die finden ohne zu suchen. So habe ich gesucht, aber immer mit einer Hand an den Rücken gebunden. Niemals habe ich meinen Weg durch die Felsen gebrannt. Dafür war ich zu lau. Wenn ich etwas fand, hob ich es auf, aber am nächsten Tag hatte ich es oft verlegt.

TS: Lauheit und Trägheit sind nicht dasselbe. Was ist es also?

EC: Ich würde sagen, daß ich fast zu träge war, um lau zu sein. Niemals war ich eine Sache ganz. Wenn alles Große mit Schaum vor dem Mund gemacht wird, so hat mir das immer gefehlt. Im Traurigen sah ich das Lächerliche, und im Lächerlichen sah ich das Traurige. Meine Ururahnin war von der Schlange irregeführt worden, jener doppelzüngigsten Meisterin der Dialektik, und von ihr muß ich meine Liebe zur Dialektik geerbt haben. Und so träume ich oft von der entsetzlichen, der großen Wahrheitsscheuche.

TS: Soll ich daraus schließen, daß Wahrheit und Dialektik nicht vereinbar sind?

EC: Ist das das letzte Gericht oder eine Aufnahmsprüfung?

TS: Du würdest nicht fragen, wenn du nicht wüßtest. Oder höre ich wieder den lauwarmen Dialektiker?

EC: Wahrheit und Dialektik sind nicht unvereinbar, aber

Dialektik ohne Barmherzigkeit wird nur ein gewisses Maß von Wahrscheinlichkeit ergeben. Wahrheit ist mehr, und sie kommt vom Herzen — darf ich Vauvenargues anführen?

TS: Du darfst nicht. Die Bibliothek ist verbrannt.

EC: Und doch ist es so kalt hier.

TS: Würdest du also sagen, daß das dialektische Denken deine größte Sünde war, daß du immer beide Seiten der Münze gleichzeitig gesehen hast?

EC: Nein, ich suchte die dritte Seite der Münze. Aber was immer ich tat, war mit Zögern getan, mit halbem Herzen. Ecclesiastes hatte mich vergiftet: »vanitas vanitatum vanitas!« Ich möchte noch immer sagen, daß Trägheit meine größte Sünde war. Außerdem bin ich anscheinend eine Art von verkehrtem König Midas: was immer ich berührte, stellte sich als eine Fälschung heraus. Und während Gold, mäßig angewendet, seinen Nutzen hat, gilt das nicht für Fälschungen.

TS: Bitte keine garstigen Bemerkungen über deine ursprüngliche Umgebung. Würdest du also geneigt sein, deine frühere Aussage abzuändern und zuzugeben, daß Hochmut deine größte Sünde war?

EC: Nein, Trägheit gewann immer die Oberhand. Die Russen haben ein wunderbares Wort für meinen Zustand: »Oblomowščina«. Es stammt von der größten Verkörperung metaphysischer Erzfaulheit, Oblomow, in Gontscharows schönem Roman.

TS: Die Bibliothek ist verbrannt. Aber ich werde deine Aussage, die du nicht ein Geständnis nennen willst, annehmen müssen, obwohl ich den Verdacht habe, daß du dich da ein bißchen verstellst. Laß mich also eine andere Frage stellen: Was würdest du als deine beste Eigenschaft oder deine versöhnlichste betrachen?

EC: In dieser Nacht hat das Erröten keinen Sinn. Ich möchte wieder sagen, die Trägheit.

TS: Das ist lächerlich. Die Zeit für Paradoxe ist vorbei. Hör auf zu tun, als wärest du der »Mann ohne Eigenschaften«.

EC: Aber ich habe immer in einer Welt der Paradoxe gelebt. Es ist eine Welt, lang wie die Ewigkeit und kurz wie das Leben einer Fliege. Trägheit ist in Wirklichkeit die einzige Antwort auf ein absurdes Universum. Sie ist eine Sünde, wenn sie einen unfähig macht zu erkennen, daß es Rätsel gibt; sie ist eine Rettung, wenn sie einen zögern läßt, diese Rätsel für gelöst zu erklären, obwohl nichts dergleichen geschehen ist, denn die großen Rätsel haben wahrscheinlich keine Lösung. Trägheit ist eine Tugend, wenn sie einen daran verhindert, im Topf herumzurühren, nur damit gerührt wird. Die Bessermacher haben so viel schlechter gemacht, daß von dieser Art von Besserem wegzubleiben eine Tugend geworden ist.

TS: Danke für die Beredsamkeit, aber ich wiederhole meine Frage.

EC: Dann werde ich mich unter meinen zweitbesten Eigenschaften umsehen müssen, aber das ist schwer: es gibt so viele. Vielleicht ist es meine Fähigkeit, mich an anderer Leute Platz zu versetzen, eine bescheidene Art von Vorstellungsgabe; vielleicht ist es meine Gewichtslosigkeit.

TS: Ich wußte nicht, daß du dich auch als Kosmonaut versucht hast.

EC: Nein, nein; das ist es nicht. Ich wollte nur auf meine geringe Neigung anspielen, mich schwer und breit zu machen; eine Art von angeborener Unscheinbarkeit, eine Form tragbarer Anonymität. Wie viele Wissenschafter wird es geben, die in fünfzig Jahren keine einzige Berufung erhalten haben?

TS: Was du hier beschreibst, ist wirklich eine hochgradige Form von Unpopularität. Würdest du das als eine deiner besten Eigenschaften bezeichnen?

EC: Ja.

TS: Du scheinst den irrtümlichen Glauben zu hegen, daß ich die Kraft habe, in dein Herz zu blicken. Ich bin weder allwissend noch allmächtig. Ich bin nur allfragend; ich bin, was alle Fragen fragt. So rechne nicht mit meinem Verständnis; wenn du meine Frage besser beantworten kannst, tue es bitte. Aber mit Schlauheit wirst du nicht weit kommen.

EC: Nichts liegt mir ferner. Aber woher soll ich so viel

Selbstkenntnis beziehen? Der Mensch ist doch nur ein armer Teufel.

TS: Pensionierte Engel werden bei uns nicht erwähnt. Vermeide diese unangenehm bilderreiche Ausdrucksweise und antworte unverziert.

EC: Wenn ich also noch weitere wünschenswerte Eigenschaften aus mir herauspressen soll, werde ich bald sagen müssen, daß ich gerne Kirschen esse. Aber vielleicht gibt es noch einige andere Dinge. Zum Beispiel leide ich an Logophilie: ich liebe kleine Wörter und habe ein tiefes Mitleid mit ihnen, wenn man sie mißhandelt. Ich halte sie für das größte Wunder der Menschenwelt, diese Tränen- und Freudenkristalle. Sie sind es, die unsere Gedanken machen. Wenn ein Wort stirbt, stirbt eine Vorstellung. Sie sind die letzten Zeugen der Schöpfung, die einzigen Unterpfänder einer Menschlichkeit, die schnell verschwindet. Darum habe ich verlassene Wörter immer gerne bei mir aufgenommen.

TS: Wenn du Wörter wirklich so sehr liebst, warum hast du nicht sie zum Gegenstand deiner Arbeit gemacht?

EC: Nun, einmal hatte ich diese Absicht. Aber bald kam ich zu dem Schluß, daß man nicht studieren soll, was man liebt. Man erwirbt die falsche Art von Vertraulichkeit.

TS: Aber habe ich dich nicht oft behaupten gehört, du liebest die Natur? Und doch bist du ein Naturforscher geworden.

EC: Es hat lange gedauert, bevor ich es herausgefunden habe, aber jetzt bin ich überzeugt, daß unsere gegenwärtigen Naturwissenschaften nichts mit der Natur zu tun haben. Daher kann man ein Naturforscher sein und doch die Natur lieben. Das sind zwei verschiedene Sachen, die einander nicht ausschließen, wie z. B. ein Handlungsreisender sein und die Blockflöte spielen. Übrigens habe ich noch einen versöhnenden Zug vergessen: ich habe immer junge Leute gerne gehabt, und ich glaube, daß ich ein recht guter Lehrer war. Darf ich bei dieser Gelegenheit ein Geständnis machen?

TS: Dazu bist du ja hier.

EC: Dann möchte ich folgendes sagen. Wenn ich mir ansehe,

was man jetzt einen Naturforscher nennt, beginne ich mich zu fragen, ob ich jemals einer gewesen bin. Ich mag mit einer falschen Vorstellung angefangen haben, oder es war wirklich anders. Ich habe wahrscheinlich der letzten Generation von Nichtfachleuten angehört, bevor die Wissenschaften anfingen, sich in unzählige Spezialitäten zu spalten. Wie ich oft gesagt habe, hat in meinen Anfängen wissenschaftliche Forschung als ein Beruf fast nicht existiert. Man geriet in die Naturwissenschaften wie ein Schuster in die Schuhmacherei; oder, genau genommen, man begann als ein Lehrer, und Forschung ging nebenher, sie gehörte zum Unterricht. Es kann daher sein, daß ich als Naturforscher begonnen habe, wie man Wissenschaft damals auffaßte, aber am Ende es nicht mehr war.

TS: Hab keine Angst — wie du in diese Welt kamst, so wirst du sie verlassen, ganz ohne Diplom. Bist du zufrieden mit deinem Leben?

EC: Was kann ich sagen? Es ist vielleicht nicht das beste, aber es ist alles was ich habe. Und dann hat es immer noch einige herrliche Dinge gegeben, aber sie passen nicht in dieses seltsame Gespräch.

TS: Und die Zeiten, in denen du gelebt hast?

EC: Genau wie zuvor, ich hatte bemerkenswert wenig Wahl. Ich möchte jedoch bemerken, daß unser Jahrhundert zu den bestialischsten gehört, die die Menschengeschichte gekannt hat, obwohl es wahrscheinlich von dem kommenden noch übertroffen werden wird. Ob die Menschheit jemals wieder aufwachen wird zwischen zwei Angstträumen, ist mehr als ich sagen kann.

TS: Könntest du deinen Charakter in fünf Worten beschreiben?

EC: Ich fürchte, ja, möchte es aber unterlassen. Wir leben ohnedies viel zu sehr in einem diabolischen Kindergarten, und meine Antwort würde wie eine Schulaufgabe aus der Volksschule klingen. Warum darauf bestehen? Haben nicht die Scholastiker gelehrt, daß das Individuum »ineffabile« ist? Ich pflegte von mir selbst zu sagen: ich bin jeden Tag ein anderer Mensch, trage aber immer denselben Wintermantel. Und der ist es doch, den die andern sehen. Ich weiß es wohl, die Bibliothek ist verbrannt; aber ich habe zufällig hier in meiner Tasche einen Zettel mit einem Zitat aus Meister Eckhart. Hier ist die Stelle aus seinem »Buch der göttlichen Tröstung«.

> Diser lere han wir ein offenbare bewisunge an dem steine. des usser werc ist, das er nidervalle unt lige uf der erden. das werc mag gehindert sin, und vallet er nit alle cit noch ane underlas. aber ein ander werc ist noch inniger dem steine unt das ist neigunge alle cit niderwert, unt das ist ime angeboren. das enkan ime got noch creatur benemen noch nieman. das werc wúrket der steine an underlas nacht unt tage. das er tusent jare do obnan lege, er neiget weder minre noch me denne in dem ersten tage.

TS: Sehr hübsch, aber was soll es heißen?

EC: Nun, abgesehen von der kühnen Behauptung, daß sogar Gott das Gesetz der Schwerkraft nicht aufheben kann — etwas, was ich zu sagen nicht gewagt hätte —, scheint es uns mitzuteilen, daß wir Steine, ob wir nun zu Boden gefallen sind oder noch nicht, alle fallen wollen. Wir sind, wie wir geboren und nicht wie wir geworden sind. Diese beständige »Neigung niederwärts«, dieser blinde Drang zu einem unbekannten Ziel, zwingt uns, im Ruhen zu fallen und im Fallen zu ruhen. ». . . Denn/Wie du anfiengst, wirst du bleiben«, schrieb Hölderlin in einem seiner späten Gedichte.

TS: Wenn das als Entschuldigung gedacht ist, ist sie nutzlos. Du scheinst auf die Prädestination anzuspielen. Bist du am Ende ein Calvinist?

EC: Gott behüte. In den Worten Dantes ist die höchste Weisheit auch die erste Liebe. Erlösung ist ein schönes Wort, und Seelenheil ist noch besser. Gott kann alle Steine in den Himmel fliegen machen. Wer sonst kann uns der Naturgesetze entheben?

TS: Hast du jemals einem Wunder beigewohnt?

EC: Nein, außer daß man in dieser Welt ein großer Mann

werden kann, ohne jemals einen eignen Gedanken im Kopfe gehabt zu haben.

TS: Was hast du aus der Naturwissenschaft gelernt?

EC: Nur eines: daß man seine Hände waschen soll, bevor man die Natur anrührt.

TS: Willst du andeuten, daß die meisten Wissenschafter die Wissenschaft nicht verdienen?

EC: Ja. Aber sie haben aus der Wissenschaft etwas gemacht, was sie verdienen.

TS: Was ist die Abhilfe?

EC: Es gibt keine Abhilfe.

TS: An dem Orte, wo du jetzt stehst, ist es nicht an dir, die Trompete der Apokalypse zu blasen. Eine andere Tuba wird ihren wunderbaren Klang verbreiten. Ich wiederhole meine Frage.

EC: Der erste Schritt würde darin bestehen müssen, die Wissenschaft wieder klein zu machen und sie von der Technik und der Jagd nach Macht loszukoppeln. Die entfesselten Impresarios, jeder als Prometheus verkleidet, müssen weg. Die Schwarzkünstler, die den neuen Menschen zu züchten vorgeben, müssen beschämt werden.

TS: Wie würdest du das zuwege bringen?

EC: Ich denke nicht, daß das nach einem Plan gemacht werden kann, und es wird nicht stattfinden ohne eine Reihe von Katastrophen von einem solchen Ausmaß, daß die Menschheit gezwungen ist, stehen zu bleiben und um sich zu blicken. Früher mögen die Wissenschafter dazu gedient haben, die Menschheit auf bessere Gedanken zu bringen, aber jetzt sind sie selber der böse Gedanke geworden. Unsere Art von Wissenschaft hat sich in eine Krankheit des westlichen Geistes verwandelt. Man hat uns gelehrt, daß wir durch immer tieferes Graben den Mittelpunkt unserer Welt erreichen würden. Aber wir finden nichts als Fels und Feuer. So nehmen wir den Stein als unser Herz und die Flamme als unsere Hoffnung.

TS: Ist das alles, was gefunden worden ist?

EC: Wir wurden verlockt, nach den immer kleiner werdenden Dimensionen zu suchen. Jede neue Dezimale eröffnet eine frische Grotte von Wonnen, einen berauschenden Venusberg. In Präzision ertrinkend, trunken von Kontrollen der Kontrollen, verlieren wir uns im toten Treibsand der Ewigkeit. Wenn wir unseres Irrtums gewahr werden, wird es zu spät sein. Der Mittelpunkt unserer Welt ist nicht dort, wo wir nach ihm gesucht haben.

TS: Wo ist der Mittelpunkt unserer Welt?

EC: Hätte ich gewußt, wo er ist, wäre ich nicht hier.

TS: Glaubst du wirklich, daß es Ausnahmen gibt? Denkst du, daß es einen Unterschied macht, ob die Kandidaten zum Kontrollpunkt geführt oder geschleppt werden?

EC: Ja, ich glaube es. Aber ich werde versuchen, die Frage zu beantworten. Als ich jung war, war Hoffnung der Mittelpunkt meiner Welt. Es war nicht eine Hoffnung auf irgend etwas Bestimmtes, Bestimmbares. Es war die Hoffnung, daß über den Wolken, oder sogar über dem blauen Sommerhimmel, eine unglaubliche Wesenheit ist, ein ewiges Darüberhinaus von unvorstellbaren Möglichkeiten. Es war die Gewißheit, daß, wenn meine Seele in einer finsteren Nacht war, das Einzige, was zu ihr kommen konnte, Licht war; und daß dies geschehen werde.

TS: Ist es geschehen?

EC: Ja.

TS: Könntest du etwas aufschlußreicher sein?

EC: Wie kann ich mit San Juan de la Cruz konkurrieren? Bei dem, wovon ich jetzt spreche, versagen die Zeitwörter ihren Dienst, es ist das Ende menschlicher Grammatik. Die Entgötterung der Welt begann mit dem Verschwinden der Ideogramme. Gott ist nicht, wie ein Tisch ist. Wirklich, ich kann nicht mehr sagen. Höchstens noch das Eine, daß ich mich in der Lage eines jungen Bildhauers befand, der etwas gefunden hatte, wovon er hoffte, es sei ein Marmorblock. Der Stein war völlig mit Schlamm und Schmutz bedeckt; man konnte nicht einmal sicher sein, daß es ein Stück Marmor war. Und er begann zu räumen und zu säubern, und später nahm er einen

Meißel oder einen Hammer, aber er wußte noch immer nicht, was er da bearbeitete und gestaltete. Plötzlich sprang ihm eine Form aus dem Stein entgegen. War es, was er erhofft hatte, war es die marmorne Figur, die zu finden er aufgebrochen war? Er konnte es nicht sagen. Während er weiter arbeitete, verschwand die Form, zerfiel die Figur. Da waren Gestalten, aber sie veränderten sich fortwährend; da war eine Art von Stein, aber war es Marmor? Wie er dastand auf einer windigen Fläche, fand er sich von vielen Tausenden umgeben, die dasselbe taten wie er. »So viele Idole«, sagte er, »aber wo ist die Osterinsel?« Es kamen neue Leute mit neuen Werkzeugen; ungeheuerlich wuchs die Zahl der Bilder; sie erfüllten allen vorhandenen Raum, und die meisten sahen halbfertig aus. Man sagte ihm, dies sei gut für des Menschen Seele und Geist.

TS: Hat sich das an dir bestätigt?

EC: Nein. Die Masse der Angebote erschreckte mich. Ich konnte mit ihnen nichts anfangen, außer ihr Vorhandensein zu vermerken. Während die Bildhauer selbst immer verzückter wurden, schienen die meisten andern — sie trugen Luftballons, auf denen HAPPINESS stand — überhaupt nichts zu bemerken.

TS: Ich möchte dich ersuchen, diese reizende Allegorie aufzugeben. Wird alles so weitergehen, oder wie steht es um die Zukunft der Naturwissenschaft?

EC: Schlecht steht es um sie. Meiner Meinung nach wird unsere Art von Wissenschaft nicht mehr viel länger existieren. Ich würde sagen, weniger als hundert Jahre.

TS: Wird etwas anderes an ihren Platz rücken?

EC: Die Wissenschaft hat in Wirklichkeit niemals einen Platz in unserer Welt gehabt; genau so wenig wie die Kunst, die Literatur, die Musik, usw. Aber die andern geistigen Angelegenheiten sind nicht zu solchen Massenbeschäftigungen erwachsen, wie es die Wissenschaft tat. Im Augenblick sieht alles absurd aus; aber den wenigen Überlebenden, von denen ich mir die Erde in Zukunft bewohnt vorstelle — sie werden sich von radioaktiven Ameisen nähren — wird es weniger absurd erscheinen.

TS: Weißt du nicht, daß das Ende der Zeit gekommen, daß der Raum abgeschafft ist, daß es kein Hier, kein Jetzt, daß es keine Zukunft gibt?

EC: Ich weiß es. Aber ich dachte, daß die Fragen sich auf die Vergangenheit beziehen; und es gibt immer eine Vergangenheit. Von meiner Zeit möchte ich sagen, daß die Welt viel zu kompliziert geworden war für die Menschen, die in ihr lebten. Nicht wegen der großen Errungenschaften der Biologie hat das menschliche Leben seinen ganzen Wert verloren; aber diese Vorgänge ereigneten sich parallel. Wann immer ich eine interessante Arbeit in einer wissenschaftlichen Zeitschrift sah, las ich auch in der Zeitung von einem entsetzlichen Mord. Eine Gesellschaft, welche die Mittel besaß, den Mond zu besuchen, vermochte es nicht, die Menschlichkeit ihrer eigenen Menschen zu erhalten, und sie zerfiel in kleine Stücke, zur gleichen Zeit, als sie in das Weltall einbrach. Sie verhunzte das Leben ihrer eigenen Umgebung, während sie Vermutungen über das Leben auf dem Mars anstellte. Ich bin davon überzeugt, daß auch die Dinosaurier ihre Sicherheitskomitees besaßen und daß diese genau so wirksam waren wie unsere.

TS: Würdest du sagen, daß die Naturwissenschaften die Ursachen des Niederganges sind?

EC: Ich habe aufgehört, zwischen Ursache und Symptom zu unterscheiden. Fäulnis folgt der Reife wie die Nacht dem Tag.

TS: Im Anfang war das Wort, und am Ende ist Schweigen. Das Verhör ist vertagt.

Mit einer Träne für Johann Peter Hebel *

Unterdessen hatten vier Jahre Krieg Millionen junger Leben genommen, uralte Reiche waren zusammengebrochen und die Völker waren arm geworden. Das Zarenreich der Romanows war gestürzt und durch eine Sowjetrepublik ersetzt worden; die Monarchie der Habsburger zerfiel; Deutschland wurde eine ruhelose Republik. Im Zuge der Umwälzung gingen Unzählige zugrunde. Die Naturwissenschaften schwollen an und erwarben dank ihrer Nützlichkeit für Krieg und Handel große Macht. Der Faschismus ergriff Besitz von Italien, Deutschland, Spanien. Die Meinungsindustrie lernte, wie man das menschliche Gehirn manipuliert. Hitler versuchte, die deutsche Herrschaft über ganz Europa auszudehnen, und scheiterte. Das Atom wurde gespalten. Viele Millionen von Juden, Zigeunern, Kommunisten, Wahnsinnigen und Rebellen wurden von den Deutschen getötet. Weitere Millionen kamen in einem zweiten Krieg um, der fast sechs Jahre dauerte. Atombomben wurden auf Hiroshima und Nagasaki abgeworfen. Die Entdeckung der Natur des Gens eröffnete den Weg zu seiner Manipulation. Dem Siege über die faschistischen Mächte folgte das angebliche Ende der Kolonialreiche. China wurde eine Volksrepublik; Israel wurde zum Staat ausgerufen. Die Amerikaner verwüsteten Südostasien und besuchten den Mond. Armut und Arbeitslosigkeit breiteten sich aus; die Schätze der Erde wurden vergeudet, die ganze Welt wurde verunreinigt; Mord und Verbrechen hatten die Oberhand; die bestehenden Religionen traten den Rückzug an; die Drogensucht war auf dem Vormarsch.

Während all dies vor sich ging, bin ich aufgewachsen und bin alt geworden, und dann habe ich dieses Buch geschrieben.

---

* Das ist eine bescheidene Huldigung für den sanften, stillen Dichter, in dessen Geschichte »Unverhofftes Wiedersehen« eine schöne Stelle vorkommt. Mit dem Adverb »Unterdessen« beginnend, führt sie, gegen den »cantus firmus« eines kleinen, armen Lebens, die großen Vorgänge eines halben Jahrhunderts an uns vorbei.

Nachbemerkung

Die hier vorgelegte deutsche Bearbeitung meines zuerst auf englisch erschienenen Buches (Heraclitean Fire: Sketches from a Life before Nature, New York 1978) habe ich selbst hergestellt. In der deutschen Fassung sind zahlreiche Stellen hinzugefügt und wenige weggelassen worden. Ich danke dem Verleger der amerikanischen Ausgabe, The Rockefeller University Press, New York, N. Y., für sein Entgegenkommen und seine Hilfsbereitschaft.

Einige Abschnitte des ersten Teils sind unter dem Titel »A Fever of Reason« zuerst in »Annual Review of Biochemistry« 1975 erschienen, ein Stück aus dem Kapitel »Später Abend in Berlin« wurde in »Trends in Biochemical Sciences« 1976 veröffentlicht.

Anmerkungen

I. Ein Fieber des Verstandes

[1] Bloy, L. 1902. *Exégèse des lieux communs. 1ère série. CXXIV.* Paris: Mercure de France.

[2] Chargaff, E. 1931. Über den gegenwärtigen Stand der chemischen Erforschung des Tuberkelbazillus. *Naturwissenschaften 19:* 202—206.

[3] Chargaff, E. 1944. Lipoproteins. *Adv. Protein Chem. 1:* 1—24.

[4] Chargaff, E. 1973. Bitter fruits from the tree of knowledge: Remarks on the current revulsion from science. *Perspect. Biol. Med. 16:* 486—502. — 1974. Bittere Früchte vom Baum der Erkenntnis. Anmerkungen zur gegenwärtigen Ablehnung der Naturwissenschaften. *Scheidewege 4:* 326 bis 345.

[5] Chargaff, E. 1963. *Essays on Nucleic Acids.* Amsterdam, London, New York: Elsevier.

[6] Fuchs, A. 1949. *Geistige Strömungen in Österreich, 1867—1918.* Wien: Globus-Verlag. — Nachdruck: 1978, Wien: Löcker-Verlag.

[7] Feigl, F., und Chargaff, E. 1928. Über die Reaktionsfähigkeit von Jod in organischen Lösungsmitteln (I.). *Monatsh. Chem. 49:* 417—428.

[8] Feigl, F. und Chargaff, E. 1928. Über die analytische Auswertung einer durch CS_2 bewirkten Katalyse zur jodometrischen Bestimmung von Aziden und zum Nachweis von CS_2. *Z. anal. Chem. 74:* 376—380.

[9] Chargaff, E., Levine, C. und Green, C. 1948. Techniques for the demonstration by chromatography of nitrogenous lipide constituents, sulfur-

containing amino acids, and reducing sugars. *J. Biol. Chem. 175:* 67—71.
[10] Chargaff, E. 1974. Building the Tower of Babble. *Nature 248:* 776—779.
[11] Anderson, R. J., und Chargaff, E. 1929. The chemistry of the lipoids of tubercle bacilli. V. Analysis of the acetone-soluble fat. *J. Biol. Chem. 84:* 703—717.
[12] Anderson, R. J., und Chargaff, E. 1929. The chemistry of the lipoids of tubercle bacilli. VI. Concerning tuberculostearic acid and phthioic acid from the acetone-soluble fat. *J. Biol. Chem. 85:* 77—88.
[13] Chargaff, E., und Anderson, R. J. 1930. Ein Polysaccharid aus den Lipoiden der Tuberkelbakterien. *Z. physiol. Chem. 191:* 172—178.
[14] Chargaff, E. 1928. The reactivity of iodine cyanide in different organic solvents. *J. Am. Chem. Soc. 51:* 1999—2002.
[15] Chargaff, E. 1929. Über die katalytische Zersetzung einiger Jodverbindungen. *Biochem. Z. 215:* 69—78.
[16] Chargaff, E. 1930. Zur Kenntnis der Pigmente der Timotheegrasbakterien. *Zentralbl. f. Bakt. 119:* 121—123.
[17] Chargaff, E. 1933. Über die Lipoide des Bacillus Calmette-Guérin (BCG). *Z. physiol. Chem. 217:* 115—137.
[18] Chargaff, E. 1933. Über das Fett und das Phosphatid der Diphtheriebakterien. *Z. physiol. Chem. 218:* 223—240.
[19] Chargaff, E., und Dieryck, J. 1932. Über den Lipoidgehalt verschiedener Typen von Tuberkelbazillen. *Biochem. Z. 255:* 319—329.
[20] Chargaff, E. 1970. Vorwort zu einer Grammatik der Biologie. Hundert Jahre Nukleinsäureforschung. *Experientia 26:* 810—816.
[21] Chargaff, E. 1971. Preface to a grammar of biology. A hundred years of nucleic acid research. *Science 172:* 637—642.

II. Närrischer und weiser

[1] Chargaff, E. 1945. The Coagulation of Blood. *Adv. Enzymol. 5:* 59.
[2] Chargaff, E. 1944. Lipoproteins. *Adv. Protein Chem. 1:* 1—24.
[3] Chargaff, E. 1938. Synthesis of a radioactive organic compound: alpha-glycerophosphoric acid. *J. Am. Chem. Soc. 60:* 1700—1701.
[4] Avery, O. T., MacLeod, C. M. und McCarty, M. 1944. Studies on the chemical nature of the substance inducing transformation of pneumococcal types. *J. Exp. Med. 79:* 137—158.
[5] Chargaff, E. 1970. Vorwort zu einer Grammatik der Biologie. Hundert Jahre Nukleinsäureforschung. *Experientia 26:* 810—816.
[6] Schrödinger, E. 1945. *What Is Life? The Physical Aspect of the Living Cell.* New York: Cambridge University Press, S. 20—21.
[7] Chargaff, E. 1963. *Essays on Nucleic Acids.* Amsterdam, London, New York: Elsevier, S. VII.
[8] Chargaff, E. 1976. Triviality in science: A brief meditation on fashions.

Perspect. Biol. Med. 19: 324—333. — 1977. Trivialität in der Naturwissenschaft: eine kurze Meditation über Moden. *Scheidewege* 7: 327—340.
[9] Chargaff, E. 1932. Über höhere Fettsäuren mit verzweigter Kohlenstoffkette. *Ber. Chem. Ges. 65:* 745—754.
[10] Vischer, E., und Chargaff, E. 1947. The separation and characterization of purines in minute amounts of nucleic acid hydrolysates. *J. Biol. Chem. 168:* 781—782.
[11] Chargaff, E. 1947. On the nucleoproteins and nucleic acids of microorganisms. *Cold Spring Harbor Symp. Quant. Biol. 12:* 33.
[12] Chargaff, E. 1950. Chemical specificity of nucleic acids and mechanism of their enzymatic degradation. *Experientia 6:* 201—209.
[13] Chargaff, E. 1951. Some recent studies on the composition and structure of nucleic acids. *J. Cell. Comp. Physiol. 38* (Suppl. 1): 41—59
[14] Chargaff, E. 1951. Structure and function of nucleic acids as cell constituents. *Fed. Proc. 10:* 654—659.
[15] Olby, R. 1974. *The Path to the Double Helix.* Seattle: University of Washington Press.
[16] Watson, J. D. 1973. *Die Doppel-Helix.* Hamburg: Rowohlt.
[17] Chargaff, E. 1974. Building the Tower of Babble. *Nature 248:* 776—779.
[18] Watson, J. D., und Crick, F. H. C. 1953. Molecular structure of nucleic acids. *Nature 171:* 737—738.
[19] Chargaff, E. 1976. Review of *The Path to the Double Helix,* by R. Olby. *Perspect. Biol. Med. 19:* 289—290.
[20] Chargaff, E. 1965. On some of the Biological Consequences of Basepairing in the Nucleic Acids. In: M. D. Anderson (Hrsg.), *Developmental and Metabolic Control Mechanisms and Neoplasia.* Baltimore: Williams and Wilkins, S. 7—25.
[21] Chargaff, E. 1957. Nucleic Acids as Carriers of Biological Information. In: *Symposium on the Origin of Life,* Acad. Sci. USSR, Moskau, S. 188 bis 193. Nachdruck in *The Origin of Life on Earth,* Pergamon Press, London, 1959, S. 297—302.
[22] Chargaff, E. 1959. First steps towards a chemistry of heredity. *4th International Congress of Biochemistry. London:* Pergamon Press, *14:* 21—35.
[23] Chargaff, E. 1971. Preface to a grammar of biology. A hundred years of nucleic acid research. *Science 172:* 637—642.
[24] Chargaff, E. 1977. Kommentar im Proszenium. *Scheidewege 7:* 131—152
[25] Plotinus, *Enneaden.* I. 6.2. Aus: A. H. Armstrong, 1953, *Plotinus,* S. 147. London: Allen & Unwin.

III. Die Sonne und der Tod

[1] Chargaff, E. 1973. Bitter fruits from the tree of knowledge: Remarks on the current revulsion from science. *Perspect. Biol. Med. 16:* 486—502. —

1974. Bittere Früchte vom Baume der Erkenntnis. Anmerkungen zur gegenwärtigen Ablehnung der Naturwissenschaften. *Scheidewege 4:* 326—345.

[2] Chargaff, E., und Davidson, J. N. (Hrsg.). 1955 und 1960. *The Nucleic Acids.* 3 Bde. New York, London: Academic Press.

[3] Chargaff, E. 1963. *Essays on Nucleic Acids.* Amsterdam, London, New York: Elsevier.

[4] Chargaff, E. 1975. Voices in the labyrinth: Dialogues around the study of nature. *Perspect. Biol. Med. 18:* 251—285; 313—330.

[5] Liebig, J., und Wöhler, F. 1958: *Briefwechsel 1829—1873.* Weinheim: Verlag Chemie.

[6] Chargaff, E. 1965. On some of the Biological Consequences of Base-pairing in the Nucleic Acids. In: M. D. Anderson (Hrsg.), *Developmental and Metabolic Control Mechanisms and Neoplasia.* Baltimore: Williams and Wilkins, S. 19.

[7] Chargaff, E. 1976. Triviality in Science: A brief meditation on fashions. *Perspect. Biol. Med. 19:* 324—333. — 1977. Trivialität in der Naturwissenschaft: eine kurze Meditation über Moden. *Scheidewege 7:* 327 bis 340.

[8] Siehe oben Hinweis 3, S. 83.

[9] Ibid., S. 110.

[10] Chargaff, E. *Voices in the Labyrinth: Essays and Dialogues on the Study of Nature.* In Vorbereitung.

[11] Chargaff, E. 1976. On the dangers of genetic meddling. *Science 192:* 938—940.

[12] Freitag, E. 1973. *Schönberg.* Reinbeck: Rowohlt, S. 149.

Namensverzeichnis

Briefe und Tagebücher

in der Sammlung Luchterhand

Briefe und Tagebücher sind oft eine unschätzbare Quelle: Die Schreibenden berichten in ihnen von dem, was sie wirklich meinen und denken. Für die Leser ergeben sich daraus aufregende Erkenntnisse, neue Blickwinkel, ungeahnte Einblicke in das Wesen von Menschen.

Angepaßt oder mündig?
Briefe an Christa Wolf im Herbst 1989
Hg. Petra Gruner
SL 926

›Fresse schon meine Fingerspitzen wie Spargelköpfe‹
Bettel- und Brandbriefe
Hg. Birgit Vanderbeke
SL 913

Karoline von Günderrode
Der Schatten eines Traumes
Gedichte, Prosa, Briefe
Zeugnisse von Zeitgenossen
Hg. Christa Wolf
SL 348

Fanny Mendelssohn
Italienisches Tagebuch
Hg. Eva Weissweiler
SL 607

Nadja
Briefe aus Rußland
Übersetzt und herausgegeben von Natascha Wodin
SL 850

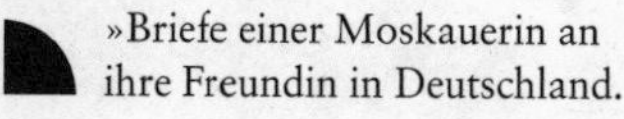
»Briefe einer Moskauerin an ihre Freundin in Deutschland. Es ist eine Kostbarkeit, etwas in seiner Art Einzigartiges auf dem deutschen Buchmarkt.«
Susanne Schaup, Südwestfunk

Caroline Schlegel-Schelling
»Lieber Freund, ich komme weit her schon an diesem frühen Morgen«
Briefe. Hg. Sigrid Damm. SL 303

Rahel Varnhagen
Jeder Wunsch wird Frivolität genannt
Briefe und Tagebücher
Hg. Marlis Gerhardt
SL 426. Originalausgabe

Rahel Varnhagen / Pauline Wiesel
Ein jeder machte seine Frau aus mir wie er sie liebte und verlangte
Ein Briefwechsel
Hg. Marlis Gerhardt
SL 708. Originalausgabe

Maxie Wander
Ein Leben ist nicht genug
Tagebuchaufzeichnungen und Briefe
Mit Fotos
SL 933

Leben wär' eine prima Alternative
Tagebuchaufzeichnungen und Briefe
SL 298

Geschichten aus der Geschichte

in der Sammlung Luchterhand

Diese Anthologien unterscheiden sich von anderen Erzählsammlungen durch das Prinzip, Geschichte in Geschichten widerzuspiegeln. Nicht Schreibweisen sollen repräsentiert werden, sondern literarische Texte in ihren zeitlichen Bezügen zu einem historischen Prozeß.

Geschichten aus der Geschichte der Bundesrepublik Deutschland
Hg. von Klaus Roehler
SL 300. Originalausgabe

Geschichten aus der Geschichte der DDR
Hg. von Manfred Behn
SL 301. Originalausgabe

Geschichten aus der Geschichte Frankreichs seit 1945
Hg. und eingeleitet von Claude Prévost
SL. 836. Originalausgabe

Geschichten aus der Geschichte Österreichs 1945–1982
Hg. von Michael Scharang
SL 526. Originalausgabe

Geschichten aus der Geschichte Nordirlands
Hg. von Rosaleen O'Neill und Peter Nonnenmacher
SL 704. Originalausgabe

Geschichten aus der Geschichte der Türkei
Hg. Güney Dal und Yüksel Pazarkaya
SL 804. Originalausgabe

Geschichten aus der Geschichte Polens
Hg. von Per Ketman und Ewa Malicka
SL 856. Originalausgabe

Geschichten aus der Geschichte Kubas
Hg. José Antonio Friedl Zapata
SL 878. Originalausgabe

Geschichten aus der Geschichte der Sowjetunion
Hg. von Thomas Rothschild
SL 901